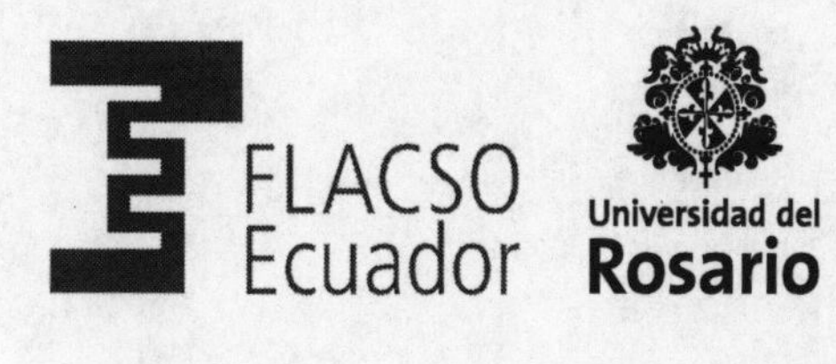
FLACSO
Ecuador

Universidad del
Rosario

Gobernanza y políticas públicas

Gobernanza y políticas públicas. La seguridad ciudadana en Bogotá y Quito

Reseña

El libro de Marco Córdova sobre los modos de gobernanza de la seguridad de dos capitales, Bogotá y Quito, destaca la gran significación de esta política pública a la hora de valorar la calidad democrática de un país. Su investigación nos permite contrastar el método del análisis de políticas públicas en dos casos tan importantes como los mencionados; además el autor incorpora el complejo tratamiento de los procesos de gobernanza. En el debate de fondo se plantea la relación entre la dirección pública de las políticas de seguridad y la capacidad de involucramiento de actores sociales no institucionales para evaluar la efectividad de dichas políticas.

Palabras clave: Ciencia política, política pública, política social, seguridad pública, Bogotá, Quito.

Governance and public policies. Citizen security in Bogotá and Quito

Abstract

Marco Córdova's book on security governance models in two capitals, Bogotá and Quito, highlights the great importance of this public policy when assessing the democratic quality of a country. His research allows us to compare the method of public policy analysis in the above mentioned important cases; in addition, the author presents a complex treatment of governance processes. The underlying debate proposes a relationship between the public administration of security policies and the capacity to involve non-institutional social actors in order to evaluate the effectiveness of said policies.

Keywords: Political science, public policy, social policy, public security, Bogotá, Quito.

Citación sugerida
Córdova Montúfar, Marco, 2018. *Gobernanza y políticas públicas. La seguridad ciudadana en Bogotá y Quito.* Bogotá: Editorial Universidad del Rosario / Flacso. DOI: dx.doi.org/10.12804/th9789587841336

Gobernanza y políticas públicas

La seguridad ciudadana en Bogotá y Quito

Marco Córdova Montúfar

Córdova Montúfar, Marco
Gobernanza y políticas públicas. La seguridad ciudadana en Bogotá y Quito / Marco Córdova Montúfar. Quito; Bogotá: Editorial Flacso Ecuador, Editorial Universidad del Rosario, 2018
xxiv, 432 páginas: cuadros
Bibliografía: p. 389-431

Políticas públicas; Gobernanza; Seguridad ciudadana; Sociología política; Aspectos sociales; Historia; Quito; Bogotá; Ecuador; Colombia
320.6 CDD

Editorial FLACSO Ecuador
Pradera E7-174 y Almagro
Tel: (593-2) 2946800, Ext. 2518
www.flacso.edu.ec
Quito, Ecuador

Editorial Universidad del Rosario
Carrera 7 No. 12B-41, of. 501
Tel: (57-1) 2970200 Ext. 3112
editorial.urosario.edu.co
Bogotá, Colombia

Primera edición:
Bogotá D. C. / Quito, octubre de 2018

ISBN: 978-9978-67-500-7 (FLACSO Ecuador)

ISBN: 978-958-784-132-9 (impreso) (Colombia)
ISBN: 978-958-784-133-6 (ePub)
ISBN: 978-958-784-134-3 (pdf)
DOI: dx.doi.org/10.12804/th9789587841336

Coordinación editorial: Editorial Universidad del Rosario y Editorial FLACSO Ecuador
Cuidado de la edición: Editorial FLACSO Ecuador
Diseño de cubierta: Miguel Ramírez, Kilka DG
Diagramación: Myriam Enciso Fonseca

Impreso y hecho en Colombia y Ecuador
Printed and made in Colombia and Ecuador

A mis compañeras de vida...
Camila y Mónica

Contenido

Índice de tablas y figuras

Tablas

Figuras

Glosario de siglas

ANDESCO	Asociación Nacional de Empresas de Servicios Públicos Domiciliarios (Colombia)
ASOBANCARIA	Asociación Bancaria y de Entidades Financieras de Colombia
AUC	Autodefensas Unidas de Colombia
BID	Banco Interamericano de Desarrollo
CAI	Comando de Atención Inmediata (Bogotá)
CAMAD	Centro de Atención Médica a Drogodependientes (Bogotá)
CAVID	Centro de Atención a Víctimas de Violencias y Delitos (Bogotá)
CCB	Cámara de Comercio de Bogotá
CEACSC	Centro de Estudios y Análisis en Convivencia y Seguridad Ciudadana (Bogotá)
CEMAC	Central Metropolitana de Atención Ciudadana (Quito)
CERAC	Centro de Recursos para el Análisis de Conflictos (Colombia)

CIREM	Comisión Interinstitucional de la Red de Emergencias Médicas (Quito)
CLAD	Consejo Latinoamericano de Administración para el Desarrollo
CNAI	Corporación Nuevo Arco Iris (Colombia)
CONAM	Consejo Nacional de Modernización (Ecuador)
COOTAD	Código Orgánico de Organización Territorial, Autonomía y Descentralización
CORPOSEGURIDAD	Corporación Metropolitana de Seguridad Ciudadana (Quito)
DADEP	Departamento Administrativo de la Defensoría del Espacio Público (Bogotá)
DESEPAZ	Programa de Desarrollo, Seguridad y Paz
DMQ	Distrito Metropolitano de Quito
ELN	Ejército de Liberación Nacional (Colombia)
EMSEGURIDAD	Empresa Pública Metropolitana para la Seguridad (Quito)
EPL	Ejército Popular de Liberación (Colombia)
FARC	Fuerzas Armadas Revolucionarias de Colombia
FENALCO	Federación Nacional de Comerciantes (Colombia)
FESCOL	Friedrich Ebert Stiftung en Colombia
FIP	Fundación Ideas para la Paz (Colombia)
FLACSO	Facultad Latinoamérica de Ciencias Sociales (Ecuador)

FOPAE	Fondo de Prevención y Atención de Emergencias (Colombia)
FVS	Fondo de Vigilancia y Seguridad (Bogotá)
GAD	Gobierno Autónomo Descentralizado (Ecuador)
IDPAC	Instituto Distrital de la Participación y Acción Comunal (Bogotá)
IDRD	Instituto Distrital de Recreación y Deporte (Bogotá)
IPES	Instituto para la Economía Social (Bogotá)
M-19	Movimiento 19 de Abril (Colombia)
MDMQ	Municipio del Distrito Metropolitano de Quito
NUSE	Número Único de Seguridad y Emergencias (Bogotá)
OEA	Organización de Estados Americanos
OMSC	Observatorio Metropolitano de Seguridad Ciudadana (Quito)
ONG	Organización no gubernamental
ONU	Organización de Naciones Unidas
OPS	Organización Panamericana de la Salud
PCC	Partido Comunista de Colombia
PICSC	Plan Integral de Convivencia y Seguridad Ciudadana (Bogotá)
PNUD	Programa de Naciones Unidas para el Desarrollo
PSD	Partido Socialista Democrático (Colombia)

SSG	Secretaría de Seguridad y Gobernabilidad (Quito)
SUIVD	Sistema Unificado de Información de Violencia y Delincuencia (Bogotá)
TIAR	Tratado Interamericano de Asistencia Recíproca
UAECOB	Unidad Administrativa Especial Cuerpo Oficial Bomberos de Bogotá
UNIR	Unión Nacional Izquierdista Revolucionaria (Colombia)
UPC	Unidad de Policía Comunitaria (Ecuador)

Agradecimientos

El agradecimiento más importante es para mi familia: mi hija Camila, mi esposa Mónica, mis hermanos Ana Cristina y Hugo, quienes me han acompañado y respaldado durante este trayecto.

Luego, expreso mi reconocimiento a la Facultad Latinoamericana de Ciencias Sociales, FLACSO Ecuador, institución en la que me he formado académica y profesionalmente, así como a los colegas profesores, estudiantes y personal administrativo.

Una mención especial a Fernando Carrión, Adrián Bonilla y Juan Ponce por la confianza y apoyo; a Simón Pachano por sus invaluables enseñanzas, a Betty Espinosa, María Belén Albornoz y Gustavo Durán, por su amistad y constante consejo.

El mayor de los reconocimientos a Guillaume Fontaine, quien con su pasión por la docencia, rigurosidad académica y valiosa amistad, supo asesorar este trabajo. Un agradecimiento a los profesores José del Tronco, Pedro Medellín, Adela Romero y Joan Subirats, por sus pertinentes observaciones al manuscrito.

A los colegas del Programa de Estudios de la Ciudad y del Departamento de Asuntos Públicos, instancias donde he forjado las discusiones sobre lo urbano, la seguridad ciudadana y las políticas públicas. Un agradecimiento especial a los profesores, investigadores y estudiantes del Laboratorio de Investigación sobre la Gobernanza y del Grupo de Investigación de Políticas Públicas Comparadas, espacios de reflexión que contribuyeron de manera fundamental al planteamiento teórico-metodológico de la investigación.

Finalmente, en la ciudad de Bogotá, mi profundo reconocimiento a Claudia Gómez, Carolina Duque, Juan Pineda, Martha Franco; gracias por su apoyo y hospitalidad. Mi agradecimiento a todos los directivos y funcionarios de instituciones como la Secretaría de Gobierno, la Veeduría Distrital, la Cámara de Comercio, la Policía Metropolitana, las fundaciones Corpovisionarios y Bogotá Cómo Vamos, entre muchas otras, que de manera transparente abrieron sus puertas y facilitaron la recolección de información. Estoy particularmente agradecido con Rubén Darío Ramírez, director del CEACSC, y todo su equipo de colaboradores, por su generosidad y acogida.

Un señalamiento especial a Antanas Mockus y Hugo Acero, visionarios y artífices de las políticas de seguridad ciudadana en Bogotá, por su deferencia en compartir tan valiosas experiencias.

En la ciudad de Quito, quiero expresar mi agradecimiento a los funcionarios de instituciones como la Secretaría de Seguridad y Gobernabilidad, el Observatorio Metropolitano de Seguridad Ciudadana, la Fundación Marcha Blanca, entre otras; valoro la apertura e información proporcionada.

Una mención especial a Paco Moncayo, quien compartió con entusiasmo su experiencia como precursor de las políticas de seguridad ciudadana en Quito. A Lourdes Rodríguez, por su apertura y colaboración. A Lautaro Ojeda y Daniel Pontón, agradezco su permanente predisposición para debatir sobre la problemática de la seguridad. Mi gratitud a Augusto Barrera, cuyo compromiso con lo público y visión crítica constituyeron un importante aporte.

No menos importante, un reconocimiento a Andrés Gómez (Bogotá) y Blanca Armijos (Quito), por su invaluable apoyo y profesionalismo como asistentes de investigación.

Al final, un agradecimiento al equipo de la Editorial FLACSO Ecuador: María Cuvi, Nadesha Montalvo e Ileana Soto por el cuidado de la edición; a la Editorial de la Universidad del Rosario, especialmente por los aportes de las evaluaciones anónimas a los contenidos del libro.

Prólogo

Esta obra de Marco Córdova evoca un elemento arquitectónico clásico, el arco, pues el autor —él mismo con formación en arquitectura— ha erigido, en su libro, dos columnas de igual solidez: la que presenta un debate teórico profundo sobre las políticas públicas, en fluida interacción con la que desarrolla un estudio empírico, centrado en la seguridad ciudadana.

Sosteniéndose en esos dos firmes pilares, el libro propone un doble aporte: epistemológico, en tanto revela el valor del neoinstitucionalismo para el estudio de las políticas públicas; y pragmático, pues ofrece herramientas concretas para evaluar sus programas de acción a quienes hacen política pública, con énfasis en quienes se ocupan de la seguridad ciudadana.

Desde el neoinstitucionalismo, Córdova propone analizar los instrumentos de acción pública más allá de su dimensión técnica u operativa, incorporando el sentido político y la lógica de decisión de los actores. Tal reflexión, afirma el autor, transparenta los efectos de los instrumentos, tanto al poner en práctica las políticas como en sus resultados. También revela las relaciones de poder y legitimidad implícitas y permite comprender mejor cómo las intenciones políticas se transforman en acciones administrativas concretas.

Los aportes del libro están conectados —volviendo a la imagen del arco— mediante un planteamiento central: que los modos de gobernanza son el factor decisivo para lograr una acción pública eficaz, como lo demuestra el análisis de la seguridad ciudadana en Quito y Bogotá. Córdova sostiene que, a mayor interdependencia entre los distintos actores sociales, políticos y económicos en torno a un problema de gobernanza, más efectivas serán las políticas públicas que, al respecto, se implementen.

La obra dialoga con dos tipos de audiencias. Por una parte, atiende a quienes estudian las políticas públicas, y particularmente a quienes se enfocan en las metodologías para evaluarlas. Este público encontrará material de interés, por ejemplo, en el análisis de los instrumentos de seguridad ciudadana mediante su clasificación por tipo: de nodalidad, de autoridad, de tesoro y de organización. Por otra parte, pueden sacar provecho de este libro quienes diseñan y ejecutan política pública en cualquier ámbito, pero sobre todo en el de la seguridad ciudadana. Dicha audiencia hallará una discusión enriquecedora sobre la emergencia de la problemática de seguridad ciudadana en Quito y Bogotá. Por cierto, este debate aborda las implicaciones de la violencia estructural en Colombia sobre las estrategias de seguridad ciudadana implementadas en la capital.

El arco imaginario que traza este libro conecta otros dos pilares: la Editorial de la Universidad del Rosario, en Bogotá, y la Editorial de la Facultad Latinoamericana de Ciencias Sociales, en Quito. Es de celebrar que un libro de alta especialización, que conecta a dos ciudades cercanas, haya concretado a una alianza editorial entre estas dos universidades de la región andina.

Ph.D Juan Ponce Jarrín
Director de FLACSO Ecuador

Introducción
El campo disciplinar de las políticas públicas

Desde mediados del siglo XX, una de las preocupaciones centrales ha sido comprender y buscar soluciones a los problemas de ejecución y rendimiento de las políticas públicas. Esto evidencia el carácter dual del ámbito en el que se insertan. En un sentido epistemológico, se ha estructurado y consolidado, desde la década de los sesenta, un campo académico multidisciplinar orientado a entender y explicar la dinámica de la acción pública mediante enfoques y métodos provenientes de la ciencia política, la economía y la sociología, entre otras disciplinas. En términos pragmáticos, el desarrollo de las políticas públicas en un Estado moderno, caracterizado por una racionalidad burocrática, ha significado, principalmente, diseñar e implementar una serie de mecanismos legales, administrativos y económicos tendientes a resolver determinados problemas y necesidades de la sociedad.

Dentro de la academia, tanto para quienes se enfocan en el desarrollo del campo disciplinar, como para los que ejecutan políticas —cuya preocupación son los efectos y resultados de sus estrategias y acciones—, así como para la ciudadanía, expectante de la solución de sus problemas, la ejecución y rendimiento de las políticas públicas se han constituido en las temáticas fundamentales de los procesos políticos contemporáneos.

La génesis de dichas políticas públicas, en tanto disciplina académica y campo de acción, estuvo simultáneamente condicionada por pretensiones políticas y científicas. Así, en el contexto de la posguerra, se vislumbró la necesidad de fortalecer las capacidades políticas y administrativas del Gobierno de los Estados Unidos como consecuencia, no solamente de una dinámica de profesionalización del aparato estatal que se venía consolidando desde los años treinta, sino también para responder a los retos implícitos en el nuevo rol hegemónico que adquiría ese país en el escenario geopolítico de la época. Esto derivó en una especialización, cada vez mayor, del conocimiento de las políticas públicas y su institucionalización, como objeto de estudio, en diferentes carreras universitarias y programas de investigación. Así, "el análisis de políticas públicas se volvió un ejercicio imprescindible para apoyar la toma de decisión y el conjunto de procesos relacionados con la acción del Estado" (Fontaine 2015, 2).

En su trabajo seminal, Harold Lasswell ([1951] 1992) planteaba que, frente a la persistente crisis de seguridad nacional atravesada por Estados Unidos durante los años cincuenta, era necesario estructurar una "ciencia de las políticas". Proponía entenderlas como un ejercicio de carácter multi o interdisciplinar, alrededor del cual se integrarían los objetivos y métodos de la acción pública y privada, con el propósito de aumentar la racionalidad de las decisiones. Esta "orientación hacia las políticas" significaba, para Lasswell, establecer una visión normativa en función de la cual se reivindicarían los valores democráticos de la sociedad occidental y de la dignidad humana como objetivo supremo, tanto en su dimensión axiológica como pragmática. Además y sobre todo, implicaba posicionar el emergente campo de las políticas públicas como una práctica académica y profesional enfocada en la solución de problemas concretos.

> Lo realmente importante es que todos los recursos de nuestra ciencia social en expansión se encaucen hacia los conflictos básicos de nuestra civilización, tan vívidamente expuestos por los estudios científicos de la personalidad y la cultura [...]. El enfoque de políticas, en consecuencia, pone el énfasis en los problemas fundamentales del hombre en sociedad, más que en los tópicos del momento (Lasswell [1951] 1992, 89).

Sobre el concepto de *ciencia de las políticas* se desarrolló, entre los años cincuenta y setenta del siglo pasado, un influyente campo disciplinar fundamentado sobre el análisis de sistemas y centrado en la toma de decisiones. Se planteó, de esta manera, realizar una reconstrucción explícita para producir metapolíticas en tanto se elaboraban las políticas. El propósito era superar esa continua improvisación que históricamente había caracterizado este paso, así como impulsar las capacidades del ser humano para influir en los procesos externos que intervenían en la toma de decisión. Se buscaba reafirmar la racionalidad como recurso central de los asuntos humanos, para responder tanto a las necesidades y problemas de la sociedad, como enfrentar el escaso aporte de las ciencias sociales a la elaboración de las políticas (Dror 1992, 144-146).

A partir de estos planteamientos, se consolidó una tradición sinóptica en la ciencia de las políticas; fue impulsada por el auge de la revolución conductista en las ciencias sociales, particularmente en la ciencia política, y por el éxito de las metodologías de las ciencias económicas en el ejercicio gubernamental. Este enfoque se caracteriza por "su identificación con el análisis de sistemas como metateoría, el empirismo estadístico como metodología y la optimización de valores como criterio de decisión" (Garson 1992, 159). El campo de análisis de la tradición sinóptica es el enfoque del ciclo de la política o marco secuencial, herramienta inicialmente esbozada por Lasswell y posteriormente desarrollada, con mayor precisión, por Jones (1970). Bajo la figura de un tipo ideal, en este marco se conciben las políticas públicas como un objeto de análisis compuesto por un conjunto de fases integradas a través de un ciclo reiterativo. Si bien esta lectura segmentada ha impulsado el desarrollo de teorías parciales, enfocadas en las distintas secuencias del proceso, el carácter fragmentado del análisis ha llevado a que se pierda la perspectiva de la totalidad (Roth 2014, 83-84).

Dado que la ciencia de las políticas fue concebida como una disciplina aplicada, dirigida a mejorar el proceso de toma de decisiones, la noción de secuencia como un instrumento de intervención se inscribió en una lógica reflexiva de retroalimentación, tendiente a perfeccionar el desarrollo de las políticas. Su origen como marco analítico estuvo marcado por la identificación y cuestionamiento de las fallas en la ejecución, particularmente por el fracaso de varios programas aplicados en Estados Unidos durante la posguerra. Más allá de su indudable valor como instrumento heurístico, su alcance explicativo ha sido limitado en tanto no ha logrado articular la teoría con la realidad (Fontaine 2015, 53-56).

En esta perspectiva sinóptica, sobre la que emergió el campo disciplinar del análisis de políticas, los problemas de ejecución y rendimiento de las políticas públicas han sido entendidos en función de la incidencia que la toma de decisión ejerce sobre el resto del proceso; esta comprensión se da en correspondencia con la lógica secuencial inherente al abordaje sistémico del ciclo de las políticas. Para este enfoque, los problemas de ejecución no necesariamente tienen una dimensión política; por el contrario, se deben a inconvenientes de carácter técnico y administrativo susceptibles de ser corregidos mediante una intervención en estas áreas. Este planteamiento evidencia la paradoja del mencionado ciclo como marco analítico. Así, más allá de los principios de racionalidad e integralidad sobre los que se fundamenta, resultan visibles sus limitaciones analíticas para explicar las dinámicas causales del funcionamiento y rendimiento de las políticas.

Una posición antisinóptica emergió de manera paralela. Su cuestionamiento fundamental se refería a la imposibilidad de que el conocimiento racional —tal como fue planteado en la ciencia de las políticas— pudiera abarcar sistemas íntegros de acción. Esta incapacidad derivaría de las limitaciones implícitas en los requerimientos de información para tomar decisiones; también provendría de los inconvenientes asociados a una evaluación científica de las políticas, sin tomar en consideración los valores de la sociedad. De esta forma, la tradición antisinóptica se definió como una orientación neopluralista de análisis de políticas; pese a no constituirse en un movimiento intelectual unitario, llegaría a ser dominante en la ciencia política. Basándose en el trabajo teórico y empírico de autores clave, esta tradición se fue consolidando sobre el pluralismo como negociación racional (Dahl), el incrementalismo (Lindblom) y la racionalidad limitada (Simon), entre otros, en virtud de los cuales la lógica del proceso de toma de decisión de las políticas públicas y de la política en general fue analíticamente redefinida (Garson 1992, 162-165).

A dos décadas de su nacimiento, el campo disciplinar de las políticas públicas experimentó su primera transformación. Por un lado, renunció a las pretensiones científico-racionalistas de fundar una ciencia de las políticas integrales; por otro, adoptó una posición moderada de análisis. Desde esta postura, y sin abandonar el carácter empírico del campo, se empezó a focalizar el interés en el desarrollo de teorías substantivas, útiles para explicar problemas concretos. Esta transformación puede ser entendida en dos aspectos: por una parte, la ruptura epistemológica que provocó la irrupción de una tradición antisinóptica. En función de esta se incorporó una lectura humanística al análisis de las políticas, que generó la apertura y articulación con otros campos ontológicos. Por otra, la segmentación del campo de análisis se expresó en el desarrollo de una serie de teorías y métodos focalizados en las distintas etapas del enfoque secuencial.

Uno de los campos relevantes para entender los problemas de ejecución y rendimiento de las políticas públicas es el relacionado con el análisis de la implementación. Los estudios realizados desde la década de los ochenta fueron determinantes para entender las limitaciones analíticas de los enfoques centrados en la racionalidad de los procesos de toma de decisión. El enfoque del ciclo asume que las fallas de las políticas responden a factores específicos, localizados en las distintas etapas del proceso. Asimismo, considera que los efectos pueden ser revertidos, dentro de la lógica secuencial del modelo, y corregidos a partir de un ejercicio de retroalimentación dirigido a perfeccionar las políticas. Bajo una lógica *top-down,* los problemas de ejecución estarían condicionados por la capacidad de quienes las ejecutan en cuanto a mantener el sentido original de la decisión. Al contrario, desde el análisis de las fallas de implementación, se plantea que el éxito o fracaso de las políticas está relacionado con la articulación entre las metas y las acciones impulsadas en su ejecución, dentro de una cadena subsecuente de causalidades (Pressman y Wildavsky 1998). De esta forma, las fallas de implementación se deben a un desajuste entre los objetivos formulados y la instrumentación, es decir, a un problema de coherencia del diseño original.

El análisis de la implementación ha sido fundamental en tanto ha reivindicado el sentido político de las políticas, anteriormente restringido a la instancia de la toma de decisión, advirtiendo que en el proceso de ejecución también opera una dinámica de poder y conflicto que incide en la manera en la que se instrumenta la acción pública. Así mismo, ese análisis ha permitido aprehender en su dimensión empírica la efectividad de las políticas públicas, entendida como la coherente articulación entre su diseño y su implementación

(Aguilar Villanueva 1993, 58). El estudio de las políticas se estructuró en sus inicios en relación con el análisis de la decisión y los problemas implícitos en las estrategias de los actores y organizaciones, y "el análisis del fracaso de las políticas públicas llevó a entender mejor su ejecución en términos de efectividad y eficacia" (Lascoumes y Le Galès 2009, citado en Fontaine 2015, 43).

Uno de los debates fundamentales de la literatura sobre las fallas de las políticas se refiere a las causas o factores que determinan sus niveles de efectividad, discusión en la que se busca explicar las razones por las cuales las acciones implementadas no generan los efectos previstos. Entendiendo que existe una relación entre la implementación y la evaluación de las políticas (Pressman y Wildavsky 1998), resulta necesario examinar los efectos de las acciones ejecutadas por la autoridad pública, tanto en términos del impacto como de los resultados, esto es, mediante la comprobación empírica del modelo causal en el que se fundamenta el proceso de elaboración de la política (Subirats et al. 2012, 211).

Esto ha conducido a evaluar las políticas según tres criterios: eficacia, eficiencia y efectividad. La eficacia se refiere a la relación entre los efectos esperados y los que se observan en la realidad, es decir, al nivel de cumplimiento de los objetivos. La eficiencia, en una perspectiva económica, corresponde a la relación entre los recursos invertidos en una política y los efectos obtenidos, esto es, a los costos y beneficios generados. Las limitaciones analíticas de estos dos criterios explican que la efectividad, aunque aparezca como una categoría más compleja, posea un mayor alcance analítico, en tanto permite identificar en un sentido amplio si se han conseguido los resultados esperados respecto a los objetivos delineados en la formulación de las políticas (Kraft y Furlong 2010; Subirats et al. 2012).

En términos precisos, la efectividad constituye una categoría analítica de carácter cualitativo cuya variación ordinal permite observar el grado o nivel de articulación existente entre los objetivos formulados en una determinada política y las acciones concretas implementadas para ejecutarlos. En consecuencia, las explicaciones sobre los factores que inciden en la variación de la efectividad pueden ser enmarcadas en los debates sobre la *implementation gap* o fallas de implementación. Una primera distinción entre los modelos planteados está dada por la categorización construida en función de la naturaleza de la implementación.

Por un lado, desde la concepción *top-down* se entiende el proceso de las políticas a partir de una lógica administrativa que se despliega de arriba hacia abajo, es decir, dentro de un orden jerárquico de autoridad y una clara división entre la dimensión política y la administrativa; las fallas de ejecución son concebidas principalmente como problemas de gestión relacionados con coordinación y control (Roth 2014, 187). En esta óptica se inscriben todos aquellos enfoques fundamentados en una lógica de racionalidad tanto absoluta como limitada, cuyo criterio para analizar las fallas de ejecución se concentra en observar la eficacia y la eficiencia. Por otro lado, la concepción *bottom-up* emergió precisamente como una lectura crítica de las deficiencias de los procesos de implementación tradicionales, adscribiendo a una lógica de abajo hacia arriba de acuerdo con la cual las fallas de implementación responden a dinámicas relacionadas con la capacidad de adaptación y de aprendizaje, la concertación de actores o la incidencia del mercado como mecanismo de regulación (Roth 2014, 187-188).

En el marco de estas dos tradiciones se han desarrollado diferentes enfoques de análisis de la implementación, cada uno caracterizado por un abordaje distintivo al problema de la efectividad. Así, por ejemplo, desde una perspectiva normativa, el enfoque de gestión pública (Sabatier y Mazmanian 1979) identifica un conjunto de condiciones necesarias para facilitar una implementación efectiva, incluyendo una teoría sólida, una ley bien concebida, responsables capacitados y comprometidos, apoyo político y social, y un entorno favorable. A su vez, el enfoque contingente (Mayntz 1983), que parte del supuesto de la implementación como proceso difícilmente previsible, cuestiona la separación analítica entre formulación e implementación. En esta perspectiva, la efectividad no es necesariamente considerada un objetivo prioritario en el diseño de las políticas, y se privilegia por el contrario criterios de decisión de carácter ideológico. De este modo, la efectividad de las políticas estaría determinada por la naturaleza de los destinatarios, de los instrumentos de implementación y de un conjunto de condiciones externas a la política (Roth 2014, 190-198).

Los enfoques que asumen la implementación como un proceso de aprendizaje (Pressman y Wildavsky 1998) consideran la efectividad de las políticas a la luz de una lógica evolutiva, tanto en función de la capacidad de redefinir los objetivos como de reinterpretar los resultados. En la misma línea, pero desde una perspectiva más constructivista (Yanow 1987), se plantea que en el proceso de implementación la norma que rige la política es continuamente reinterpretada por los ejecutores y los destinatarios, de tal manera que la efectividad de las políticas podría ser entendida a partir de la compatibilidad o incompatibilidad de esta interpretación con la norma.

Dentro de la tradición *bottom-up,* en el modelo retrospectivo *backward mapping* (Elmore 1982, citado en Roth 2014) se asume que los problemas de implementación ocurren en el nivel más bajo de la jerarquía organizacional. Así, la efectividad de las políticas se relaciona con la naturaleza recíproca de las relaciones de autoridad, pero principalmente con las capacidades profesionales y las condiciones de trabajo de los funcionarios encargados de ejecutarlas, en función de las cuales resulta posible delegar responsabilidades hacia los niveles inferiores (Roth 2014, 199-204). Más recientemente, en el debate sobre la instrumentación, se ha enfatizado que la efectividad de la ejecución de las políticas se encuentra relacionada no solo con la coherencia de los instrumentos utilizados en términos de su estructura y funcionamiento, sino además en cuanto a sus mecanismos de selección (Howlett, Ramesh y Perl 2009).

Estos marcos analíticos se han desarrollado alrededor de la redefinición que durante las últimas décadas han sufrido las nociones de acción pública y gobierno. Estos conceptos han evolucionado desde una lógica burocrático-administrativa hacia, primero, modelos inscritos en la denominada nueva gestión pública y, más recientemente, hacia planteamientos articulados a la noción de gobernanza, referidos a la transformación del modo de gobernar tendiente a formas horizontales que incorporan actores no estatales (Aguilar Villanueva 2009). Estos debates remiten en última instancia a una preocupación más amplia sobre la relación entre el Estado y la sociedad, a la luz de la cual se puede argumentar que "la implementación de las políticas (y sus condiciones de éxito) no depende solamente de la administración pública, sino también de la interacción entre diferentes actores e instituciones tanto públicas, privadas como asociativas" (Roth 2014, 190).

La transformación de las formas tradicionales de gobierno ha determinado la emergencia de arreglos institucionales que han redefinido el manejo de lo público. En este sentido, es relevante entender de qué manera la configuración de las nuevas dinámicas de interacción entre el Estado, la sociedad y el mercado, y sus consecuentes mecanismos de regulación, influye en los procesos de acción pública, concretamente en las políticas públicas. En consecuencia, en este libro se busca explicar cómo los modos de gobernanza inciden en la efectividad de las políticas públicas.

Se planteó que los modos de gobernanza en los que se observan mayores niveles de interdependencia entre los distintos actores sociales, políticos y económicos inducen el desarrollo de políticas públicas más efectivas. Esto en razón de que las lógicas de interacción horizontal (asociaciones público-privadas, co-administración, redes, regímenes) tienden a generar mayores niveles de comunicación y cooperación en los procesos de acción pública, lo que a su vez deriva en una mayor correspondencia entre los objetivos formulados y los instrumentos de las políticas implementados.

Las políticas públicas como objeto de estudio

Abordar las políticas públicas como objeto de estudio requiere, en primera instancia, su ubicación dentro de un determinado campo epistemológico de las ciencias sociales. Se trata de identificar la naturaleza y la dinámica de articulación entre las concepciones epistemológicas, los enfoques teóricos y los modelos metodológicos implícitos en las diferentes construcciones analíticas desarrolladas para explicar los problemas de políticas. En el campo disciplinar del análisis, las políticas constituyen metodológicamente variables dependientes afectadas por una serie de fenómenos sociales, políticos y económicos. Por ello, las políticas son el resultado de un sistema institucional que regula las dinámicas de interacción y equilibrio de poderes entre los diferentes actores del Estado, la sociedad y el mercado, en el contexto de una trayectoria (diacrónica) y una coyuntura (sincrónica) históricas específicas (Fontaine 2015, 28).

La definición de las variables independientes o explicativas sobre los diferentes problemas de políticas se encuentra condicionada por el significado axiológico que cada uno de los enfoques de análisis enfatiza, en referencia bien sea a los intereses de los actores en el juego político (racionalismo), al rol de las ideas en la concepción de lo público (cognitivismo), o a la incidencia de las instituciones en el comportamiento de los individuos (neoinstitucionalismo).

Se identifican tres posiciones o posturas ontológico-epistemológicas que definen el quehacer de las ciencias sociales en general y de la ciencia política en particular: positivista, interpretativista y realista (Marsh y Furlong 2002). En el marco de cada una se han desarrollado diversos enfoques para el análisis de las políticas públicas.

Así, dentro del paradigma positivista que dio origen al campo disciplinar, las políticas son entendidas como el resultado de un proceso de decisión racional de carácter científico. Inmersos en la denominada revolución conductista, en este debate se ubican enfoques de análisis de políticas como el incrementalismo, el cual enfatiza las dinámicas de negociación que los distintos grupos organizados despliegan en función de sus intereses particulares, y el debate utilitarista, que analiza, mediante las teorías de la elección racional, el comportamiento de los individuos en términos del costo-beneficio implícito en sus estrategias. Más recientemente, desde posturas neopositivistas como la articulada en la escuela de la elección pública, se ha reivindicado la necesidad de entender la acción colectiva en función de los principios positivistas de racionalidad y objetividad empírica (Roth 2014; Fontaine 2015).

En la posición interpretativista, ontológicamente opuesta a la anterior, se identifican análisis cognitivistas, caracterizados por destacar la importancia que tienen las ideas o creencias y el aprendizaje para explicar el proceso de las políticas públicas. Importantes perspectivas de análisis se han desarrollado en este ámbito, entre las que sobresale el marco analítico de *coaliciones de causa* (Jenkins-Smith y Sabatier 1993), basado en la tesis de que las políticas estructuran sistemas de interpretación de la realidad, a manera de un acervo de creencias comunes, sobre los cuales los actores despliegan sus acciones. Desde el marco de análisis por referencial (Muller 2006) se enfatiza el rol de las ideas en el desarrollo de las políticas, argumentando que, a más de ser un proceso de decisión, estas reflejan una realidad sobre la que se quiere intervenir. De otra parte, la consideración de las políticas como paradigmas estructurados en tres niveles (principios generales, hipótesis y metodologías) ha conducido a equipararlas con las ciencias. En razón de esta analogía, se argumenta que los actores que defienden ciertas ideas son determinantes en el cambio de las políticas (Surel 2000), en tanto las ideas, al igual que el paradigma en las ciencias, marcan la trayectoria de esos tres niveles (Roth 2014; Fontaine 2015).

Finalmente, inscritos en una postura intermedia de impronta realista, se ubican los enfoques neoinstitucionalistas, desarrollados desde la década de los ochenta en reacción al individualismo metodológico de las teorías conductistas. Básicamente, se fundamentan en la importancia de las estructuras institucionales y la acción simbólica como factores explicativos de la vida política (March y Olsen 1993).

Tomando como referencia la categorización desarrollada por Hall y Taylor (1996), es posible identificar tres "nuevos institucionalismos". En primer lugar, el neoinstitucionalismo sociológico resalta el rol de las normas y los valores como variables explicativas de la conducta de los actores. Con base en este supuesto, se ha desarrollado un marco analítico que permite entender la dinámica de las políticas como el resultado de un proceso de acomodamiento que opera dentro de una lógica de lo adecuado. En segundo lugar, el neoinstitucionalismo histórico explica el desarrollo de las políticas desde una perspectiva substantiva o macro, así como en términos de su dimensión temporal; en este debate han emergido marcos analíticos como la dependencia de sendero, centrada en analizar las coyunturas críticas de los arreglos institucionales y los mecanismos de retroalimentación que inciden en el cambio de las políticas.[1] En tercer lugar,

---

[1] Una discusión más amplia sobre las perspectivas racionalistas y sociológicas del neoinstitucionalismo histórico puede revisarse en Hall (2009). Para ampliar la discusión sobre el marco explicativo de la dependencia de sendero en las políticas ver Pierson (2000).

el neoinstitucionalismo económico se sustenta en la idea de que las instituciones, a manera de limitaciones autoimpuestas, reducen la incertidumbre y configuran la interacción humana (North 1993). Sobre este supuesto se ha construido el marco de Análisis Institucional y Desarrollo (Ostrom 2005, 2011) en tanto modelo de lenguaje metateórico que permite analizar las políticas en función de los tipos de arreglos institucionales, relacionados a su vez con un conjunto de variables estructurales.

Precisamente, a partir del debate neoinstitucionalista sobre la importancia de los marcos normativos en el desarrollo de las políticas (Blom-Hansen 1997; Immergut 2006; Eslava 2007), en este libro se propone explicar la efectividad de las políticas públicas en función de los arreglos formales e informales inherentes a unos determinados modos de gobernanza. Se trata, dicho en otros términos, de entender de qué manera las estructuras institucionales resultantes de formas específicas de interacción entre el Estado, la sociedad y el mercado inciden en la coherente articulación de los objetivos planteados y la instrumentación implementada para conseguirlos.

En las perspectivas de la gobernanza como intercambio, inscritas en los enfoques conductistas de carácter racionalista, se concibe la política como la agregación de preferencias individuales dentro de la acción colectiva mediante procedimientos de negociación racional, formación de coaliciones e intercambios. Así, la gobernanza es considerada neutral respecto a las posibles preferencias de los individuos. Esto significa que los actores racionales interpretan el cambio institucional y político como un proceso anticipado en el contexto social; es decir, las estructuras institucionales coinciden con su marco de decisión en tanto se encuentran implícitas en las restricciones de un entorno exógeno. No obstante, ninguna noción de gobernanza fundamentada sobre elementos de esta naturaleza puede ser viable, debido a una serie de limitaciones asociadas a los postulados de racionalidad ilimitada e intercambio eficiente. Estas contradicciones remiten a la desigual distribución inicial de recursos, la falacia del intercambio voluntario, los resultados negativos en un sentido moral y las desventajas de la lógica individualista del intercambio (March y Olsen 1995, 7-26).

A este respecto, las perspectivas institucionalistas contribuyen a superar los problemas de las concepciones de intercambio en al menos tres aspectos. Primero, la acción humana no necesariamente es entendida por la anticipación de sus consecuencias inciertas y preferencias individuales, sino por una lógica de lo apropiado[2] reflejada en una estructura de reglas y nociones de identidad. Segundo, el cambio político y la historia son concebidos en función de las instituciones, de las conductas de los individuos y del contexto. Son dependientes de un equilibrio marcado por una dependencia de sendero, así como del esfuerzo para mejorar la capacidad de adaptación institucional. Tercero, la noción de gobernanza en este enfoque se extiende más allá de las negociaciones entre coaliciones dentro de un conjunto de restricciones preestablecidas en términos de derechos, reglas, preferencias y recursos, abarcando de modo amplio la construcción del sentido de la política y constituyendo la base, no solo de la acción instrumental, sino también de las preocupaciones centrales de los individuos. Desde la perspectiva institucional, la gobernanza implica, entonces, la formación de actores políticos capaces de entender el funcionamiento de las instituciones políticas y de interactuar de manera efectiva con ellas (March y Olsen 1995, 28).

Según Cerrillo (2005, 14), las instituciones son fundamentales en razón de que estructuran el marco de constricciones e incentivos que moldean la acción individual y colectiva. En otros términos,

---

[2] Para una revisión más amplia de la noción de "lógica de lo apropiado" ver Goldmann (2005).

las instituciones establecen un conjunto de normas y valores que no solamente inciden en la formación de un razonamiento más previsible por parte de los individuos, reduciendo la incertidumbre inherente a la complejidad de los problemas sociales, sino que además configuran un sistema de incentivos que sirve como mecanismo de mediación de la conflictividad política. De ahí deriva, precisamente, la pertinencia de inscribirse en la perspectiva neoinstitucionalista de la gobernanza como marco de análisis de las políticas públicas, teniendo en cuenta que

> si la gobernanza es el conjunto de normas, principios y valores que pautan la interacción entre actores que intervienen en el desarrollo de una determinada política pública, puede ser entendida como una institución, es decir, como el conjunto de reglas del juego o constricciones convencionalmente construidas para enmarcar la interacción humana en una sociedad determinada y que pautan la interacción entre los individuos y las organizaciones (Cerrillo 2005, 14).

A partir de estos planteamientos, este trabajo se incluye en el debate neoinstitucionalista, bajo el argumento de que las políticas públicas son producto de las estructuras institucionales, resultantes, a su vez, de las formas de regulación o modos de gobernanza presentes en la dinámica sociopolítica de las sociedades contemporáneas. En consecuencia, se plantea desarrollar un marco analítico que fundamente de qué manera tanto el rol del Estado como las modalidades de interacción de la instancia estatal con los actores no estatales, provenientes de la sociedad y del mercado, inciden en la efectividad de las políticas públicas.

El argumento básico se refiere a que el cambio de paradigma en el ejercicio de gobierno, desde lógicas verticales de naturaleza estadocéntrica hacia lógicas horizontales que incorporan actores no estatales en la acción pública, ha significado no solo la redefinición del rol del Estado, sino sobre todo, una mayor participación de sectores de la sociedad civil y el mercado en los procesos de gobierno (Aguilar Villanueva 2009; Pierre y Peters 2000). Esta redefinición se encuentra signada por un desplazamiento del poder y control del Estado en tres direcciones: hacia arriba (actores y organizaciones internacionales), hacia abajo (regiones, ciudades y comunidades) y hacia afuera (sociedad civil y sector privado). También se manifiesta en una transformación de las formas de control que el Estado ejerce sobre la sociedad y la economía. Son movimientos por los que se definen nuevas formas de instrumentación de la acción pública (Pierre y Peters 2000).

Asimismo, la incorporación de actores no estatales en los procesos de gobierno incide en el desarrollo de las políticas. Las distintas formas de interacción (intervención, interdependencia, interferencia) entre el Estado, la sociedad y el mercado expresan nuevos modos de gobernanza (jerárquica, cogobernanza, autogobernanza) (Kooiman 2003), en función de los cuales se estructuran estilos de implementación específicos, esto es, una combinación de instrumentos para cada ámbito de políticas (Howlett, Ramesh y Perl 2009).

Por otra parte, la efectividad como problema de políticas se fundamenta en este libro a partir de los trabajos sobre implementación que reivindican el sentido político del proceso de ejecución de aquellas (Pressman y Wildavsky 1998). Se plantea, entonces, caracterizar la efectividad de las políticas con el análisis de los instrumentos (Subirats 1995; Salamon 2000; Jordan, Wurzel y Zito 2005; Hood y Margetts 2007; Lascoumes y Le Galès 2007), teniendo en cuenta que el estudio de la instrumentación de las políticas constituye una importante herramienta hermenéutica para aprehender y explicar el grado de articulación entre los objetivos formulados y las acciones concretas implementadas. Así, la efectividad de las políticas se encuentra definida según la coherencia de los instrumentos respecto a sus objetivos y el grado de consistencia del *mix* o combinación de instrumentos (Howlett 1991).

Precisiones metodológicas

Este trabajo se define en primera instancia dentro de un enfoque deductivo, esto es, en una lógica analítica que parte desde lo general hacia lo particular con el objetivo de generar explicaciones causales sobre determinados fenómenos sociales (Sartori 2011). A diferencia de un método interpretativo, en el cual se enfatiza sobre todo la comprensión descriptiva de acontecimientos según la subjetividad del observador, el método explicativo apunta al desarrollo, a través de la experiencia directa, de generalizaciones sobre relaciones observadas entre fenómenos sociales. Basado en un conocimiento científico, este método se orienta a desarrollar un razonamiento explicativo que demuestre por qué, bajo determinadas condiciones, existen resultados regulares y predecibles (Fontaine 2015, 132).

Así, asumiendo la premisa de que el objetivo principal de la investigación científica es extraer inferencias (tanto descriptivas como causales) a partir de piezas de información empírica obtenidas del mundo, resulta lógica la asociación entre un método deductivo-explicativo y la búsqueda de inferencias causales. Para este propósito es necesario elaborar teorías causales, es decir, teorías que tienen como objeto mostrar las causas de un fenómeno y que, en consecuencia, se encuentran estructuradas por un conjunto interrelacionado de hipótesis causales. En esta lógica, "cada una de ellas [las hipótesis] postula la existencia de una relación entre variables que genera consecuencias observables: si unas determinadas variables explicativas tienen ciertos valores, se predice que las dependientes tendrán otros valores específicos" (King, Keohane y Verba 2000, 107).

El aporte del método explicativo para el análisis de políticas públicas radica principalmente en las posibilidades de comprender los problemas de políticas en función de un método inscrito en un determinado enfoque teórico-metodológico, antes que en la fenomenología particular de cada caso. De esta forma, en la lógica deductiva, tras formular una teoría específica se puede desarrollar una serie de estudios de caso para someterla a prueba. Esto representa una ventaja respecto a los métodos interpretativos, en tanto que al estructurar una abstracción del mundo real sobre la base de un procedimiento sistemático de comprobación, se vuelve factible abordar la misma problemática de políticas en distintos contextos, sea a través de estudios de caso o de manera comparada.

Sin embargo, es necesario tener en cuenta que el ejercicio deductivo implica un procedimiento artificial de simplificación de la realidad, lo que ciertamente conlleva restricciones analíticas vinculadas, por ejemplo, a la reducción de un problema de políticas a un número limitado de variables, más aún considerando que las políticas públicas tienen un carácter multivariable intrínseco. No obstante, un marco analítico de carácter deductivo focalizado en explicar una relación causal alrededor de una determinada variable lleva, en última instancia, a jerarquizar una explicación por sobre otras. Esto permite, de acuerdo al enfoque asumido, no solo entender el desarrollo de las políticas en función de, por ejemplo, el rol de los intereses, de las ideas o de las instituciones, sino además identificar de manera general el efecto que ejerce la variable seleccionada sobre el problema de políticas que se analiza (Fontaine 2015, 134).

Ahora bien, en tanto los fenómenos sociales y políticos son el resultado de la combinación de diversas causas que actúan de manera múltiple y coyuntural, el estudio de la causalidad en ciencia política, y en las ciencias sociales en general, representa un reto metodológico, relativo al problema de la complejidad causal. En ese sentido, dadas las dificultades fácticas y éticas para desarrollar un método experimental —considerado el ideal metodológico— en el campo de las ciencias sociales, las estrategias de investigación fundamentadas en la lógica de la comparación experimental constituyen una herramienta metodológica muy valiosa para explicar cuestiones claves de la complejidad social (Caïs 2002, 11).

Más allá de entender que la comparación constituye el ejercicio básico que se desarrolla explícita o implícitamente en toda actividad cognoscitiva, el aspecto fundamental del análisis comparativo se concreta en el conjunto de procedimientos que posibilitan realizar comparaciones precisas y conscientes en el ámbito de la ciencia política (Morlino 1999, 15). Si bien puede asumirse que todo razonamiento se encuentra basado en una lógica comparativa y que la investigación social empírica contempla siempre algún nivel y tipo de comparación (tanto en términos de casos como de variables), el método comparado se caracteriza principalmente por orientarse a explicar variaciones —entre diferentes unidades— mediante el establecimiento de controles de las condiciones y causas de las mismas (Caïs 2002, 12).

Desde esta perspectiva, se desarrolló en esta obra una metodología comparativa. Esta estrategia presenta ventajas sobre otras, en tanto abre la posibilidad de controlar la hipótesis formulada a través de una observación explícita y sistemática de las generalizaciones establecidas alrededor de una relación causal 'X–Y'. De esta forma, la comparación tiene una función de control sobre la que se estructura un método que permite comprender, explicar e interpretar una hipótesis en diversos contextos políticos, es decir, fundamentar una teoría explicativa factible de ser comprobada empíricamente (Sartori 1999, 29-30).

De ahí precisamente la importancia de desarrollar una teoría política empírica sólida, direccionada no solamente a fundamentar una determinada hipótesis de trabajo, sino también a solventar los problemas metodológicos del análisis comparativo en al menos tres aspectos. En primer lugar, ante la posibilidad de que existan muchas variables y un insuficiente número de casos, una buena teoría comparativa permite identificar explicaciones más pormenorizadas. En segundo lugar, la teoría es fundamental para seleccionar los casos que deben incluirse en los ejemplos de unidades de observación para un análisis comparado efectivo. Finalmente, la teoría política provee una base para una mejor informada y más efectiva medición de los conceptos utilizados en el análisis (Peters 2013, 116).

Hay que señalar que si bien esta interacción entre la teoría y la investigación empírica es el fundamento de todas las áreas de la disciplina politológica, su importancia es especialmente significativa en el ámbito de la política comparada. Ciertamente, más allá de la expansión de las estrategias estadísticas y los estudios de caso, la comparación fundamentada sobre una teoría política empírica sigue siendo el laboratorio de la disciplina. Así, por ejemplo, la teoría en la política comparada permite articular la relación macro-micro de los fenómenos políticos en términos de las influencias que las instituciones ejercen sobre el comportamiento de los individuos. La teoría es así necesaria tanto para interpretar resultados como para formular preguntas que motiven nuevas investigaciones (Peters 2014, 35-36).

A la luz de estas consideraciones, la discusión teórica macro de este trabajo se inscribe en el debate politológico sobre la acción pública y más específicamente en las políticas públicas como problemas de gobernanza. En su dimensión substantiva o nivel meso, el enfoque teórico asume la existencia de una relación causal entre los modos de gobernanza y la efectividad de las políticas públicas. Esto bajo el supuesto de que los modos de gobernanza, configurados sobre el rol del Estado y su interacción con otros actores no estatales provenientes de la sociedad y del mercado, tendrían incidencia en el grado de articulación entre los objetivos formulados en las políticas y los instrumentos implementados para su ejecución.

En función de este enfoque teórico, se ha estructurado un método. Su propósito es no solo operativizar los conceptos de cada una de las variables, sino principalmente evidenciar su relación causal, conforme se observa en la matriz analítica representada en la figura I.1.

Figura I.1. Diseño metodológico de la investigación

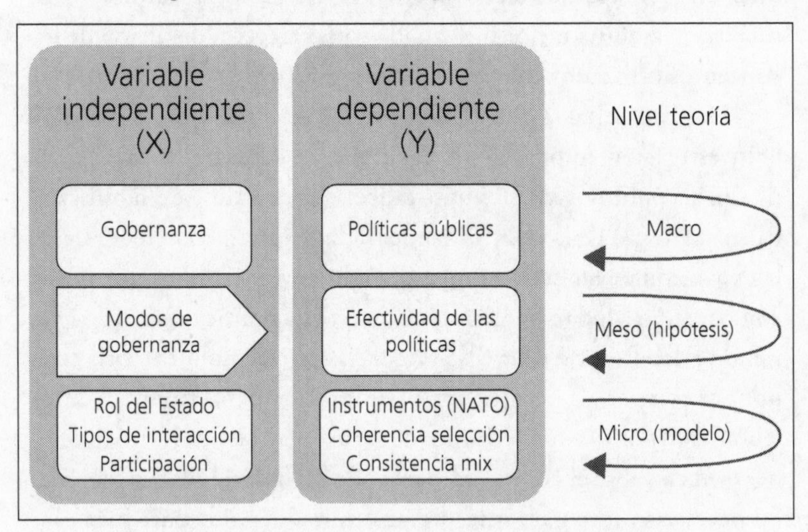

Como se indicó en el acápite anterior, la investigación plantea abordar la observación y medición (en su acepción cualitativa) de la efectividad de las políticas públicas a partir del enfoque de la instrumentación como un problema de diseño de política, entendiendo que el grado de consistencia de la combinación de instrumentos expresa el nivel de la efectividad.

Cabe destacar que en la investigación comparativa, una de las principales dificultades metodológicas estriba en la medición y en la compatibilidad de medidas. De ahí la importancia de establecer significados equivalentes para conceptos que serán utilizados en diferentes contextos sociales y culturales; se trata de evitar el denominado "problema de viajar", relacionado con la utilización de parámetros de medición construidos en un determinado entorno político que no pueden ser aplicados en otros contextos. Si bien la medición es más relevante para la investigación cuantitativa en tanto requiere una mayor especificación de los instrumentos de medida, en el análisis cualitativo los problemas de medición también son importantes al momento de observar y explicar cuestiones relacionadas, por ejemplo, con la toma de decisiones en las políticas públicas (Peters 2013, 86).

En ese orden de ideas, se plantea el desarrollo, a un nivel teórico micro, de un modelo de análisis de instrumentos fundamentado sobre el marco analítico del diseño de políticas (Howlett 2011; Howlett, Mukherjee y Woo 2014). En términos generales, la propuesta del modelo se estructura en función de tres etapas: i) delimitación del objeto de análisis; ii) análisis de los instrumentos; y iii) evaluación de la política.

Según se indicó, el principal objetivo del análisis comparativo es empírico y se encuentra direccionado a describir, explicar y predecir similitudes y diferencias entre sistemas políticos (países, regiones, ciudades o sistemas supranacionales), sea a través del análisis intensivo de un par de casos o del extensivo a gran escala de muchos casos, dentro de una temporalidad sincrónica y/o diacrónica, y bajo estrategias cualitativas y/o cuantitativas (Caramani 2014, 1). En consecuencia, la definición de la estrategia de comparación es fundamental para determinar *qué*, *cuándo* y *cómo* se va a comparar, por lo que estos cuestionamientos, en sí mismos, constituyen parte fundamental de la metodología en tanto se derivan de los presupuestos teórico-conceptuales que estructuran la investigación (Keman 2014, 48).

En el método comparativo existen dos lógicas de comparación: el método de diferencia y el método de similitud, planteadas originalmente por John Stuart Mill en su obra *A System of Logic* de 1843. Teniendo en cuenta estas dos lógicas, Przeworski y Teune (1970) desarrollaron una tipología de diseños de investigación aplicada al ámbito de la política comparada, dirigida a interpretar relaciones hipotéticas y de causalidad generadas a partir de similitudes o diferencias entre los distintos casos tomados en consideración (Keman 2014, 54), tal como se detalla en la tabla I.1.

Tabla I.1. Sistemas de diseño de comparación

Tipo de diseño	Selección de casos	Variables incluidas	Lógica de comparación	Inferencia descriptiva
Sistema más similares	Similares en características que no forman parte de la relación X-Y.	Variables dependiente e independiente: X-Y varían a través de los casos incluidos.	Método de Diferencia	Relaciones X-Y presentan covarianza (+ o -).
Sistema más diferentes	Disímiles en muchas características que no son parte de la relación X-Y.	La relación entre la variable dependiente e independiente no varía entre los casos.	Método de Similitud	Especifica relación X-Y se mantiene constante entre los casos.

Fuente: Keman (2014, 55).

Los dos sistemas son compatibles debido a que se fundamentan sobre una lógica similar, enfocada a descubrir relaciones causales y controlar factores externos. En ambos casos, el mecanismo para explicar las variaciones a través del tiempo es el cálculo de covarianza, de manera que “el efecto de las variables externas se controla seleccionando y comparando casos en los que no hay covariación entre las variables de control y las variables dependientes” (Caïs 2002, 25). No obstante, los sistemas difieren en términos del proceso de eliminación de variables. En el *sistema más similares* se seleccionan casos que son idénticos en el máximo posible de variables, exceptuando la que caracteriza el fenómeno en investigación. Por el contrario, en el *sistema más diferentes* se escogen casos en los que no existen diferencias en el fenómeno que se quiere analizar.

En esta investigación se asume como diseño de comparación el *sistema más similares*, pues se indagará sobre la manera en que un determinado modo de gobernanza (X) incide en la efectividad de las políticas públicas (Y), a través de la observación del grado de consistencia del *mix* o combinación de instrumentos. De ahí que para explicar la relación causal X-Y sea necesario seleccionar unidades de análisis que presenten similitud en un conjunto de variables de contexto, pero difieran en la variable dependiente que se quiere esclarecer, es decir, la efectividad de las políticas.

Delimitación del objeto de estudio empírico y selección de casos

Se ha seleccionado como objeto de estudio empírico las *políticas de seguridad ciudadana*. Estas constituyen un campo de acción pública relevante para observar de qué manera las dinámicas de interacción sobre las que se configuran los nuevos modos de gobernanza en los contextos locales contemporáneos e inciden en la instrumentación de las políticas y consecuentemente en su efectividad.

El ámbito epistemológico de las políticas de seguridad ciudadana se inscribe en el paradigma de la seguridad humana, articulado en el año 1994 en el Informe anual de Desarrollo Humano del Programa de Naciones Unidas para el Desarrollo (PNUD), como respuesta a las dinámicas contemporáneas derivadas del fin de la Guerra Fría y el desarrollo de la globalización (Rojas y Álvarez 2012). La seguridad ciudadana se configura, en ese sentido, alrededor de un conjunto de estrategias de carácter antropocéntrico direccionadas no solo a enfrentar los problemas de violencia y delincuencia, sino sobre todo a promover procesos de convivencia ciudadana y control social mediante mecanismos de participación y prevención.

La noción de seguridad ciudadana ha significado redefinir las concepciones estadocéntricas de seguridad nacional y seguridad pública, tradicionalmente vinculadas a la acción punitiva de organismos de control como el Ejército y la Policía. También ha impulsado, durante las últimas décadas, el desarrollo de una serie de políticas públicas, sobre todo a nivel local, enfocadas en solucionar los crecientes problemas de violencia y conflictividad urbana. En tanto la seguridad ciudadana está concebida desde una perspectiva multidimensional, se ha incorporado a la agenda pública una diversidad de problemáticas que abarcan desde fenómenos cotidianos relacionados con delitos comunes y el uso del espacio público, hasta asuntos complejos tales como el crimen organizado, el tráfico de estupefacientes o la gestión del riesgo.

Esta perspectiva multidimensional a través de la cual se ha abordado la problemática de la seguridad ciudadana ha implicado en última instancia la configuración de un complejo campo de la política. En efecto, alrededor de los procesos de formulación e implementación de estrategias y acciones se ha estructurado, por un lado, una institucionalidad articulada a diversas entidades y sectores gubernamentales tanto locales como nacionales, y, por otro, se ha concitado la participación de una serie de actores estatales y no estatales involucrados en el desarrollo de las políticas.

En lo referente a la selección de casos, es importante señalar que en el método comparativo la relación entre los casos elegidos y las variables empleadas para analizar la hipótesis constituye una preocupación fundamental. Por ello, la clave para desarrollar un apropiado diseño de investigación está en decidir *qué* casos son útiles para la comparación y *cuántos* pueden ser seleccionados. Hay que tener en cuenta, además, que en el análisis comparado el significado del término "caso", a diferencia de la connotación general que posee en las ciencias sociales, se refiere a las unidades de observación que van a ser comparadas (como países o ciudades, por ejemplo), aun cuando el nivel de medición pueda ser diferente. Los *casos* se definen, por lo tanto, como cualquier tipo de sistema incluido en el análisis, mientras que las *observaciones* se refieren a las variables que se están investigando (Keman 2014, 54).

La selección de casos en este libro parte en primera instancia de delimitar un universo de casos en el marco de la región andina, entendida, para efectos metodológicos, como el contexto geográfico, político, social y cultural conformado por Bolivia, Colombia, Ecuador, Perú y Venezuela. En términos del objeto empírico de estudio, la seguridad ciudadana en la región andina se ha convertido en las últimas décadas en una de las problemáticas más importantes de la agenda pública tanto a nivel nacional como local (Bernales 1999; Carrión 2004; Espín 2010), lo que destaca la pertinencia de los casos para la investigación.

En la medida en que se plantea analizar las políticas de seguridad ciudadana en contextos locales, se ha realizado una segunda delimitación del universo de casos en función de los distritos metropolitanos capitales de cada país: La Paz,[3] Bogotá, Quito, Lima y Caracas. En su condición de ciudades principales de sus respectivos países, allí se han impulsado políticas de seguridad ciudadana tendientes a contrarrestar los problemas de violencia urbana, políticas que mostrarían distintos grados de efectividad. Por otro lado, estos conglomerados condensan una compleja dinámica de gobernanza urbana expresada tanto en la redefinición del rol de sus gobiernos locales como en una cada vez mayor incorporación de actores no estatales en los procesos de acción pública. Estas características permiten delimitar el universo de casos en concordancia con las variables de estudio planteadas (modos de gobernanza-efectividad

[3] La Paz es considerada, en esta obra, la capital de facto del Estado Plurinacional de Bolivia.

de las políticas públicas), en el marco de la lógica de comparación de *sistemas más similares* asumida, tal como se observa en la tabla I.2.

Tabla I.2. Delimitación del universo de casos

Casos		Variables		
País	Distrito metropolitano	(Xn) Características similares(contexto región andina)	(X)Modos de gobernanza (interacción)	(Y)Políticas seguridad ciudadana (efectividad)
Bolivia	La Paz*	+	-	-
Colombia	Bogotá**	+	+	+
Ecuador	Quito***	+	-	-
Perú	Lima****	+	+	-
Venezuela	Caracas*****	+	-	-

Fuente: elaborado a partir de *Rocabado y Caballero (2005), **Martin y Ceballos (2004), ***Torres (2011), ****Costa y Romero (2010), *****Briceño-León y Pérez (2002).

En lo referente a *cuántos* casos seleccionar dentro del universo, hay que señalar que en política comparada, especialmente en la que utiliza métodos estadísticos, ha existido la tendencia a priorizar la selección de varios casos (N grande) para cumplir con los supuestos y requerimientos de este tipo de análisis. No obstante, existen también preguntas de investigación que pueden ser mejor dilucidadas con un pequeño y focalizado número de casos, inclusive de uno solo. De ahí que, más allá de los riesgos metodológicos implícitos en la selección de una N pequeña,[4] con una correcta selección focalizada, algunos análisis comparativos pueden ser generados con dos casos. Además,

[4] El problema de un diseño de investigación sustentado en pocos casos no es la N pequeña *per se*, sino el desajuste entre el número pequeño de casos y un largo número de variables (Lijphart 1971).

los problemas con la comparación binaria pueden ser reducidos concentrándose en el análisis de una sola institución, política o proceso, en función de una teoría de rango medio (Peters 2013, 61-71).

Desde esta perspectiva, en esta obra se plantea desarrollar un análisis comparativo orientado a inferir relaciones causales a partir de confrontar unidades de estudio en las que se observen distintos grados en una misma variable dependiente. Se ha seleccionado como unidades de análisis a los distritos metropolitanos de Bogotá y Quito, pues evidencian grados disímiles de efectividad en las políticas de seguridad ciudadana.

Si bien las ciudades de La Paz y Caracas también difieren en la variable dependiente con respecto a Bogotá, se ha seleccionado a Quito dado que sus políticas de seguridad ciudadana fueron concebidas e implementadas tomando como referencia la experiencia bogotana, tanto en términos de sus objetivos como de su instrumentación. Esto permite una comparación más sistemática en tanto los espacios de políticas de las dos ciudades comparten ciertas características que, a su vez, las diferencian de La Paz y Caracas.

Las trayectorias políticas de Bogotá y Quito atienden a las readecuaciones institucionales impulsadas por las reformas del Estado de la década de los noventa, orientadas a fortalecer el gobierno de la ciudad y sobre las cuales se han venido configurando nuevos modos de gobernanza. Frente a la problemática de la violencia urbana, ambos gobiernos distritales han impulsado en las últimas décadas un conjunto de políticas de seguridad ciudadana fundamentadas en principios de prevención, convivencia y participación ciudadana. Sin embargo, se observan resultados divergentes. Por un lado, la experiencia exitosa de Bogotá ha sido considerada un referente de política de seguridad en la región (Llorente y Rivas 2004; Martin y Ceballos 2004; E. Velásquez 2008a, 2008b); por otro, pese a la institucionalización de la política de seguridad en el Distrito

Metropolitano de Quito (Pontón 2004; Ojeda 2008; Carrión, Pontón y Armijos 2009), sus resultados concretos han sido menos evidentes (Torres 2011).

En el caso bogotano, más allá de que los efectos positivos de las políticas de seguridad se entiendan a partir de la combinación de un conjunto de estrategias lideradas por la administración municipal (Llorente y Rivas 2004) y de un modelo de gestión pública que ha generado procesos innovadores de articulación y participación (C. Gómez 2008), su éxito estaría explicado sobre todo por los modos de gobernabilidad acerca de un conjunto de instrumentos que han facilitado la negociación y constitución de acuerdos entre los distintos actores (E. Velásquez 2008a, 2008b).

De esta forma, se puede categorizar la experiencia de Bogotá como expresión de una cogobernanza, teniendo en cuenta que se ha configurado alrededor de lógicas de interacción horizontal e interdependencia. Esta dinámica ha sido instrumentada mediante estrategias de intersubjetividad mediadas a partir de un sentido cultural y pedagógico, direccionadas a incorporar a la ciudadanía en el proceso de la política. La efectividad de las políticas de seguridad ciudadana se explicaría por el hecho de que las respuestas obtenidas a través de los distintos planes y programas habrían sido coherentes con los lineamientos de construcción de ciudadanía y convivencia sobre los que se definió la problemática de la seguridad.

En el caso de Quito, en cambio, se evidenciaría la configuración de un modo de gobernanza jerárquica, es decir, formas centralizadas de gestión en las que el gobierno local habría monopolizado la toma de decisiones a través de mecanismos verticales, sin la participación e interacción de actores no estatales. Esto explicaría los bajos niveles de efectividad de la política de seguridad ciudadana. En la medida que la identificación y categorización de la problemática de la violencia urbana habría sido un proceso impulsado bajo una lógica *top-down*, sin la participación de la sociedad y sin un diagnóstico sistemático de los factores que originan el problema, las respuestas del gobierno local habrían sido parciales y desarticuladas.

A partir de estos planteamientos, se espera contribuir a entender de qué manera el proceso de diseño e implementación de las políticas públicas de seguridad ciudadana en Bogotá y Quito ha estado en última instancia condicionado por las dinámicas de interacción entre actores estatales y no estatales, esto es, por los modos de gobernanza político-institucional configurados en ambos distritos desde mediados de la década de los noventa.

En cuanto al corte temporal, se tienen en cuenta las transformaciones institucionales desplegadas en ambos distritos durante los años noventa. El propósito es analizar, bajo una lógica de dependencia de sendero, la incidencia de la estructuración de estas nuevas formas de gobernanza en la acción pública, concretamente en las políticas de seguridad ciudadana de las dos ciudades. En general, la noción de *dependencia de sendero* hace referencia a una lógica a través de la cual "los resultados de una coyuntura crítica desatan mecanismos de retroalimentación que refuerzan la recurrencia de un patrón particular en el futuro" (Pierson y Skocpol 2008, 13). En esta lógica, las coyunturas críticas o momentos formativos de los arreglos institucionales son esenciales en tanto actúan como efectos de interacción entre diversas secuencias que se articulan en determinados momentos de la trayectoria.

Desde este punto de vista, se aborda el período 1995-2014, en razón de que permite aprehender no solo la emergencia —a manera de coyuntura crítica— de las políticas de seguridad ciudadana tanto en Bogotá (1995) como en Quito (2000), sino además circunscribir temporal y analíticamente la incidencia de estos marcos institucionales en el desarrollo del proceso desde sus inicios hasta mediados de la década del 2000. Para la aplicación del modelo de *análisis de instrumentos*, el ejercicio se focaliza en las experiencias de gobierno más recientes de las dos ciudades: la administración del alcalde Gustavo Petro (2012-2015) en Bogotá, y en Quito la gestión del alcalde Augusto Barrera (2009-2014).

Estructura de esta obra

El libro está dividido en seis capítulos. El capítulo 1 incluye la discusión teórica, para lo cual se han definido dos acápites. Por una parte, el análisis de las políticas públicas como problema de gobernanza, en el que se da cuenta del debate sobre la transformación del rol del Estado en función de los procesos de desplazamiento del poder estatal y de las dinámicas de interacción con actores no estatales de la sociedad civil y el mercado; esto permite contextualizar de qué manera los nuevos modos de gobernanza inciden en la instrumentación de las políticas públicas. En el segundo acápite se caracteriza la efectividad de las políticas, en primera instancia dentro del debate de las fallas de implementación, para posteriormente argumentar que los instrumentos de las políticas constituyen la unidad de análisis de la efectividad.

En el capítulo 2, se desarrolla el debate sobre el análisis de instrumentos de las políticas públicas, organizado en tres partes. En primer lugar, se pasa revista a los distintos enfoques sobre los que se ha estructurado este campo en función de sus orígenes epistemológicos, la importancia del contexto en los procesos de instrumentación, los distintos planteamientos metodológicos y las lógicas de selección de los instrumentos. En una segunda parte se caracteriza la lógica de la instrumentación con el objeto de establecer su conceptualización, las distintas tipologías y sus implicaciones dentro del debate neoinstitucionalista con respecto a los problemas de efectividad. En la tercera se recogen las implicaciones metodológicas del análisis de instrumentos, detallando los componentes de la matriz o modelo analítico planteado en la metodología de la investigación.

En el capítulo 3 se presenta el caso de la seguridad ciudadana como problema de gobernanza e implementación de políticas públicas. Para esto, se plantean dos acápites. En el primero se expone un debate sobre la seguridad ciudadana en función de las lecturas criminológicas de la violencia y el control social, pero principalmente de la redefinición del concepto a raíz de la emergencia del paradigma de la seguridad humana. En un segundo acápite se desarrolla una revisión de la literatura de las políticas de seguridad ciudadana en distintos contextos geográficos, en función de los tres niveles de análisis de las políticas establecidas en el modelo metodológico: metas generales (macro), objetivos específicos (meso) y ajustes operacionales (micro).

En el capítulo 4 se presenta el contexto histórico de los dos casos comparados: Bogotá y Quito. Una primera parte da cuenta de la transformación de los gobiernos locales de las dos ciudades a causa de los procesos de descentralización de Colombia y Ecuador y de la dinámica metropolitana configurada en las últimas décadas en ambos distritos. La segunda parte aborda la emergencia de la problemática de la seguridad ciudadana en las ciudades de estudio, analizando la particularidad del caso colombiano en referencia al problema de violencia estructural del país y sus implicaciones sobre las estrategias de seguridad ciudadana. Posteriormente, desde una perspectiva comparada, se pasa revista a la redefinición de la noción de seguridad en Colombia y Ecuador, como antecedente para analizar la incorporación de la problemática de la seguridad ciudadana en las agendas locales de Bogotá y Quito. En una tercera parte se realiza el análisis de los objetivos y medios de las políticas de las dos ciudades en función de los tres niveles (macro, meso y micro) planteados en el modelo metodológico.

En el capítulo 5 se incorpora el análisis de los instrumentos de las políticas de seguridad en Bogotá y Quito. Mediante la aplicación del modelo de análisis, se evalúa la coherencia de los distintos instrumentos y la consistencia de los estilos de implementación de las políticas actuales en las dos ciudades. El argumento se encuentra organizado en dos partes, una por cada unidad de observación (Bogotá y Quito); en ambas se explica la lógica de selección de los instrumentos según la taxonomía NATO (nodalidad, autoridad, tesoro y organización).

En el capítulo 6 se desarrolla, en perspectiva comparada, la argumentación relacionada a la gobernanza y efectividad de las políticas de seguridad ciudadana en Bogotá y Quito. En un primer acápite se aborda un análisis de los diferentes actores involucrados en los procesos sociopolíticos y los modos de gobernanza configurados alrededor de estas dinámicas de interacción. En un segundo acápite se explica cómo los modos de gobernanza de cada uno de los gobiernos distritales inciden en la efectividad de las políticas a través del *mix* de instrumentos.

Finalmente, como conclusiones, se recapitulan algunos de los lineamientos teórico-metodológicos sobre los que se ha estructurado este libro, para posteriormente resaltar los principales hallazgos encontrados en el análisis empírico de las experiencias de Bogotá y Quito. Esto con el propósito de argumentar, desde la lógica deductiva a la que se adscribe la investigación, en qué medida el estudio de caso de la seguridad ciudadana ha contribuido a la discusión teórica de la gobernanza y la efectividad de las políticas públicas, así como a validar el modelo de análisis planteado.

Capítulo 1
Incidencia de los modos de gobernanza en la efectividad de las políticas públicas

El punto de partida de la discusión teórica es entender que las nuevas formas de interacción entre el Estado y la sociedad redefinen el sentido y la manera de hacer política, en tanto se incorporan diversos actores organizados a los procesos de acción pública. Puesto que las políticas son el resultado de un conjunto de intereses y valores decantados a través del tiempo en patrones institucionales específicos, puede afirmarse que las políticas públicas —a manera de variable dependiente— son el producto de los modos de gobernanza presentes en las sociedades contemporáneas.

Este capítulo se articula en torno a la pregunta: ¿de qué manera los modos de gobernanza inciden en la efectividad de las políticas públicas? Al respecto, se argumenta que los modos de gobernanza en los que se observan mayores niveles de interdependencia entre los distintos actores sociales, políticos y económicos inducen el desarrollo de políticas públicas más efectivas. Esto significa que para analizar su efectividad es necesario comprender el tipo de desplazamiento del poder y control del Estado y el reacomodo institucional implícito en estos movimientos (March y Olsen 1995; Pierre y Peters 2000), así como analizar las modalidades de interacción que operan entre los distintos actores sociales y políticos (Kooiman 2003).

El análisis de las políticas públicas como problema de gobernanza

La gobernanza como forma de regulación

Más allá de las concepciones de carácter normativo-prescriptivo instrumentalizadas principalmente desde los organismos multilaterales (World Bank 1992; UNDP 1997), la gobernanza puede ser entendida en términos académicos como una categoría analítica que da cuenta de la transformación en las formas tradicionales de gobierno durante las últimas décadas, en función de una realidad social cada vez más diversa, compleja y dinámica.

Caracterizar las tendencias de las sociedades modernas a partir de su diversidad, complejidad y dinamismo, permite aprehender el sentido epistemológico de la gobernanza contemporánea a través de las formas de regulación que operan en la frontera entre lo social y lo político. De esta manera, es fundamental distinguir la naturaleza de estas tres características, no solamente porque las interacciones sobre las que se estructuran los modos de gobernanza deben ser situadas en el contexto de las sociedades que las contienen, sino además porque la reflexión en torno a las mismas contribuye al desarrollo teórico de la gobernanza. En tanto cada una de las características por separado remite a aspectos específicos del fenómeno social y de la gobernanza, su articulación permite observar las interrelaciones de un determinado sistema sociopolítico en conjunto (Kooiman 2005, 59), tal como se sintetiza en la tabla 1.1.

Tabla 1.1. Características de las sociedades modernas en el contexto de la gobernanza

Característica	Ámbito	Implicaciones
Diversidad	Atributo de las entidades que forman el sistema, apunta a la naturaleza y el grado en el que ellas difieren.	Llama la atención sobre los actores en sistemas sociopolíticos y en los aspectos de las propias entidades, tales como los objetivos, intenciones y poderes.
Complejidad	Es un indicador de la arquitectura de las relaciones entre las partes de un sistema, entre las partes y el conjunto, y entre el sistema y su entorno.	Invita al examen de las estructuras, las interdependencias y las interrelaciones en y entre los diferentes niveles.
Dinamismo	Se aplica a las tensiones en un sistema y entre sistemas.	En función de los problemas y oportunidades, presta atención a la irregularidad con la que se llevan a cabo los desarrollos en los propios sistemas y a su alrededor.

Fuente: adaptado de Kooiman (2005, 59).

La reflexión sobre la gobernanza parte de entender que los cambios sociales, económicos y políticos del mundo contemporáneo, y en especial de los países occidentales, generados alrededor de procesos como la globalización, las reformas del Estado o la emergencia de nuevas formas de subjetivación social, han producido un impacto sobre la naturaleza de los poderes públicos y, consecuentemente, una redefinición de la acción pública en general. Ciertamente,

> los sistemas de gobierno tradicionales, basados en la jerarquía y la unilateralidad, altamente Estado-céntricos, no son suficientes ni, incluso, idóneos para hacer frente a los problemas, desafíos y retos que surgen. Tampoco lo son las aproximaciones de mercado, por ejemplo, a través de la privatización y la desregulación (Cerrillo 2005, 11).

Así, de cara al reto analítico que implica la complejidad inherente a la sociedad actual, será necesario desarrollar una reflexión teórica que, más allá de la tradicional noción unitaria de gobierno, permita captar y explicar la pluralidad de las nuevas dinámicas de interacción entre los actores estatales y no estatales presentes en los procesos de acción pública.

De modo general, puede señalarse que la teoría moderna de la gobernanza política, entendida en su sentido limitado de dirección, surgió en el período de posguerra a mediados del siglo XX, en un contexto en que los gobiernos planteaban mecanismos explícitos para dirigir el desarrollo social y económico de los países hacia objetivos específicos. En ese sentido, la evolución de la teoría de la gobernanza política puede ser caracterizada en tres etapas sucesivas: i) teorías prescriptivas de la planificación (finales de los años sesenta); ii) estudios empíricos del desarrollo de políticas: definición de la agenda, elección de los instrumentos, papel del Derecho, contexto organizacional (años setenta); y iii) implementación de las políticas (finales de los setenta, principios de los ochenta) (Mayntz 2005, 85).

La gobernanza como categoría de análisis de la ciencia política contemporánea constata el surgimiento y consolidación de patrones alternativos de arreglos políticos e institucionales sobre los que se define la organización de los intereses colectivos (Pierre y Peters 2000, 94). Se trata, en otras palabras, de lógicas alternativas en la interacción Estado-mercado-sociedad, a través de las cuales no solo se reconfigura el rol del Estado dentro del proceso político, sino que se induce una renovación esencial de la democracia, en términos de una mayor pluralidad y participación (Bevir 2010).

Desde luego, en el contexto de estos nuevos escenarios de interacción, se han empezado a generar algunas contradicciones entre la dinámica de los procesos sociales y la lógica de representación de los regímenes democráticos. Una política fundamentada en la agregación individual de preferencias, como la que caracteriza al modelo de democracia representativa o poliarquía, tiende a interferir de alguna manera con la dinámica contemporánea, cada vez más plural y diversa. Como consecuencia de estas contradicciones, no solo se ha mermado la legitimidad política de los gobiernos, además se han cuestionado las formas tradicionales de representación democrática. De igual manera, en un sentido económico, han sido debatidas las tesis basadas en una lógica de mercado planteadas para contrarrestar las crisis del Estado de bienestar intervencionista (Cerrillo 2005, 11).

Sin embargo, las nuevas formas de gobierno fundamentadas en dinámicas de pluralismo y participación no necesariamente son incompatibles con los principios democráticos, sino que, por el contrario, pueden complementarlos. Esto significa que, como lo señala Cerrillo (2005, 18), la incidencia de la gobernanza en la legitimidad democrática del Estado se encuentra condicionada, en última instancia, por la reflexión teórica y conceptual que se construya para explicar la relación entre las dos categorías. Es preciso entender que

> la gobernanza de redes implica la necesidad de establecer nuevas reglas sobre cómo se comparte la competencia para tomar las decisiones entre las diferentes entidades políticas, instituciones y redes, y de reformular el concepto de representación democrática para poder considerar cómo se puede obtener la democracia cuando la representación juega un papel autónomo y cuando existe una lucha entre actores que persiguen representar los intereses sociales (Cerrillo 2005, 18).

A este respecto es pertinente abordar los planteamientos sobre la gobernanza que apuntan al cambio de paradigma del ejercicio de gobierno (y consecuentemente de la relación entre gobernantes y gobernados), es decir, a la transformación axiológica evidenciada en "el paso de un centro a un sistema de gobierno y el paso de un modo jerárquico de gobierno a uno más asociativo y coordinador" (Aguilar Villanueva 2009, 79).

Esta aproximación demanda una doble lectura. Por un lado, la consideración de que el Estado —en su acepción estadocéntrica más ortodoxa— ha perdido su capacidad directiva de conducción de la sociedad y, en tal razón, es necesario configurar alternativas para la dirección efectiva de la economía y la sociedad (Peters 2007). Por otro lado, está la observación de un número cada vez mayor de actores sociales, políticos y económicos inmersos en procesos de autodeterminación, evidenciados en su posición en las lógicas de estructuración del poder político y en la acción pública que despliegan.

Este argumento apunta a la emergencia de un nuevo equilibrio en las relaciones entre el Estado, el mercado y la organización social. Por una parte, la instancia estatal es concebida como una construcción progresiva, "ya no percibida como una elaboración institucional [estática] sino como un proceso mediante el cual una sociedad llega a producir y hacer funcionar instituciones" (Calame 2008, 73). Esto significa que el Estado no es ya necesariamente analizado por su capacidad para gobernar, sino por su facultad para legitimar las acciones de los distintos actores de la sociedad (Peters 2007).

Por otra parte, se identifica un nuevo equilibrio que demanda la incorporación de los distintos actores económicos y sociales al proceso de gobernar, a través de un sentido de interdependencia en función de sus propias capacidades, competencias y recursos. La noción de gobernanza implica, por lo tanto, un modo directivo articulado alrededor de una red de interacciones entre el Estado, el mercado y la sociedad.

La gobernanza, a manera de estructura de la interacción de los actores involucrados en el ejercicio de gobernar, define así el ámbito normativo-institucional determinante del funcionamiento de un sistema social o político. En la medida que en la gobernanza subyace un campo de fuerzas en disputa, la relación entre actores se encuentra condicionada por cualquier cambio en el sistema o en la institucionalidad contenida (Fontaine 2010, 88). Es precisamente esta observación la que permite aprehender la articulación analítica entre una forma específica de gobernanza y el marco institucional sobre el que se organiza un determinado proceso social o político.

Centralidad del Estado en el análisis de las políticas públicas

Desde su emergencia en el período de posguerra, la idea de una *policy science* (Lasswell [1951] 1992) estuvo orientada no solo a comprender la dinámica de las intervenciones públicas en el seno del *Welfare State*, sino sobre todo a configurar un campo de acción que contribuyera de manera concreta a la toma de decisiones de las autoridades gubernamentales.

En esta perspectiva operativa, las políticas públicas estaban concebidas como el resultado de la dinámica política, esto es, como variables dependientes de procesos políticos más amplios. El carácter coercitivo de las instituciones, las estrategias de los actores políticos y la acción de los gobernantes constituirían los principales factores explicativos de las políticas públicas. Consecuentemente, el análisis se enfocó en establecer de qué manera la actividad política condicionaba la formulación e implementación de políticas eficaces y eficientes (Roth 2009, 13).

No obstante, hacia la década de los setenta, se observó una redefinición analítica, bajo cuyo efecto las políticas públicas empiezan a ser concebidas como las variables independientes de las instituciones y del Estado, es decir, como los elementos que definen y estructuran la actividad política en su conjunto. Esta redefinición ocurrió como consecuencia del agotamiento de la lógica secuencial que caracterizó al estudio de las políticas en las décadas de los cincuenta y sesenta, así como por la emergencia de nuevas lógicas de interacción Estado-sociedad-economía, y la consecuente reconfiguración del campo normativo de regulación.

Esta nueva forma de aproximarse al estudio de las políticas públicas tuvo al menos tres implicaciones. Primera, la ruptura de una visión jerárquica y lineal que entendía las políticas como simples *outputs* del sistema político. Segunda, la posibilidad de reconstituir teóricamente categorías como el Estado, las instituciones, la administración, etc., a través de elementos concretos como, por ejemplo, la naturaleza y estrategias de los actores relevantes. Tercera, la posibilidad de configurar —en términos metodológicos— un conjunto de herramientas útiles para dar cuenta de las transformaciones de la estructura del Estado (Meny y Thoenig 1992, 16-17).

De esta manera, el interés analítico se centra en la actividad concreta del Estado, en torno a *cómo* y *quién* define e implementa una política pública. Se trata de la conformación del análisis de las políticas públicas en una ciencia del Estado en acción: un campo pluridisciplinar que desde distintos ángulos como la economía, la sociología, entre otros, pretende establecer una metodología de investigación aplicada que dé cuenta de las estrategias y acciones de las autoridades públicas, esto es, de los agentes públicos que actúan en nombre del Estado (Muller 2006, 31; Roth 2009, 16).

Comprender cómo son aprobadas e implementadas las políticas públicas por parte del Estado permite reconstruir los mecanismos de regulación y distribución del poder que operan en el sistema político. Esto implica entender que las políticas, antes que ser un conjunto de decisiones impregnadas de cierta racionalidad, constituyen estructuras institucionales (Ashford 1976, citado en Meny y Thoening 1992, 77), aprehensibles empíricamente a través del análisis de los instrumentos que definen y dan forma a la acción pública (Salamon 2000; Hood 2007; Howlett 2009).

No existe, por lo tanto, el Estado como un dato *a priori*, sino más bien como el resultado de la formalización de un conjunto de reglas y normas, tendientes a regular el comportamiento de los actores en ámbitos específicos. Dicha regulación se ejerce por medio de instrumentos de autoridad, organización, información, etc., que, en su condición de instituciones, transmiten efectos concretos en la sociedad. De ahí que las políticas públicas,

> entendidas como programas de acciones, representan la realización concreta de decisiones, el medio usado por un actor en particular llamado Estado, en su voluntad de modificar comportamientos mediante el cambio de las reglas de juego operantes hasta entonces (Roth 2009, 19).

Este planteamiento remite, precisamente, a la necesidad de aprehender el proceso de las políticas públicas a partir de la complejidad implícita en la relación entre el Estado, el mercado y la sociedad, es decir, a través de los modos de gobernanza que regulan su interacción.

Desplazamiento del poder del Estado e instrumentación de la acción pública

En primera instancia es importante señalar que, en el debate sobre la gobernanza, el rol o papel del Estado en los procesos de acción pública contemporáneos ha sido conceptualizado en función de las diferentes formas de relación que operan entre el Estado y la sociedad. De una parte, se identifican criterios que plantean que el gobierno ha perdido su capacidad de gobernar y, por lo tanto, su rol es equivalente al de otros actores no estatales. Así, por ejemplo,

Rhodes (2005), con base en el análisis del Gobierno británico durante las décadas de los ochenta y noventa, define a la gobernanza como "redes interorganizacionales autoorganizadas" con poder de incidencia tanto en ámbitos de prestación de servicios como de rendición de cuentas. Desde esta postura, la noción de gobernanza implica disolver la distinción entre el Estado y la sociedad civil, dentro de una lógica de "gobierno sin gobierno", en la que el conjunto de redes despliega autonomía política y resistencia respecto a los mecanismos de dirección central.

De otra parte, en una posición intermedia, Kooiman (2005) concibe la gobernanza como una forma de gobierno definida a partir de un conjunto de interdependencias sociales cada vez más institucionalizadas que operan en diversos ámbitos de acción pública. Para este autor,

> las líneas divisorias entre los sectores público y privado se están borrando, y los intereses ya no son tan públicos o privados, ya que frecuentemente son compartidos. Por lo tanto, generalmente es más apropiado hablar de los cambios en los roles del gobierno que de la disminución de estos roles como parte de estas relaciones cambiantes (Kooiman 2005, 58).

Finalmente, se encuentran los planteamientos de carácter neoinstitucionalista que reivindican el rol del Estado en las dinámicas de gobernanza contemporánea, bajo el supuesto de que, si la sociedad pretende enfrentar de manera efectiva los actuales problemas y retos, es necesario que los procesos de gobierno dispongan de algún tipo de dirección central. Se trata de una crítica a las aproximaciones de redes, en tanto no permitirían explicar cuál es la real incidencia que tienen los diferentes actores en los resultados de una determinada red (Peters 2007). De ahí que,

> A pesar de que la gobernanza se relaciona con las relaciones cambiantes entre el Estado y la sociedad y con el incremento de la confianza en los instrumentos menos coercitivos, el Estado sigue siendo el centro de un considerable poder político (Pierre 2000, citado en Cerrillo 2005, 16).

A la luz de este debate, se entiende que en la concepción tradicional de gobierno, el Estado —en su forma pluralista y corporativista— se constituía en el centro del proceso político y social, concentrando diversas atribuciones de intervención. El Estado estaba así caracterizado por un sentido Estado-céntrico, un aislamiento institucional y homogéneo, una soberanía y superioridad, y una preocupación por arreglos constitucionales, atributos redefinidos en la nueva perspectiva de la gobernanza (Pierre y Peters 2000, 79).

Si bien el Estado mantiene su protagonismo como actor clave en el proceso político, controlando funciones de coordinación y dirección, se diferencia en su capacidad para movilizar a otros actores no estatales. De esta manera, el sentido monolítico es sustituido por la fragmentación institucional. Esto determina que tanto la soberanía como el apego a la norma constitucional sean reemplazados por una apertura formal-legal que transforma las relaciones del Estado con la sociedad (Pierre y Peters 2000, 82).

Esta dinámica que opera al interior de la gobernanza implica un desplazamiento del poder del Estado en tres direcciones: hacia arriba (actores y organizaciones internacionales), hacia abajo (regiones, ciudades y comunidades) y hacia afuera (corporativización, privatización).

El primer desplazamiento está relacionado con el *movimiento hacia arriba*, en el cual se inscriben todas aquellas dinámicas de gobernanza que desde el período de posguerra se han configurado alrededor de una serie de actores y organizaciones internacionales.

En cierta medida, esto ha significado una importante alteración del poder del Estado, ya que los arreglos políticos y económicos establecidos bajo los diferentes regímenes internacionales han incidido sobre varios aspectos de la soberanía estatal. Así, por ejemplo, el desarrollo de un marco regulatorio en el comercio internacional evidencia la consolidación de una institucionalidad internacional con una incidencia concreta en varios sectores de las políticas nacionales.

La emergencia del conjunto de organizaciones internacionales puede explicarse por al menos tres factores. En primer lugar, incide el hecho de que la mayoría de los problemas que actualmente enfrentan los Estados tienen un carácter regional o mundial. En segundo lugar, la necesidad de establecer mecanismos de coordinación internacional para llevar a cabo objetivos de desregulación es también relevante. Finalmente, actúan las dinámicas de la globalización del capital privado, determinando que el desarrollo del comercio internacional incida directamente sobre los procesos económicos nacionales (Pierre y Peters 2000, 83).

El *movimiento hacia abajo* está asociado a los procesos de descentralización y transferencia de competencias y recursos desde el gobierno central hacia instancias regionales y locales. La descentralización —en tanto genera nuevas formas de gobernanza— incide de distintas maneras en los instrumentos de la acción pública. Por un lado, la fragmentación institucional operativiza una serie de instrumentos de carácter procedimental, funcionales a la nueva estructura jurídico-administrativa y a los modos de gobernanza que se configuran en torno a ella. Por otro, la descentralización articula instrumentos contingentes y constitutivos, en razón de que el empoderamiento de los gobiernos locales, derivado de la concesión de una mayor autonomía política y fiscal, de alguna manera demanda readecuar los mecanismos de la acción pública en términos de adaptación y construcción de sentidos (Pierre y Peters 2000, 87).

La descentralización ha impulsado además procesos de aprendizaje institucional a nivel subnacional, en términos, por ejemplo, de la prestación de servicios públicos a partir de criterios de subsidiaridad que priorizan la adaptación del servicio a las necesidades locales. Esto ha conducido a que los gobiernos locales desarrollen instrumentos de acción pública para hacer operativos procesos financieros en términos de transferencias fiscales y obtención de recursos propios, así como readecuaciones de carácter político-administrativo.

En cuanto al tercer desplazamiento, el *movimiento hacia afuera* ha implicado el traslado del poder y capacidades —tradicionalmente controlados por el Estado— hacia instituciones y organizaciones de carácter no gubernamental. La creación de agencias cuasi autónomas en los distintos niveles de gobierno ha incidido en redefinir la implementación de las políticas, particularmente a través de mecanismos de transferencia de autoridad a actores no públicos que cumplen con tareas y responsabilidades específicas, como la provisión de servicios básicos o promoción del desarrollo económico (Pierre y Peters 2000, 89).

Este desplazamiento ha generado —sobre todo a nivel local— una serie de instrumentos de asociación público-privada orientados a promover acciones concertadas e intercambios de recursos. Estos procesos no han estado exentos de crítica, por ejemplo, sobre la discrecionalidad del uso de recursos públicos por parte de organizaciones privadas.

En todo caso, la instrumentación de vínculos entre organizaciones por fuera del aparato estatal ha impulsado la implementación de políticas públicas bajo condiciones cercanas a las lógicas de mercado. El propósito ha sido no solo mejorar la eficiencia del sector público, sino también lograr una mayor legitimidad en ciertos tipos de actividades en los que la intervención gubernamental ha perdido apoyo (Pierre y Peters 2000, 91).

En definitiva, comprender el descentramiento del poder del Estado y su incidencia en la acción pública plantea algunos cuestionamientos referidos a qué ámbitos de control y recursos se mantienen bajo la dirección del Estado, pero sobre todo al tipo de instrumentos y capacidades que aún posee. En ese sentido, la emergencia de nuevos modos de gobernanza se caracteriza por la combinación de instrumentos tradicionales junto con otros alternativos.

Más allá de los escenarios en los que el desplazamiento de poder y control del Estado se consolide como un proceso irreversible o, en su defecto, pueda transformarse y adaptarse a los cambios externos, resulta evidente que la selección de instrumentos y los arreglos organizacionales a través de los cuales el Estado impone su voluntad sobre la sociedad, así como la dinámica de su interacción, constituyen factores determinantes en los procesos de acción pública.

Transformación del rol del Estado y nuevos instrumentos de política

De la argumentación anterior se desprenden distintos escenarios en torno al rol del Estado, concebido en términos del control que ejerce sobre la economía y la sociedad. Cabe anotar que en todos los escenarios identificados se observa una reconfiguración de la acción pública, resultante de una dinámica de complementariedad y de una combinación de diversos instrumentos de política.

En el primer escenario, en el que el Estado *reafirma el control*, se identifican al menos dos posibilidades. Por un lado, un control directo instrumentado a través de mecanismos diversos que van desde procesos de deliberación para la formulación de políticas, hasta regulaciones e impuestos de incentivos. La selección de instrumentos, antes que orientarse a resolver un problema particular, genera una rutina que institucionaliza una tendencia de intervención. En la consolidación institucional comprendida en esta dinámica se encuentra implícita la discusión sobre el aislamiento de las instituciones políticas a través de formas de gobierno más centralizadas. Esto se relaciona con las posibilidades de construcción de coaliciones con actores no estatales y la capacidad del Estado para resistir presiones externas (Pierre y Peters 2000, 96).

En virtud de esto, el intercambio entre el Estado y la sociedad, en contextos donde ambas instancias son fuertes, se encuentra mediado por un moderado control. Hay una redefinición de los instrumentos de política en función de optimizar su efectividad en nuevos contextos, así como por la necesidad de asegurar un máximo de cumplimiento con un mínimo de coerción (Pierre y Peters 2000, 104).

La otra forma de control en este primer escenario se vincula con las interdependencias positivas, entendidas a partir de las regulaciones ineludibles que el Estado impone al mercado para que la economía no incurra en pérdidas de asignación. Este tipo de control remite a la idea de que el Estado es necesario para coordinar las actividades privadas. En este campo, los instrumentos empleados por el Estado están relacionados, por ejemplo, con políticas fiscales enfocadas en controlar la inflación, políticas para reducir costos de transacción en mercados laborales, etc. Adicionalmente, se pueden observar instrumentos para aumentar la eficiencia del mercado, tales como leyes de garantías para la contratación, la propiedad privada, el acceso a mercados, etc. (Pierre y Peters 2000, 105).

En el segundo escenario, el rol se configura sobre la idea de que el Estado *deja a otros los regímenes de gobierno*, es decir, da un paso atrás y permite que instituciones subnacionales, organismos internacionales y otros actores ganen protagonismo. Esto no necesariamente constituye una respuesta estatal frente a presiones locales o transnacionales para obtener mayor autonomía, ya que puede corresponder a una estrategia consciente del Estado que se deriva de la necesidad de devolver funciones a las instancias subnacionales. Como se observó anteriormente, los procesos de descentralización se han instrumentado a través de transferencias de competencias y recursos fiscales, así como mediante un conjunto de arreglos institucionales enfocados en readecuar la nueva estructura político-territorial (Pierre y Peters 2000, 114).

De esta manera, detrás del fortalecimiento de los gobiernos subnacionales subyace una redefinición del rol del Estado en términos de dirección y coordinación, acorde a dinámicas como la contemporánea, en la cual lo local y lo regional se articulan globalmente por fuera de la jurisdicción del Estado. Aunque la internacionalización subnacional no necesariamente está configurando un nuevo modo de gobernanza global-local, promueve un alto grado de coordinación política e institucional intrarregional, la que conduce a reconsiderar los instrumentos de política tradicionales, tanto locales como regionales (Pierre y Peters 2000, 124).

Esta lógica tiene, sin embargo, un sentido distinto en la dimensión de la gobernanza global, en tanto las estrategias de cooperación entre Estados soberanos operan —en diversos campos como el medioambiental o militar— como instrumentos para resolver objetivos críticos comunes. Debe tenerse en cuenta que, así como las instituciones evolucionan en función de los intereses de los Estados por medio de instrumentos que a nivel global buscan resolver problemas colectivos y actuar como contrapeso del capital internacional, por otra parte, estas instituciones ejercen también una importante influencia sobre la política nacional (Pierre y Peters 2000, 127).

Formas de interacción e instrumentos de políticas

Igual que las distintas formas de regulación resultantes de los cambios de roles del Estado inciden en la acción pública, es posible observar cómo los modos de gobernanza que caracterizan las interacciones de los distintos actores políticos, sociales y económicos determinan respuestas concretas en cuanto al uso de instrumentos de políticas.

Siguiendo a Kooiman (2003), es posible afirmar que el concepto de *interacción*, entendido en términos de una relación de mutua influencia entre dos o más actores o entidades, constituye el núcleo analítico de la gobernanza, en tanto permite aprehender metodológicamente el complejo entramado sociopolítico. El papel del Estado como facilitador y socio co-operativo de los procesos políticos y económicos es consecuencia del hecho de que en la sociedad contemporánea ninguna agencia de gobierno es capaz por sí sola de legitimarse y gobernar eficazmente, sino que, para lograr legitimidad y eficacia, necesita articular estructuras sociopolíticas interactivas y procesos de comunicación entre los actores involucrados (Kooiman 2003, 3).

En ese orden de ideas, distintos tipos de interacción se corresponden a diferentes modos de gobernanza: intervención/gobernanza jerárquica, interdependencia/cogobernanza e interferencia/autogobernanza.

La *gobernanza jerárquica* se materializa en procesos en los cuales los líderes controlan al resto de actores bajo criterios de decisión *top-down*, es decir, de manera unidireccional. Constituyen arreglos estructurales integrados en una categoría más amplia de interacciones sociales de carácter intervencionista. Así, este modo de gobernanza se expresa a través de procesos de dirección (políticos) y de control (administrativos). Aunque el gobierno mantiene la centralidad, se advierten otras formas de instrumentación derivadas de desplazamientos en la gestión colectiva: de comando a regulación, de provisión a mayor apertura y de benevolencia a activación (Kooiman 2003, 115).

El carácter intervencionista del Estado, propio de la gobernanza jerárquica, se encuentra estructurado de manera sistemática a través de dos instrumentos mayores: la ley (en un sentido positivista) y la política (a manera de marco institucional). Los ámbitos o instancias que conforman estos dos instrumentos son el fundamento del Estado como institución de la gobernanza jerárquica (Kooiman 2003, 123).

La *cogobernanza*, por su parte, remite a formas de interacción horizontal para propósitos de gobierno. Esto significa que, bajo lógicas de interdependencia, los actores se comunican, colaboran o cooperan sin un actor central o dominante. Los modos de cogobernanza se materializan en distintas dinámicas, tales como: una racionalidad comunicativa mediante la cual los actores pueden llegar a un entendimiento intersubjetivo (gobernanza comunicativa); formas de cooperación enfocadas en resultados mutuos (asociaciones público-privadas); inclusión de conocimientos de los diversos actores a manera de instrumentos de legitimación (coadministración); formas abiertas de interdependencia organizadas para representar una variedad de intereses (redes), y la adhesión de las partes a un conjunto de reglas acordadas (régimen) (Kooiman 2003, 96-107). En todos los casos, hay una instrumentación en función de arreglos entre actores públicos y privados, los cuales, en última instancia, impregnan los límites de dominio de la interacción entre el Estado, el mercado y la sociedad.

La *autogobernanza* se refiere a la capacidad de las entidades sociales para gobernarse a sí mismas de forma autónoma. En ella se estructuran lógicas de autorreferencialidad respecto al sistema social (autopoiesis), procesos de estimulación entre actores identificables (constelaciones de actores) y arreglos por consentimiento voluntario (patrones de interacción). En ese sentido, las interacciones de autogobierno se consideran instrumentos para rastrear la diversidad, complejidad y dinámica de un determinado campo social. Esta dinámica opera en el primer nivel de interacción, el de la interferencia, caracterizado por lo espontáneo, lo relativamente desorganizado y los movimientos informales al interior del campo social (Kooiman 2003, 79-83).

> De ahí que la representación del campo y su gobierno se realiza en términos de instrumentos y acciones antes que de imágenes. Aunque el automatismo que define formas de autogobierno es

> menos natural de lo que podría parecer, no obstante, los modos de autogobernanza despliegan instrumentos tales como la desregulación y la autorregulación. Esto no implica la pérdida de una parte del dominio sobre distintos sectores de la sociedad, sino más bien la creación de condiciones para ajustar las interacciones (Kooiman 2003, 91).

Caracterizar la gobernanza en función de las interacciones de los diferentes actores involucrados en un determinado proceso sociopolítico demanda entender el rol desempeñado por cada uno de ellos en esta dinámica. En consecuencia, al interior de los distintos modos de gobernanza se estructura una específica relación dialéctica entre los actores y las interacciones: los actores se integran entre ellos a través de una serie de interacciones, las cuales, a su vez, solo pueden constituirse en función del ejercicio político que despliegan los actores (Kooiman 2005, 63). La noción de gobierno como interacción se define así en términos del nivel de apertura de esta relación dialéctica. De este modo,

> cuanto mayor es el espacio que crea una interacción, mayor es la libertad de los actores para seleccionar los valores, objetivos e intereses que querrán procurarse posteriormente. Una interacción que crea espacios se caracteriza por una gran amplitud de acción y un alto grado de flexibilidad [...]. A la inversa, cuanto más controlada sea la interacción, mayor va a ser su influencia contraria a las aspiraciones de los actores. En interacciones fuertemente controladas, los valores, objetivos e intereses de los actores y el nivel al que pueden aspirar están influidos más por componentes estructurales de las interacciones que por los actores que ejercen influencia en estas interacciones (Kooiman 2005, 63).

Gobernanza y políticas públicas

La idea de que la instrumentación de la acción pública se encuentra condicionada por los modos de gobernanza implica entender que las políticas, más allá de su sentido pragmático, constituyen el resultado de un determinado sistema institucional, del balance de fuerzas de los distintos actores individuales y colectivos, y de la capacidad del Estado (Fontaine 2012).

En un sentido más amplio, esta postura se inscribe en una discusión teórica y conceptual que aborda las políticas públicas como variables dependientes de los contextos políticos e institucionales en los cuales se producen. Este planteamiento se sostiene en dos argumentos. Por un lado, el régimen político no solo permite aprehender de manera más precisa los problemas de consistencia y persistencia de la democracia, sino también dimensionar la capacidad que posee el Estado para dirigir la acción pública. Por otro, la acción del gobierno expresa la forma específica en que ha sido organizado y es ejercido el poder político en una determinada sociedad (Medellín 2004, 8). Así,

> el problema no radica, entonces, en concentrar los esfuerzos en el estudio de las políticas públicas en sí mismas. Las políticas no pueden ser entendidas sino en la perspectiva del tipo de régimen político y de la acción del gobierno de la que emergen. No son variables independientes que pueden ser explicadas de manera ajena al conjunto de factores políticos e institucionales en los que se estructuran (Medellín 2004, 8).

De ahí justamente la importancia de analizar las políticas públicas en función de una matriz que articule los escenarios del rol del Estado con los tipos de interacción. Se trata de una herramienta útil para observar la incidencia de los modos de gobernanza (variable independiente) sobre las políticas públicas (variable dependiente), tal como se esboza en la tabla 1.2.

Tabla 1.2. Incidencia de los modos de gobernanza en las políticas públicas

Variable independiente	Modos de gobernanza	Tipos de interacción	Escenarios del rol del Estado	Incorporación Participación	Variable dependiente
Gobernanza	Gobernanza jerárquica	Intervención	Reafirmación del control	Actores estatales	Políticas públicas
	Cogobernanza	Interdependencia	Dejar que otros regímenes dominen.	Actores estatales / no estatales	
	Autogobernanza	Interferencia	Comunitarismo, deliberación, democracia directa	Actores noestatales	

Fuente: elaborado a partir de Pierre y Peters (2000) y Kooiman (2003).

Cuando se argumenta que las políticas públicas son el producto de los modos de gobernanza, se asume que todos los aspectos que la estructuran, en términos de formulación, implementación y evaluación, son a su vez el resultado de las interacciones entre los distintos actores provenientes del Estado, la sociedad y la economía. En ese sentido,

> es poco probable, si no imposible, que una política pública de cualquier tipo pueda resultar del simple proceso de elección de un único actor. La formación de políticas y su implementación son inevitablemente el resultado de interacciones entre una pluralidad de actores separados, con sus intereses, objetivos y estrategias también separadas (Klijn 1997, citado en Cerrillo 2005, 28).

Precisamente esta última puntualización permite argumentar que la efectividad de las políticas, esto es, la coherente articulación entre la formulación y la implementación, se encuentra en última instancia condicionada por la capacidad colectiva de los diversos actores para desarrollar acciones y efectos concretos respecto a un determinado problema político. Por lo mismo, se considera cuestionable el supuesto de que la efectividad sea el resultado de una acción vertical anclada exclusivamente al Estado en su condición de simple ejecutor de las políticas de gobierno (Fontaine 2012).

Según se ha venido argumentando, la gobernanza puede entenderse como "el conjunto de normas, principios y valores que pautan la interacción entre actores que intervienen en el desarrollo de una determinada política pública" (Cerrillo 2005, 23). En el contexto de las sociedades contemporáneas, este proceso opera en clave de un conjunto de redes de políticas, resultantes no solo de las limitaciones de los gobiernos como centros de dirección, sino principalmente de la integración de una diversidad de actores no estatales provenientes de la sociedad y el mercado en los procesos de acción pública.

De esta manera, la noción de redes constituye una herramienta importante para analizar las relaciones institucionalizadas de intercambio entre el Estado y la sociedad. Esto no implica, sin embargo, minimizar el papel del Estado, teniendo en cuenta que los gobiernos detentan un conjunto de recursos de carácter exclusivo y poseen prerrogativas institucionales que les permiten, ante determinadas circunstancias, imponer sus decisiones.

En efecto, el estudio de las relaciones Estado-sociedad como parte de una dinámica de gobernanza permite comprender mejor el rol de los actores no estatales en el diseño y resultado de las políticas públicas. A este respecto, las lógicas de gobernanza estructuradas sobre la interacción de diversos actores,

> ... más que un mecanismo de intermediación de intereses o de influencia en los intereses públicos por parte de intereses privados y sociales [...] implican interdependencia, cooperación y consenso en la elaboración y aplicación de las políticas [...] suponen una estructura de adopción y aplicación de las decisiones de la que se deriva el trabajo conjunto de todos los actores, públicos y no públicos, en la consecución del interés general, el interés común a todos ellos (Cerrillo 2005, 25).

Si bien existe un consenso con respecto a la idea de que las dinámicas de interacción de los actores presentes en la acción pública inciden en el desarrollo de las políticas, es posible identificar dos posturas antagónicas sobre cómo opera esta relación causal en función de la efectividad, la eficacia, la eficiencia y la legitimidad democrática del sector público, tal como se sintetiza en la tabla 1.3.

Tabla 1.3. Efectos de las interacciones de la gobernanza en las políticas públicas

Ámbito	Efectos positivos	Efectos negativos
Efectividad	Las redes, los grupos de interés y las organizaciones implementadoras están implicadas en la formulación de políticas. Como resultado, se enriquecerá el proceso con la información, el conocimiento y la participación de estos actores.	Los gobiernos pueden desatender el interés común o general. Los gobiernos necesitan realizar ciertas actividades. Participar en las redes implica negociar y llegar a compromisos, como resultado de los cuales los objetivos no son siempre conseguidos.
Eficacia	Las redes permiten a los gobiernos dirigir las necesidades y problemas sociales cuando las capacidades están limitadas. Así, se puede mejorar la capacidad de solventar problemas y, consecuentemente, la eficacia del gobierno.	Las innovaciones pueden obstaculizar las políticas. Los procedimientos establecidos y los intereses implicados pueden bloquear las soluciones a nuevos problemas y la aceptación e implementación de nuevas medidas políticas.

(*Continúa*)

Ámbito	Efectos positivos	Efectos negativos
Eficiencia	La participación de dichas organizaciones implica una mayor aceptación social. La implementación y la ejecución serán entonces menos costosas y producirán más fácilmente sus efectos. Las redes reducen los costes de transacción en situaciones de toma de decisiones complejas al proveer una base de conocimiento común, experiencia y orientación.	Los procesos políticos pueden no ser transparentes. La interacción informal, las estructuras de consulta complejas y el solapamiento de las posiciones administrativas hacen imposible determinar quién es responsable de qué en cada decisión.
Legitimidad	La participación de individuos, grupos y organizaciones indica que una amplia variedad de intereses serán tenidos en cuenta, lo que es favorable desde un punto de vista democrático.Las redes pueden reequilibrar las asimetrías de poder al aportar canales adicionales de influencia más allá de las estructuras formales.	La interacción entre los funcionarios y los representantes de los grupos de intereses privados, otros órganos públicos y las organizaciones implementadoras, hace muy difícil que los parlamentos puedan influir en la formulación de políticas.

Fuente: elaborado a partir de Cerrillo (2005, 25-26).

Asumiendo que los procesos de interacción generan efectos positivos sobre el desarrollo de las políticas, se plantea que los modos de gobernanza en los que se observan mayores niveles de interdependencia entre los distintos actores sociales, políticos y económicos inducen el desarrollo de políticas públicas más efectivas. Esto en razón de que las lógicas de interacción horizontal (asociaciones público-privadas, coadministración, redes, regímenes) tienden a producir mejor comunicación y cooperación en los procesos de acción pública, lo que a su vez genera una mayor correspondencia entre los objetivos formulados y los instrumentos de políticas implementados.

Territorio, gobernanza y gobierno local

En el debate teórico sobre la redefinición de las relaciones entre el Estado, la sociedad y el mercado, *el territorio* constituye el elemento clave para entender la conformación y consolidación de los procesos de gobernanza. La dimensión territorial, en su condición de sistema complejo de relaciones e intercambios, es la unidad elemental a partir de la cual se construye todo el sistema de gobernanza, desde lo local hasta lo global, siguiendo una lógica cuyo principio estructural es la subsidiariedad activa (Calame 2008, 173).

Muchos de los argumentos que se discuten en el campo analítico de la gobernanza integran —aunque no siempre de manera explícita— elementos de las teorías contemporáneas de la planificación urbana. Esto no significa, sin embargo, que la reflexión sobre la política urbana no pueda enriquecerse con un debate como el de la gobernanza. Aproximarse al estudio de la problemática urbana a partir del marco analítico de la gobernanza no solo permite analizar los procesos de ordenamiento del territorio dentro de las ciencias sociales, sino que además contribuye a comprender mejor la cuestión política en contextos urbanos (Nuissl y Heinrichs 2013, 27).

En términos generales, la noción de gobernanza urbana se ha desarrollado alrededor de tres debates. En primer lugar, como una teoría que ofrece un marco analítico sobre la política urbana, fundada, más allá de las instituciones del gobierno local, en las lógicas de acción de los actores. En segundo lugar, como un modelo normativo, esto es, como la construcción de mecanismos de cooperación público-privada en ámbitos locales, direccionados a complementar la prestación de servicios gestionados en la economía. Finalmente, como un objeto de estudio empírico, a la luz del cual se ha enfatizado el análisis de los procesos de creación y funcionamiento de los gobiernos locales (Pierre 2005, 452-453).

La reflexión sobre la gobernanza urbana parte, entonces, de entender que el territorio contiene un sentido relacional, en función del cual se configura un gobierno de naturaleza multinivel instrumentalizado por procesos de descentralización, así como por la emergencia de un complejo escenario de actores. En esta dinámica, las formas organizativas del poder público trasmutan de una distribución jerárquica hacia una nueva relación de redes institucionales (Farinós 2005; Centelles 2006).

En este contexto de reforma institucional del aparato estatal, los procesos de descentralización política y administrativa, entendidos en su acepción más amplia de transferencia de competencias de decisión (Finot 2001), se han constituido en una de las herramientas más eficaces para la distribución de poder desde los niveles centrales o nacionales hacia los niveles subnacionales, concretamente hacia los gobiernos locales. Esto ha transformado las lógicas e instrumentos de la gestión pública, a través de la asignación de competencias a las instancias responsables de esta gestión, y ha redefinido las relaciones entre el Estado y la sociedad, a partir de una perspectiva de interacción institucional y acción intersectorial, ampliando el concepto de organización gubernamental hacia una concepción integral y participativa de la gestión del territorio (Prates 1998).

El gobierno local es la instancia en la que el Estado encuentra mayor concreción, asociada a un acercamiento más efectivo con la ciudadanía, que accede de manera directa a sus derechos constitucionales y a los servicios garantizados por estos derechos. En tanto abre nuevas instancias de negociación e impulsa la reorganización de la institucionalidad, articulándola de manera más coherente a las demandas de los ciudadanos, la descentralización aparece como consustancial a la consolidación y profundización de la democracia (Prates 1998; Balbo 2003).

De igual manera, la redefinición de las relaciones Estado-sociedad, implícita en los procesos de descentralización, ha coadyuvado a replantear el paradigma del desarrollo. Emerge bajo este influjo una concepción renovada, sustentada en una dinámica social, política y económica de carácter endógeno, en la cual los espacios locales cobran relevancia como escenarios de una vida pública y cívica más intensa (Arocena 1995). Adquiere así centralidad la capacidad de decisión y aprendizaje de los actores sociales para definir un derrotero a futuro dentro de un determinado ámbito espacial (Rofman 2006; Coraggio 2006).

Las ciudades ganan en esta perspectiva un mayor protagonismo, en tanto aparecen como actores sociales complejos y multidimensionales que impulsan la articulación entre instituciones políticas y sociedad civil a través de una acción colectiva y conjunta (Borja y Castells 1997, 139). Esta situación reposiciona a la ciudad como el escenario central de la democracia, el espacio donde se constituyen y desarrollan los derechos y deberes propios de la ciudadanía (Lefebvre 1973; Carrión 2007a).

Esta argumentación delimita la problemática de los gobiernos locales en un ámbito estrictamente político, esto es, en términos de la mediación institucional de las relaciones entre gobernantes y gobernados. El gobierno local basa su accionar en el principio de la proximidad, en tanto permite "establecer una relación directa e inmediata de la organización y estructura administrativa con el territorio y la población", a partir de la cual es posible configurar el sentido de autonomía local sobre el que se sustenta —en términos institucionales— "la capacidad de autoorganización, de competencias exclusivas y específicas, del derecho a actuar en todos los campos de interés de la ciudadanía y de la disponibilidad de recursos propios no condicionados" (Borja y Castells 1997, 151).

La noción de gobierno local redimensiona el concepto de gestión urbana, tradicionalmente restringida a la provisión de servicios públicos locales y la regulación de actividades en el espacio urbano, hacia una concepción más amplia, que implica "la capacidad operativa de influenciar e intervenir notoriamente en las redes de intereses que se conforman en la actuación de los diferentes agentes urbanos en conflicto/colaboración" (Centelles 2006, 15). Se configura, de este modo, una forma de gobierno autónomo caracterizada por una alta capacidad de coordinación intersectorial y de articulación político-administrativa, que supera la visión de los municipios como simples entes de gestión administrativa (Escobar y Solari 1996).

Se trata de una transformación inscrita en las lógicas de la denominada nueva gestión pública, particularmente en la segunda generación de reformas del Estado, orientada a recuperar la capacidad de gestión estatal mediante procesos de reingeniería administrativa (CLAD 1998). Se apunta así a una renovada acción pública, tendiente a superar aquellos aspectos en los que la burocracia o el gerencialismo son ineficientes. Esta emerge como resultado de nuevos modos de gobernanza urbana, esto es, formas de gobierno local "donde la legitimidad del actuar público se fundamenta en la calidad de la interacción entre distintos niveles de gobierno y entre estos y las organizaciones empresariales y de la sociedad civil" (Centelles 2006, 85).

La redefinición de los municipios como gobiernos locales ha significado no solo un rescalamiento de la institucionalidad de los aparatos administrativos entre distintos niveles, sino sobre todo la incorporación de nuevos actores en la acción pública. Se tejen así formas de gobernanza urbana inherentes a las complejas relaciones territoriales de carácter multinivel, tanto vertical (local-nacional-global) como horizontal (Estado-mercado-sociedad). Sobre estas formas operan los procesos de urbanización contemporáneos, en función de las cuales se estructura un marco de regulación relacionado con aspectos como, por ejemplo, la participación de actores no estatales o las dinámicas de asociación público-privada.

Resulta evidente el desplazamiento del gobierno local tradicional hacia nuevas dinámicas de gobernanza urbana, que inciden de manera directa tanto en las formas de regulación del conflicto en la escala local como en las lógicas de elaboración de las políticas públicas urbanas. De ahí que,

> la noción de la gobernanza, esencialmente, nos remite a una forma emergente de elaborar las políticas públicas basada en la interacción de actores diversos en el marco de redes más o menos plurales [...] Las clásicas divisorias entre el sector público y privado se van difuminando a favor de nuevos esquemas de concertación entre las administraciones y los agentes privados empresariales o del Tercer Sector. Se experimenta con espacios de deliberación pública para la formulación de las políticas, como los consejos, las mesas, los foros o los jurados ciudadanos. Se van generando lógicas de transversalidad interna en la administración local y nuevos esquemas de cooperación multinivel entre distintas escalas de gobierno para la generación de respuestas conjuntas a problemáticas locales (Blanco 2009, 128-129).

Esta postura analítica adquiere especial relevancia cuando se trata de abordar la problemática de los gobiernos de áreas metropolitanas. La especificidad territorial de estas aglomeraciones urbanas de gran escala exige por sí misma respuestas sistémicas que permitan aprehender la heterogeneidad y complejidad del funcionamiento y gestión de las distintas unidades jurídico-administrativas que las conforman (Rodríguez y Oviedo 2001).

En términos de institucionalidad, los gobiernos metropolitanos son en buena medida tributarios de los procesos de descentralización político-administrativa, a partir de los cuales se han ido configurando instancias de gobierno supra e intermunicipales dedicadas a coordinar el funcionamiento e interacción de varios municipios. La conformación de una nueva estructura política implica que, al menos, cuatro ámbitos fundamentales se institucionalizan: una *autoridad* (basada en un poder otorgado a través de mecanismos de representación política); una *autonomía* (de disposición de recursos financieros y capacidad de decisión de inversión y gasto); unas *competencias* (respecto a la planificación del territorio, gestión de servicios, etc.); y la *responsabilidad legal ante la ciudadanía* (Rodríguez y Oviedo 2001).

Sin embargo, la conformación y funcionamiento de gobiernos metropolitanos ha encontrado dificultades debido a que los procesos de descentralización han emergido en el marco de relaciones intergubernamentales complejas. En este sentido, la desconcentración de responsabilidades y competencias entre los distintos niveles de gobierno no siempre ha estado acompañada de la correspondiente asignación de recursos financieros, ni los gobiernos locales han contado necesariamente con los mecanismos y capacidades para generar recursos propios (Rojas 2005, 46).

Esta aproximación permite caracterizar los procesos políticos locales, en el caso concreto los gobiernos metropolitanos, como complejos sistemas de interacción con un alto potencial para desarrollar procesos de gobernanza multinivel, concretados en términos de una "mayor participación de los actores privados en las decisiones públicas y el establecimiento de acuerdos entre ambos para el desarrollo de políticas" (Navarro 2004, 2).

Las nuevas formas de gobernanza desplegadas en el nivel local evidencian un estilo de políticas de carácter más inclusivo, articuladas a redes público-privadas de cooperación. En efecto, los tipos de gobernanza que se están configurando en otros niveles no son nuevos en el contexto local: tradicionalmente, los gobiernos locales, sea de manera formal o informal, han mantenido algún tipo de interacción con la esfera del mercado.

Estos procesos, por otra parte, estructuran en su interior lógicas de poder ancladas a una forma específica de economía política metropolitana (Treviño 2008), resultante de una dinámica urbana compleja. Esto determina que la articulación funcional de un sistema de instituciones (inter o supramunicipal) de carácter fragmentado, y sustentado en un principio de autonomía local, induzca disgregación y conflictividad en las relaciones entre el núcleo urbano central y la periferia (Manero 2010).

De ahí justamente la importancia de un análisis que aborde la gobernanza desde una dimensión territorial, en tanto permite identificar de manera concreta la estructura institucional (en términos de participación y cooperación) sobre la que interactúan los distintos actores en un determinado conglomerado urbano, así como las estrategias de gobierno y políticas públicas locales que despliegan.

La efectividad de las políticas públicas

Más allá del debate en torno a la distinción semántica entre política (*politics*) y políticas (*policy*), puede argumentarse que los procesos de acción pública tendientes a generar cambios en la sociedad conllevan una relación dialéctica entre las lógicas de interacción que los distintos actores despliegan (en términos de conflicto y poder) y las formas concretas de ejecución.

En su condición de dimensión estructural, el sistema político establece diversos condicionamientos institucionales que, a través de reglas y normas, modelan la conducta y la acción individual y colectiva de los diferentes actores. La conjunción estructural-procesual de la política genera respuestas concretas a la conflictividad social, mediante procesos de toma de decisiones y mecanismos de intervención que inciden sobre las relaciones sociales. En este ámbito las políticas públicas adquieren un sentido epistemológico específico dentro de la acción pública, en tanto configuran un corpus analítico aprehensible empíricamente en razón de los resultados del proceso político.

En su dimensión procedimental, las políticas públicas hacen referencia al conjunto de acciones que la autoridad pública emprende para solucionar un determinado problema, social y geográficamente situado. Esta intervención se caracteriza por: i) un *contenido* específico que se expresa bajo la forma de resultados o productos; ii) un *programa* que articula una serie de actos en torno a ejes específicos; iii) una *orientación normativa* que sintetiza las finalidades y preferencias del decisor; iv) un *factor de coerción* cuya naturaleza autoritaria y legitimidad procede de la investidura legal del actor gubernamental; y v) una *competencia social* depositada en los individuos, grupos o instituciones que conforman el campo de la acción pública (Meny y Thoenig 1992, 90).

Dos puntualizaciones importantes se desprenden de esta caracterización. Por un lado, las políticas públicas materializan las funciones de producción que los entes gubernamentales impulsan para administrar los bienes colectivos de la sociedad. Esto implica entender que el Estado, como concreción histórica de la legitimidad del poder político, es el punto de partida de la interacción Estado-mercado-sociedad y, por lo tanto, su acción condensa las diversas dimensiones de la acción pública.

Por otro lado, se observa una doble función de producción de la autoridad pública. Una gestión interna en la que se movilizan los medios y recursos disponibles para transformarlos en productos, y el intento de transformar estos productos en efectos o impactos, es decir, provocar un cambio en una determinada situación de la sociedad (Meny y Thoenig 1992, 93).

La comprensión de las características de los productos o instrumentos producidos por la autoridad pública, así como la naturaleza y alcance de los impactos generados en la sociedad a través de su ejecución, constituye una cuestión teórica relevante en el debate de las políticas públicas. Por lo mismo, la coherencia entre la formulación e implementación remite a una dimensión heurística fundamental de las políticas públicas: la *efectividad*. De esta forma,

> el análisis de las políticas públicas es una tentativa metodológica para lograr un mejor dominio de esta segunda función de producción, para conocer mejor por qué y cómo los productos suministrados por la autoridad pública no engendran los efectos previstos y, si es preciso, reducir estas desviaciones o disfunciones (Meny y Thoenig 1992, 94).

Desde esta perspectiva, se desarrolla a continuación una primera argumentación que indague de qué manera la efectividad de una política pública depende del diseño de la misma, a través de sus instrumentos.

Importancia de la implementación en la efectividad de las políticas

La emergencia de las políticas públicas como campo analítico en la década de 1950 se encuentra directamente relacionada con las inquietudes teórico-metodológicas de impronta positivista que el conductismo había impuesto en la ciencia política de aquel momento, así como con las preocupaciones prácticas surgidas en el nuevo contexto político y económico de la posguerra.

La apuesta de Lasswell por desarrollar una *ciencia de la política* remite precisamente a la necesidad de lograr un uso eficiente de los recursos, bajo la premisa de integrar los objetivos y métodos de la acción pública y privada. Desde esta postura, dotar de cientificidad a la formación y ejecución de las políticas implica una orientación de doble dimensión, que articula el carácter procedimental de las políticas con las posibilidades de aumentar la racionalidad de las decisiones (Lasswell [1951] 1992).

Por lo tanto, en esta seminal concepción de las políticas públicas había una intencionalidad normativa que, en términos de sus funciones y prácticas, buscaba dotar de sentido al ejercicio político de la toma de decisión con base en un conjunto de valores democráticos. A partir de esta premisa, se argumentó que el proceso de las políticas estaba sometido a una racionalidad específica. Este planteamiento fue sintetizado en la noción del *policy cycle* (Jones 1970), a través de la cual se estructuró el análisis de las políticas públicas en función de un conjunto de secuencias lógicas, cuyos escenarios, actores y temporalidad constituirían elementos claramente identificables dentro de las diferentes etapas del proceso.

Esta caracterización racionalista del desarrollo de las políticas en cinco fases —identificación del problema, formulación de soluciones, toma de decisión, implementación y evaluación—, si bien supuso importantes ventajas, por ejemplo en términos de su focalización en los procesos o su capacidad heurística para observar los efectos concretos, mostró también una serie de limitaciones. Entre estas, la dificultad de identificar las articulaciones entre las distintas fases ha conducido a una abstracción de la complejidad inherente al proceso de las políticas que trasciende su consideración secuencial. Esto ha llevado a centralizar la toma de decisiones, a manera de núcleo analítico de las políticas, en las primeras fases del proceso, minimizando la implementación como un asunto eminentemente administrativo, es decir, como una etapa posdecisional (Roth 2009, 51).

No fue sino hasta la década de los setenta que se empezó a prestar atención al hecho de que —más allá de la teoría— la realidad evidenciaba una brecha o desfase entre los objetivos iniciales de las políticas y los resultados finales obtenidos. Emergió así una preocupación por entender por qué y cómo los planes ejecutados fallaban frecuentemente, es decir, por qué las soluciones propuestas no habían generado los efectos esperados dentro de la lógica secuencial de las políticas.

En el trabajo inicial de Pressman y Wildavsky (1998), publicado a inicios de la década de los setenta, no solo se advierte la importancia de la implementación como problema de estudio, sino que, a partir de las observaciones sobre la experiencia de la política de empleo en Oakland, se percibe de qué manera y por qué los resultados de esta política fueron desalentadores, pese a contar con las condiciones necesarias (consenso político y presupuesto) para que fuera efectiva.

Caracterizada la implementación como "un proceso de interacción entre la fijación de metas y las acciones engranadas para alcanzarlas", esto es, como el grado de ocurrencia de las consecuencias previstas (Pressman y Wildavsky 1998, 55), los autores mencionados señalan que la ejecución de las políticas está determinada por la articulación entre las condiciones esenciales y una cadena subsecuente de causalidades, cuya complejidad incide en las dificultades de la implementación. De ahí que, a más de entender que la falta de cumplimiento de los objetivos puede obedecer a una implementación defectuosa, enfatizan que el desajuste entre medios y fines revela un cuestionamiento directo a la coherencia del diseño original de la política. Esto significa que

> el estudio de la implementación exige comprender el hecho de que secuencias de acontecimientos aparentemente sencillas dependen de cadenas complejas que ejercen una interacción recíproca [y, por lo tanto], la implementación no debe divorciarse del plan de acción [...], no debe concebirse como un proceso que tiene lugar después del diseño del plan de acción, y que es independiente de éste (Pressman y Wildavsky 1998, 58, 239).

Las aportaciones de estos autores influyeron de modo determinante en una primera generación de trabajos sobre implementación, cuya discusión contribuyó a posicionar el análisis de la ejecución como un elemento clave en la problemática del éxito o fracaso de las políticas. Con base en el escrutinio de diversas experiencias empíricas, una serie de investigaciones dio cuenta del reiterado incumplimiento de objetivos, retrasos en las programaciones y excesivos costos de operación. Impregnados de pesimismo, estos primeros trabajos expresaban escepticismo con respecto a las posibilidades reales de que una determinada decisión política, independientemente de sus características, pudiera llegar a generar resultados concretos. Esto se tradujo en un cuestionamiento epistemológico a la noción del *policy cycle* y, por ende, al abordaje científico-racionalista que, impulsado desde disciplinas como la economía o la administración, había impuesto una lectura determinista y restringida que priorizaba la decisión sobre la ejecución (Aguilar Villanueva 1993, 31).

Tal criterio implicó reconocer la existencia de contenido político en el proceso de implementación. Se revirtió así la idea de que la dinámica decisión-ejecución opera como dos estadios que se suceden de manera racional y secuencial, y que su aplicación es un ejercicio neutro a cargo de los ejecutores de la política, quienes lo realizan a través de procedimientos burocrático-administrativos.

Por el contrario, en esta nueva perspectiva, se resalta que el rol de los ejecutores es determinante para la política. Se asume que no existen diferencias entre actores políticos y actores técnicos, en la medida que cada uno, desde su posición, contribuye al desarrollo del proceso. La implementación aparece, por lo tanto, como un escenario de disputa, como "la continuación de la lucha política bajo formas específicas" (Meny y Thoenig 1992, 166). En cierta forma, los ejecutores, igual que los decisores, tienen algún tipo de injerencia e imprimen una dirección propia a las políticas.

Este constituye el punto de partida de una segunda generación de estudios sobre implementación, cuyo énfasis se centra en cuestionar las lógicas *top-down* que habían caracterizado la puesta en práctica como una secuencia lineal direccionada desde el centro hacia la periferia. Frente a las limitaciones de los enfoques *top-down*, se contrapone una perspectiva *bottom-up* (Sabatier 1986), según la cual existen procesos sociopolíticos no previstos que resulta difícil incorporar a un modelo jerárquico de ejecución. A este respecto, el análisis de la implementación debe tomar en cuenta sobre todo el sistema de actores, en términos de su comportamiento e interacciones (Subirats et al. 2012, 189).

A partir de un razonamiento invertido, esto es, partiendo de las situaciones concretas de los interesados, el enfoque *bottom-up* centra la problemática de la ejecución en la esfera de la situación que se busca resolver. Se plantea que, más allá de la decisión de los políticos expresada en determinadas preferencias gubernamentales, la implementación se encuentra mediatizada por un conjunto de actores, quienes operan en una dinámica circular de disputa y negociación. En cierta forma, el proceso de decisión no se agota, inclusive cuando se encuentra en manos de los ejecutores, lo que en última instancia determina que la política se redefina constantemente dentro de una lógica sistémica de retroalimentación (Meny y Thoenig 1992, 167).

Desde los enfoques *top-down* se argumentaba que, para que la implementación fuese exitosa, se requerían mecanismos que asegurasen que los ejecutores pudieran realizar su trabajo de manera satisfactoria. Bajo este razonamiento, la efectividad de las políticas estaba definida en función de la capacidad de los ejecutores para mantener y ratificar el sentido original de la decisión. Por el contrario, en los enfoques *bottom-up* la efectividad fue entendida en términos del comportamiento, compromiso y habilidad de los ejecutores para lograr y sostener los medios que permitiesen alcanzar los objetivos de la política en su ámbito de acción concreto (Howlett, Ramesh y Perl 2009, 164).

Aparte de la confrontación dicotómica entre enfoques *top-down* y *bottom-up*, el debate mostró que existe una cierta complementariedad entre las dos posiciones, bajo el supuesto de que el rol de los distintos actores públicos y privados es fundamental en todas las etapas del proceso de las políticas. No obstante, en ninguno de los dos enfoques se logró explicar por qué se utilizan determinados tipos de instrumentos de políticas, y de qué manera inciden en el comportamiento de los implementadores. Este es precisamente el punto de partida de la tercera generación de debates sobre implementación, cuyo planteamiento central es que la ejecución constituye un intento para aplicar de manera concreta los distintos instrumentos de gobierno, a través de un más o menos coherente proceso de diseño de políticas (Howlett, Ramesh y Perl 2009, 164).

A partir de las herramientas analíticas de las teorías de juegos, pero especialmente de la teoría del principal-agente, se argumenta que el fracaso práctico de la implementación, por sobre los propósitos de gobernantes y ciudadanos, se debe a que las acciones de los agentes divergen de las intenciones de sus principales y, por ello, terminan distorsionando los resultados de la política (Howlett, Ramesh y Perl 2009, 168). Esta premisa reitera el argumento *bottom-up* referido a que la efectividad de la ejecución está condicionada por la relación agencia/contexto de los ejecutores. Ratifica, además, el sentido político que el debate de las últimas décadas le había asignado a la ejecución, ampliando la toma de decisión —más allá de la formulación de las políticas— al conjunto de actores involucrados.

Sin embargo, los enfoques de la tercera generación superan esta argumentación en tanto incorporan las implicaciones del diseño institucional (incluidos los instrumentos de las políticas) sobre la efectividad de la implementación. Desde esta perspectiva, la efectividad de la ejecución está relacionada no solo con la coherencia de los instrumentos utilizados en una determinada tarea de gobierno, en términos de su estructura y funcionamiento, sino además con la justificación de la elección del instrumento, esto es, las razones fundamentales por las que el ejecutor elige un instrumento específico de entre varias opciones (Howlett, Ramesh y Perl 2009, 169).

La observación del proceso de las políticas públicas revela que los gobernantes tienden a desarrollar estilos de implementación específicos, en función de los cuales se combinan —dentro de una lógica más o menos coherente— varios tipos de instrumentos que se aplican en un sector particular. La implementación de las políticas, entendida en términos de su instrumentación, proporciona o permite concretar los contenidos que fueron planificados en las etapas anteriores de formulación y toma de decisiones (Howlett y Giest 2013, 22). Con este antecedente, es pertinente cuestionarse, en una segunda instancia, ¿de qué manera se caracteriza y evalúa la efectividad de las políticas?

La evaluación de la efectividad de las políticas públicas

Como se ha observado, la implementación, en términos generales, hace referencia al conjunto de procesos que, tras la fase de formulación, permiten "la realización concreta de los objetivos de una política pública" (Subirats et al. 2012, 189). En este proceso interactúa el conjunto de actores involucrados, redefiniendo el sentido de las políticas a partir de su propia agencia. Esto determina que el análisis de la implementación posea un importante valor heurístico, en tanto sintetiza la complejidad de las políticas y permite aprehender su efectividad, esto es, el grado en que las respuestas implementadas han sido coherentes con la formulación del problema.

Precisamente, uno de los aspectos fundamentales del campo de las políticas públicas se relaciona con las causas por las cuales las acciones ejecutadas no generan los efectos inicialmente previstos. En tanto la constatación empírica de los efectos de las políticas implica observar las diferencias entre las consecuencias anunciadas y las reales, esta tarea demanda un ejercicio de evaluación de políticas. De ahí que exista una interrelación entre las fases de implementación y evaluación: mientras la ejecución aporta la experiencia a ser examinada en la evaluación, esta última suministra el conocimiento para dotar de sentido al proceso (Pressman y Wildavsky 1998, 45).

Es importante a este respecto aproximarse a la lógica de evaluación de los efectos generados por las medidas emprendidas por la autoridad pública. De esta manera, puede argumentarse que la evaluación procura

> Identificar si los grupos-objetivo seleccionados modificaron efectivamente su conducta (¿qué impactos?), y si gracias a ello la situación de los beneficiarios finales, que en un principio se consideró problemática, mejoró realmente (¿qué *outcomes*?). En suma, la evaluación de una política pública busca examinar empíricamente la validez del modelo causal en el que esta se fundamentó en su proceso de elaboración (Subirats et al. 2012, 211).

Mediante el análisis de los impactos y los resultados de una determinada acción pública es posible verificar la hipótesis de intervención, así como identificar las modificaciones de conducta imputables a los efectos. La combinación de estos elementos lleva a establecer tres criterios de evaluación de una política pública: efectividad, eficacia, eficiencia, que permiten analizar sus efectos. Este análisis puede ser complementado con una serie de criterios de carácter suplementario, tal como se sintetiza en la tabla 1.4.

La categorización de los criterios de evaluación referentes a los efectos de las políticas arroja algunas puntualizaciones importantes. Por un lado, la eficacia se establece sobre la lógica de una reconstrucción causal y analítica de la relación entre la política y la realidad social. Hay, por lo tanto, en la evaluación un carácter normativo que contrapone el *ser* (solución real) y el *deber ser* (objetivos). No obstante, en la medida que los objetivos generalmente son formulados

Tabla 1.4. Criterios de evaluación de las políticas públicas

Ámbito analítico	Criterio	Definición
Efectos de las políticas	Efectividad	Analiza si los impactos se producen de la manera prevista. Mide el grado de adecuación entre los objetivos normativos de una política y el comportamiento real de los grupos-objetivo. Evalúa la probabilidad de alcanzar los objetivos de la política.
	Eficacia	Se refiere a la relación entre los efectos esperados de una política y los que efectivamente se dan en la realidad social.
	Eficiencia (recursos)	Se refiere a la relación entre los recursos invertidos en una política y los efectos obtenidos. Describe la relación entre los costes y los beneficios de una política pública.
Aspectos suplementarios	Pertinencia	Se refiere al nexo que debería existir entre los objetivos definidos inicialmente y la naturaleza y gravedad del problema público a resolver.
	Eficiencia (productiva)	Relaciona los *outputs* producidos y los recursos invertidos. Permite juzgar la eficiencia de los procesos administrativos de implementación.
	Equidad	Se refiere a la justicia en la distribución de los costos, beneficios y riesgos de la política a través de los subgrupos de la población.
	Libertad	Mide cómo la política extiende o restringe la privacidad y derechos individuales.
	Aceptabilidad social	Mide cómo el público aceptará y apoyará una política propuesta.
	Viabilidad política	La medida en que un funcionario electo acepta y apoya una política pública propuesta.
	Viabilidad administrativa	Probabilidad de que un departamento o agencia pueda implementar bien la política.
	Viabilidad técnica	La disponibilidad y fiabilidad de la tecnología necesaria para la implementación de la política.

Fuente: elaborado a partir de Kraft y Furlong (2010, 154) y Subirats et al. (2012, 218).

de manera abstracta y desvinculados del contenido de las políticas, resulta poco probable que estos se inserten en la compleja estructura lógica requerida para aplicar el criterio de eficacia (Subirats et al. 2012, 220).

Esta desarticulación entre objetivos y contenidos explica que sea probable que los objetivos se cumplan sin que necesariamente la política pública contribuya a ese resultado o, viceversa, que los objetivos no se realicen aunque se observe algún tipo de efecto o impacto. Esto demuestra las limitaciones del criterio de eficacia, en tanto la comparación entre los objetivos y los efectos reales corre el riesgo de convertirse en un ejercicio autorreferenciado que no necesariamente explica la incidencia de las políticas en los efectos observados.

De otra parte, debido a que la eficiencia revela aspectos de la acción gubernamental sobre la base de conceptos económicos, excluye la comprensión de la dimensión política del proceso. Este criterio presenta también limitaciones analíticas, en razón de que la observación de la óptima asignación de recursos respecto a los resultados obtenidos es pertinente solo cuando se ha comprobado que las políticas han sido eficaces. Además, la medición de todos los costos y beneficios no siempre es posible, lo que puede ser un condicionante metodológico.

A su vez, la efectividad aparece como un criterio más complejo pero con mayores posibilidades analíticas. Como ya se ha mencionado, la constatación de reiteradas fallas en los programas de intervención pública ha generado una preocupación por entender las causas que condicionan la efectividad de estas intervenciones. Evaluar la efectividad de una política apunta a identificar si se han logrado los resultados esperados en relación con los objetivos delineados en el proceso de formulación (Kraft y Furlong 2010, 155).

En términos generales, la medición de la efectividad de las políticas procede de una comparación —cualitativa y cuantitativa— entre los impactos previstos y los impactos reales, esto es, entre resultados (*outcomes*) y productos (*outputs*). Cualitativamente, la evaluación se concentra en explicar el alcance esencial de los impactos, mientras que cuantitativamente determina si existe relación entre las acciones de implementación y las modificaciones de conducta esperadas. Así, dependiendo del tipo de instrumento de intervención analizado, pueden utilizarse diversos indicadores para medir y estimar la efectividad (Subirats et al. 2012, 219).

Los instrumentos de la política como unidad de análisis de la efectividad

En el debate contemporáneo sobre la implementación se resalta la importancia de los mecanismos de selección de los instrumentos de las políticas, concebidos como factores claves para entender la efectividad de los procesos de ejecución. La selección de los instrumentos constituye una actividad compleja, que —más allá de su sentido procedimental— circunscribe un componente de deliberación política entre los distintos actores involucrados, el cual, en última instancia, puede llegar a incidir en la manera como los objetivos se articulan con los resultados de las políticas.

A este respecto, el análisis de las políticas públicas encuentra en el estudio de los instrumentos una importante herramienta analítica para explicar la articulación entre la formulación de la política y su implementación, y, de modo más amplio, entender el proceso de toma de decisiones de las políticas (Howlett 1991, 53). En ese sentido, las actividades de implementación se estructuran con base en un conjunto de arreglos entre los actores de la política y los mecanismos de acción seleccionados, lo que determina que exista una relación directa entre la coherencia/consistencia de los instrumentos y la efectividad de las políticas. Esto permite sostener lo siguiente:

> that instrument choices, to be effective, must be closely and carefully related to policy goals, and that any new goals and tools must also be carefully integrated with existing policies if implementation is to succeed. New and old goals must be coherent, in the sense of being logically related, while new and old instruments choices must consistent, in the sense of not operating at cross-purposes (Howlett, Ramesh y Perl 2009, 172).

De esta forma, en la medida que la selección de un determinado instrumento se relaciona con los objetivos de la política y, a la vez, se articula con el resto de instrumentos, se configura lo que March y Olsen (2006) denominan la "lógica de lo adecuado". Esto se refiere al direccionamiento de la acción, incluidos los procesos de decisión y ejecución, a través de un conjunto de reglas organizadas dentro de una estructura institucional. En esta lógica, los instrumentos, a manera de instituciones, no solo condensan la conflictividad inherente al proceso mediante el cual fueron seleccionados, sino que además, en tanto inciden en el comportamiento de los actores, condicionan lo que Spicker (2005, citado en Howlett, Ramesh y Perl 2009, 173) identifica como modos de operación o estilos de implementación.

Los estilos de implementación remiten a dos puntualizaciones importantes. Por un lado, los modos de operación están determinados por factores diversos como el rango existente de actores presentes en el subsistema de la política, el tipo de recursos que estos actores tienen a su disposición, la naturaleza del problema que tratan de direccionar y las ideas que tienen acerca de cómo abordarlo. Todo esto en el marco de un régimen de política o estructura institucional específica que modela las distintas preferencias de selección entre instrumentos substantivos o procesales (Howlett, Ramesh y Perl 2009, 173).

Por el otro lado, los estilos de implementación se relacionan con el tipo de problemas que enfrentan los ejecutores, en especial las cuestiones de *maleabilidad*, esto es, las posibilidades reales de generar algún tipo de solución y los inconvenientes que pueden surgir en su implementación. La maleabilidad está además condicionada por la propia naturaleza de los problemas (unos son más factibles de resolver que otros), lo que condiciona el tipo de solución adoptada y la selección de los instrumentos (Howlett, Ramesh y Perl 2009, 174). En definitiva, tanto los estilos de implementación como las cuestiones de maleabilidad de los problemas constituyen factores claves para entender la efectividad de la implementación de las políticas. Ciertamente,

> the central assumption of most contemporary approaches to policy implementation is that this stage of the policy process is shaped by political factors related to state capacity to deal with specific issues and the complexity of the subsystem with which it must deal (Howlett, Ramesh y Perl 2009, 175).

Los factores políticos relacionados con la capacidad de las autoridades para impulsar procesos de acción pública son parte de la dinámica de interacción entre el Estado, el mercado y la sociedad y, por lo tanto, se insertan en la lógica institucional de los modos de gobernanza que caracterizan los procesos políticos contemporáneos. Este es precisamente el antecedente analítico clave para entender de qué manera los modos de gobernanza inciden en la instrumentación de las políticas públicas.

Gobernanza e instrumentación de las políticas públicas

El desarrollo y diversificación de los instrumentos de políticas públicas ha ocurrido simultáneamente con la transformación que el Estado ha experimentado durante el siglo XX. Una intervención cada vez mayor del Estado en nuevos sectores, así como las características de las distintas fases de esta transformación, han impulsado una constante innovación de los instrumentos de políticas. La dinámica sociopolítica contemporánea ha estado signada por nuevos modos de gobernanza en cuyo marco se observan políticas públicas menos jerárquicas, articuladas por grupos de interés y menos enmarcadas en sectores específicos, lo cual ha generado que las políticas incorporen actores no estatales a los procesos de decisión y nuevas formas de coordinación (Lascoumes y Le Galès 2007, 2).

Como consecuencia de los problemas de costos y efectividad de los programas de gobierno, y en el marco de la consolidación de las teorías neoliberales, desde la década de los ochenta emergieron fuertes cuestionamientos a las capacidades y motivaciones de las instituciones del sector público. En reacción a estas críticas, se ha impulsado una serie de reformas que, en su conjunto, han transformado tanto el alcance y escala de la acción de gobierno como sus formas básicas. De esta manera, se observa una masiva proliferación de instrumentos que crea nuevas oportunidades para adaptar la acción pública a la naturaleza de los problemas públicos y hace posible incorporar diferentes actores —gubernamentales y no gubernamentales— a la satisfacción de necesidades públicas (Salamon 2000).

De otra parte, uno de los aspectos clave que estructura el enfoque de la nueva gobernanza es el referido al cambio de la "unidad de análisis" en los estudios de políticas y administración pública, desde la agencia pública o el programa público individual hacia las herramientas o instrumentos. Así, antes que mirar a los programas como empresas particulares, este enfoque encuentra puntos en común derivados de los instrumentos de acción pública que ellos emplean. El argumento es que los diferentes programas de gobierno involucran un número limitado de instrumentos básicos de acción que, independientemente del ámbito en el cual se desarrollan, comparten características comunes (Salamon 2000, 1624).

La lógica de implementación de las políticas cambia desde esta perspectiva, en tanto los instrumentos no solo definen el conjunto de actores que participan en la dinámica de acción pública sino que también determinan los roles que estos actores jugarán en el proceso. En cierta forma, los resultados se encuentran condicionados por la elección de los actores en función de sus perspectivas, habilidades e incentivos: la elección de los instrumentos estructura el proceso de la política y consecuentemente afecta sus resultados. Esto implica comprender que dicha elección no es una mera decisión técnica, sino que involucra una dimensión política, en la cual los criterios e intereses de los actores son fundamentales para entender la administración de los asuntos públicos (Salamon 2000, 1627).

La utilidad del enfoque de la gobernanza radica en que sitúa el análisis en los instrumentos antes que en la agencia o en los programas, lo que permite indagar un asunto primordial en el debate sobre la implementación. Frente a las limitaciones de una instrumentación signada por una orientación funcionalista, Lascoumes y Le Galès (2007) abogan por analizar los instrumentos desde una perspectiva de sociología política. Su argumento es que la instrumentación es el principal problema de la política pública, en tanto cada instrumento condensa una forma de conocimiento acerca del control social y sus maneras de ejecutarlo. Esto implica entender que los instrumentos no son dispositivos neutrales, sino que, por el contrario, producen efectos específicos independientemente de los objetivos perseguidos (Lascoumes y Le Galès 2007, 3).

A más de que los instrumentos poseen una dimensión técnico-funcional, en última instancia ocultan un juego político, cuyas relaciones de poder condensan problemas de decisión y legitimidad asociados a la naturaleza del instrumento. Desde esta perspectiva es posible afirmar que

> a public policy instrument constitutes a device that is both technical and social, that organizes specific social relations between the state and those it is addressed to, according to the representations and meanings it carries. It is a particular type of institution, a technical device with the generic purpose of carrying a concrete concept of the politics/society relationship and sustained by a concept of regulation (Lascoumes y Le Galès 2007, 4).

Esta concepción permite superar teóricamente el enfoque funcionalista, al asumir que los instrumentos estructuran las políticas. De igual manera, analizar las políticas a través de la dinámica de su instrumentación tiene implicaciones metodológicas que conducen a una deconstrucción analítica del proceso, tendiente a develar aspectos o dimensiones de la política pública que no son fácilmente visibles.

Conclusiones

La discusión teórica apunta a fundamentar las cuestiones de diseño e implementación de las políticas públicas como un problema de gobernanza. El argumento ha enfatizado el sentido epistemológico de la gobernanza no solo como forma de regulación de la acción pública, sino también como una categoría analítica que permite aprehender los arreglos institucionales sobre los que se estructura la dinámica de interacción entre los distintos actores estatales y no estatales. En este sentido, la conformación, durante las últimas décadas, de nuevos mecanismos de regulación dentro de las dinámicas contemporáneas de gobernanza, ha significado redefinir el rol del Estado como consecuencia de un desplazamiento de su poder y configurar formas de gobierno sustentadas en lógicas de dirección y coordinación antes que de control e intervención.

De esta manera, los procesos de acción pública en general y de las políticas públicas en particular aparecen como el resultado de estas nuevas dinámicas de gobernanza. Esto determina que las problemáticas de funcionamiento y resultado de las políticas, como es el caso concreto de la efectividad, se encuentren condicionadas por la institucionalidad de un determinado modo de gobernanza, tanto en términos del tipo de interacción establecida entre los diversos actores, como del rol del Estado. Así, es posible analizar el diseño y la implementación de las políticas a partir de la incidencia que ejercen sobre ellos los marcos institucionales de los mecanismos que regulan la relación entre el Estado y la sociedad.

Esta obra se inscribe en el debate contemporáneo de la implementación, dentro del cual se plantea que los procesos de ejecución de las políticas públicas, más allá de su dimensión operativa, condensan un campo político definido a partir de un problema de diseño de políticas, esto es, en función de las lógicas de selección de los instrumentos y de la coherencia de su combinación.

Capítulo 2
El análisis de instrumentos de políticas públicas

En las últimas décadas, la preocupación por instrumentar la acción pública se ha expresado en un debate en torno a la orientación teórica y metodológica de las ciencias sociales y, de manera específica, del análisis de políticas públicas. Al respecto, el estudio de los instrumentos, caracterizados como objetos capaces de producir un determinado efecto, así como el conocimiento de su relación con las actividades necesarias para su aplicación, permiten comprender el proceso mediante el cual las intenciones políticas se convierten en acciones administrativas concretas (De Bruijin y Hufen 1998, 11).

Si bien la perspectiva instrumental tiene sus raíces en distintas disciplinas académicas, a partir de la segunda mitad del siglo XX empieza a difundirse desde el campo de la economía hacia las ciencias sociales y principalmente hacia la ciencia política, una racionalidad instrumental que eventualmente transformaría el significado de la acción del gobierno. Precisamente, en cuanto la acción de las autoridades públicas fue identificada como una forma de intervención en la vida económica y social, las diversas políticas empezaron a ser representadas analíticamente a partir de un amplio rango de instrumentos dotados de características técnicas específicas (Linder y Peters 1998, 33).

El análisis de las políticas ha experimentado importantes cambios en términos del advenimiento de una renovada preocupación por las instituciones, así como del auge de los estudios de la gobernanza y la nueva gestión pública. En ese sentido, se observa en las últimas dos décadas una transformación en el debate, desde una lectura que enfatizaba los instrumentos dentro de particulares ámbitos de políticas, hacia una paulatina incorporación de factores ideológicos y tecnológicos al comprender la actividad del gobierno. Esto ha significado no solo la expansión analítica de la instrumentación lejos de lo funcional, sino sobre todo la consolidación del campo de los *instrumentos de las políticas* como un importante método de análisis y comparación (Hood 2007).

La discusión sobre las dinámicas contemporáneas de gobernanza se caracteriza por redefinir la unidad de análisis de la acción pública, abordando la instrumentación de las políticas más allá de su dimensión técnica u operativa, mediante un enfoque que incorpora el sentido político y la lógica de decisión de los actores (Salamon 2000). En ese marco, el *análisis de instrumentos* se ha posicionado como un relevante problema de políticas, en tanto que comprender su estructura y funcionamiento permite explicar no solo las relaciones de poder y legitimidad implícitas en su diseño e implementación, sino principalmente los efectos que generan en el desarrollo de las políticas (Lascoumes y Le Galès 2007).

Desde una perspectiva neoinstitucionalista, se sostiene que los instrumentos de políticas públicas no son simples elementos funcionales, sino que orientan el diseño de ellas en sus diferentes instancias y componentes. Con este antecedente, el propósito de este capítulo es indagar de qué manera los instrumentos inciden en el proceso de las políticas públicas.

Los instrumentos de políticas como objeto de investigación

El concepto de instrumento

En las últimas décadas, una parte importante de la literatura ha enfatizado la idea de que la política y las políticas públicas pueden ser analizadas a partir de un enfoque de instrumentos de políticas. A pesar de la divergencia en la terminología utilizada —instrumentos de gobierno, herramientas de políticas o instrumentos de políticas—, todos estos planteamientos comparten la concepción de ellos como el conjunto de medios de los que disponen los gobernantes para lograr determinados objetivos de política (Woodside 1998, 162).

Esto implica caracterizar un instrumento de política y, de manera más específica, definir si constituye algo más que solo un medio. Las innumerables definiciones existentes en la literatura dan cuenta de los instrumentos como un amplio rango de dispositivos o conjunto de medios, utilizados para influenciar el proceso de las políticas en función de alcanzar determinados objetivos. Otras definiciones enfatizan el sentido de los instrumentos como atributos oficiales, es decir, medios legítimos que poseen las instancias públicas para gobernar, lo que les confiere un carácter formal (Van Nispen y Ringeling 1998, 206).

Así, por ejemplo, Bruijin y Hufen (1998) resaltan que en la literatura sobre administración pública se observa una amplia variedad de fenómenos a los que se suele denominar "instrumentos"; no obstante, el concepto de instrumento, entendido como medio para conseguir un objetivo particular, no necesariamente provee información acerca de la naturaleza específica de dichos fenómenos. Se puede diferenciar su caracterización como un objeto o como una actividad. En el primer caso, se entienden como instrumentos el conjunto de reglas e instrucciones que configuran las leyes y directrices administrativas del gobierno. En el segundo caso, son considerados actividades en tanto remiten a acciones de política direccionadas a influenciar y gobernar el proceso social (De Bruijin y Hufen 1998, 13-14).

Estos autores plantean que, más allá de las ventajas y desventajas de asumir las diferencias de las dos tipologías, los instrumentos pueden ser entendidos como objetos, aludiendo así a las actividades y acciones necesarias para su aplicación. Esto implica definir el enfoque instrumental a partir de la idea de que la aplicación del instrumento estructura en última instancia las actividades de la política y produce diferentes efectos (De Bruijin y Hufen 1998, 14-15).

En otro orden de ideas, a finales de la década de los ochenta, Linder y Peters (1989) plantearon la necesidad de aplicar a la investigación de instrumentos de políticas una interpretación subjetivista y una dimensión multinivel de análisis. Para estos autores, a más de una evaluación normativa de los instrumentos o de la descripción de sus características, es relevante cuestionarse cómo son vistos por los actores dentro y fuera del gobierno, y cuál es el criterio para juzgar su idoneidad.

Bajo esta óptica, resulta necesario evaluar los factores cognitivos que moldean la selección de los instrumentos, para posteriormente ubicarlos dentro de su dimensión institucional y contextual. A través de una lectura multinivel, Linder y Peters plantean articular los patrones micro de decisión del instrumento con las características macro del proceso de diseño de políticas. Más allá de los factores ideológicos o profesionales, la selección puede entenderse en función de lo que los tomadores de decisiones creen que están logrando cuando priorizan un determinado instrumento sobre otro.

De esta manera, la clave para entender el vínculo entre percepción y decisión radica en el contexto. Este puede ser entendido en términos de: i) los ajustes institucionales dentro de los cuales los tomadores de decisiones operan, es decir, los arreglos sistémicos y organizacionales que influyen en la percepción de los instrumentos y, consecuentemente, en la decisión; ii) el problema relativo a las circunstancias de la selección del instrumento, aspecto relacionado con la formulación de la política y la lógica bajo la cual los tomadores de decisiones realizan la selección; y iii) la temporalidad y otras circunstancias específicas de la decisión, que determinan que el contexto adquiera características específicas (Linder y Peters 1989, 37).

Pese a que en el debate académico se encuentra difundida la idea de que los gobernantes tienen a su disposición un conjunto de instrumentos para lograr los objetivos de las políticas públicas, se mantienen importantes deficiencias respecto a la clasificación de los instrumentos de gobierno, así como numerosas debilidades en la articulación de estas clasificaciones con otros aspectos del análisis de políticas. La variedad de tipologías de instrumentos desarrolladas en las últimas décadas se ha construido sobre diversos aspectos, tales como los efectos económicos, tipo de gasto, carácter de los servicios de provisión, efectos de los instrumentos de acuerdo a su clase, tipo de intervención, nivel de coerción, entre otros (Linder y Peters 1989, 39).

Estos esquemas o taxonomías evidencian algunos problemas. Por un lado, las clasificaciones presentan categorías extremadamente amplias, lo que genera que no haya claridad respecto a cuales se excluyen entre sí. Otro problema es que estas clasificaciones se mantienen solo como tales, pues es escaso el esfuerzo por utilizar dichos esquemas como mecanismos de análisis de políticas. Debido a estos problemas Linder y Peters enfatizan la necesidad de estudiar cómo los instrumentos son conceptualizados por los actores involucrados en la decisión política, así como contextualizar la satisfacción de demandas en situaciones particulares. Según este argumento, la construcción de tipologías tiene que fundamentarse en el punto de vista de los hacedores de políticas respecto a los factores condicionantes para que los instrumentos sean operacional y simbólicamente comparables o únicos (Linder y Peters 1989, 55).

Esto implica entender los instrumentos de las políticas en función de la influencia que las instituciones ejercen sobre su selección, tanto en términos de una lógica de lo adecuado que moldea las decisiones individuales, como de la memoria colectiva de las organizaciones, que tiende a producir un mismo resultado de la deliberación a través del tiempo (Linder y Peters 1989, 41).

Orígenes del pensamiento instrumental

Como se mencionó, la perspectiva instrumental tiene sus orígenes en distintas disciplinas, principalmente en la economía, en la cual una serie de elementos tales como los salarios, las políticas de precios, el nivel de beneficios de la seguridad social, entre otros, han sido tradicionalmente concebidos como instrumentos capaces de generar determinados efectos macroeconómicos. De igual forma, el campo del derecho se ha estructurado alrededor de una perspectiva instrumental, enfatizando el sentido coercitivo de la ley a manera de instrumento de control social. El ámbito de la administración pública tampoco ha sido ajeno a la orientación instrumental, en tanto su desarrollo se ha fundamentado en la idea de que el proceso político se concreta en un conjunto de acciones administrativas específicas (De Bruijin y Hufen 1998, 12).

Especial incidencia en la consolidación del enfoque instrumental ha tenido la difusión —durante la segunda mitad del siglo XX— del pensamiento económico en las ciencias sociales, incluida la ciencia política. Mientras que, por un lado, se considera que esta influencia ha enriquecido a la ciencia política, por otro se advierte que, bajo sus efectos, han sido desplazadas las nociones básicas de la política, sometidas a una lectura instrumental. Más allá de este debate, los principios económicos —por ejemplo, la racionalidad instrumental—

fueron adquiriendo especial prominencia entre los responsables de las políticas gubernamentales, lo que en cierta forma transformó el significado de la acción del gobierno. Alejándose de perspectivas de carácter constitucional o funcional, las acciones gubernamentales fueron sometidas a una lógica de intervención en la vida económica y social de impronta liberal. Esta manera de entender la acción como intervención ha implicado delimitar la esfera pública y, más importante, construir una legitimidad de gobierno sustentada en criterios técnicos y científicos (Linder y Peters 1998, 33).

De esta manera, tanto en la economía como en la ciencia política, el estudio de los instrumentos de políticas se ha caracterizado por un desarrollo disciplinar independiente, en el que cada enfoque responde a una orientación teórica y metodológica específica. Así, por una parte, la primera generación de economistas abordó el estudio de los instrumentos bajo la perspectiva de las relaciones empresariales del gobierno y de los efectos de la regulación del Estado y de las políticas económicas sobre la eficiencia empresarial. Buscaron identificar las fallas de mercado que justificarían la intervención estatal y las técnicas más adecuadas para corregir esas fallas. Por otra parte, los científicos políticos de la primera generación rechazaron este enfoque deductivo de los economistas, asumiendo, por el contrario, una lectura inductiva basada en el registro empírico de la toma de decisiones del gobierno, adecuada para explicar la racionalidad de la elección de los instrumentos de políticas (Howlett, Kim y Weaver 2006, 130-131).

En todo caso, la relevancia del enfoque instrumental en distintas disciplinas puede ser entendida en función de tres factores. En primer lugar, una importante preocupación por los instrumentos en aquellos campos donde existe un fuerte vínculo entre académicos y profesionales, relación en torno a la cual se han generado estímulos para desarrollar investigaciones sobre problemas prácticos. En segundo lugar, la orientación instrumental ha sido impulsada por la creciente necesidad de conocimiento científico y práctico de parte de las organizaciones de gobierno, derivada de un cada vez más complejo proceso de implementación, que requiere entender mejor cómo los objetivos de las políticas y su calidad están relacionados con la instrumentación. Finalmente, el enfoque instrumental ha tenido en las últimas décadas un importante apoyo político e ideológico, a manera de una doctrina instrumental, desde la cual se ha enfatizado, por ejemplo, que las fallas en ciertos sectores de políticas han resultado de una falta de conocimiento sobre sus instrumentos (De Bruijin y Hufen 1998, 12).

El estudio de los instrumentos de políticas se conecta así con la preocupación por los objetivos de valor que intervienen en ellas, inquietud sobre la que empezaba a estructurarse la emergente ciencia de la política planteada por Lasswell ([1951] 1992) a inicios de la segunda mitad del siglo XX. En cierta medida, el creciente cuestionamiento a la capacidad de los gobernantes generó un debate tanto de carácter descriptivo como prescriptivo, centrado en entender cómo alcanzar los, generalmente problemáticos, objetivos de las políticas (Van Nispen y Ringeling 1998, 204).

Desde esta perspectiva, al incio se analizó la relación entre objetivos y medios. Por esto, la idea de instrumentos de políticas se convirtió en un término frecuente en los documentos oficiales de gobierno antes que entre los analistas. La falta de reflexión sobre los instrumentos y la carencia de estudios sistemáticos de los procesos de instrumentación generaron como resultado que muchos de los elegidos por los gobernantes fueran omitidos en la práctica, produciendo además déficits de conocimiento prescriptivo en la administración pública. Esta tendencia se evidenció sobre todo en el contexto norteamericano, derivada de la propensión de ubicar las políticas dentro de los programas, lo que determinaba en última instancia que la evaluación de las políticas se desarrollara en función de la observación individual de los programas de trabajo, sin considerar los instrumentos de políticas, concebidos simplemente como técnicas administrativas (Van Nispen y Ringeling 1998, 205).

Identificar acción de gobierno con formas de intervención permite representar analíticamente a las políticas públicas bajo la figura de instrumentos artificiales y sustituibles. En la medida en que la intervención del gobierno depende de un conjunto de instrumentos dotados de características técnicas específicas, la instrumentación aparece entonces como la dimensión operacional de los objetivos de las políticas. De ahí la importancia de estudiar estos recursos: observar sus atributos permite no solo revelar los propósitos implícitos de los gobernantes, sino además explicar el alcance de sus resultados (Linder y Peters 1998, 34).

Esta lectura supuso dos trayectorias distintas. Por un lado, en la tradición canadiense, una línea de estudios enfatiza los atributos políticos de los instrumentos en términos de su dimensión coercitiva. Según este enfoque, su ordenamiento y uso están entendidos en función de la cultura política y los compromisos ideológicos (Linder y Peters 1998, 35). La academia canadiense es, en este sentido, responsable de una de las contribuciones teóricas más importantes en torno a la capacidad de los gobernantes para actuar a través del uso de diferentes instrumentos en la búsqueda de objetivos particulares. La idea central es que los escogidos para implementar una política involucran significativamente diferentes procesos de formulación de políticas. Al respecto, una parte importante de esta literatura se enfoca en las diferencias en los instrumentos en términos de los procesos que estos engendran; bajo esta óptica, las características de la decisión instrumental reflejarían la distribución de poder dentro de la sociedad y la naturaleza del problema que enfrenta el gobierno (Woodside 1986).

Por otro lado, se despliega una tradición estructural-funcional, apoyada en un ejercicio inductivo direccionado a identificar las funciones de las políticas públicas a partir de un inventario de instrumentos. En esta perspectiva, se desarrolló de manera divergente una serie de tipologías, fundamentadas en gran parte sobre la presunción de que el análisis del conjunto de funciones y sus respectivos instrumentos pueden constituir la base de una teoría de la gobernanza moderna. Especial mención merece en este debate el trabajo monográfico de Dahl y Lindblom publicado a comienzos de la década de los cincuenta, cuyo argumento combina el análisis de las funciones y técnicas político-económicas que emplea el Estado moderno en el ejercicio de planificación económica, planteamiento muy relevante para el posterior desarrollo de la discusión sobre el diseño de políticas (Linder y Peters 1998, 34-35).

En función de estas dos trayectorias, en las últimas décadas el debate sobre la instrumentación se ha ido transformando, desde la concepción original que enfatizaba la racionalidad técnica del instrumento, hacia enfoques que incorporan el contexto y los valores como elementos centrales en el análisis instrumental (Linder y Peters 1998, 35). Este es el punto de partida para revisar a continuación algunas categorizaciones acerca de la evolución de los enfoques sobre la instrumentación de las políticas, aproximaciones teóricas cuyas divergencias expresan no solo la diversidad de puntos de vista sobre el tratamiento de los instrumentos y el rol del contexto, sino sobre todo la evolución de la orientación instrumental en el campo del análisis de las políticas públicas.

Enfoques de análisis de instrumentos: una revisión del debate

A continuación se revisan las principales discusiones sobre la instrumentación de las políticas considerando cuatro ámbitos: la naturaleza de los instrumentos, el contexto de la política, la lógica de selección de los instrumentos y los estilos de políticas nacionales.

Enfoques basados en la naturaleza de los instrumentos

Según Linder y Peters (1998), la selección de instrumentos no necesariamente se debe a un proceso sistemático de evaluación a partir del cual se desarrolle, por ejemplo, una detallada comparación de los distintos rangos de instrumentos disponibles o un cuidadoso escrutinio de sus características. Por el contrario, los tomadores de decisiones están sujetos a una serie de restricciones que determinan que la elección de un determinado instrumento se realice a la luz de soluciones derivadas de experiencias anteriores. Esto ha conducido a que los distintos enfoques de instrumentación se hayan estructurado alrededor de aspectos básicos que permanecen en el fondo del debate instrumental antes que sobre una reflexión metodológica de carácter analítico (Linder y Peters 1998, 36). A partir de estas constataciones, Linder y Peters desarrollan una clasificación de cuatro enfoques o escuelas de análisis de instrumentos (tabla 2.1), destacando los diferentes métodos utilizados, con el propósito de posteriormente articularlas al marco analítico de la selección de aquellos.

Tabla 2.1. Escuelas de pensamiento en el estudio de los instrumentos

Escuela	Factor clave	Modelos de evaluación	Relación con la política
Instrumentalista	Atributos del instrumento	Optimización bajo restricciones	Diseño impide la política.
Procedimentalista	Adaptación	Evolución de alojamiento	Política impide el diseño.
Contingentista	Ajuste	Coincidencia del instrumento con la tarea	Diseño forma la política.
Constitutivista	Significados evocados	Interpretación del significado	Política como diseño

Fuente: Linder y Peters (1998, 43).

En primer lugar, se identifica el enfoque *instrumentalista*, caracterizado porque tanto académicos como responsables de las políticas apoyan unos pocos instrumentos en los cuales depositan todo el poder. Esta perspectiva apela a una racionalidad técnica sin necesariamente contextualizar el rol del instrumento. El énfasis se encuentra en conocer los atributos y el funcionamiento de uno en particular, así como en las condiciones de su efectividad. Desde una lógica normativa, el análisis se centra en entender los rasgos característicos del recurso, con el propósito de identificar y mejorar un conjunto de instrumentos universales, útiles para un amplio rango de aplicaciones, buscando su óptimo rendimiento bajo distintas circunstancias. La limitación del repertorio de instrumentos se debe tanto a condicionamientos profesionales o disciplinarios (en términos de procesos legales o instrumentos basados en el mercado, por ejemplo) como a factores relacionados con la posición ideológica y consideraciones de poder (Linder y Peters 1998, 37).

En un segundo renglón se ubica el enfoque *procedimentalista*, según el cual no es posible entender los instrumentos fuera del contexto de un problema particular. Es decir, la diversidad de ellos no necesariamente implica que existe una aplicabilidad universal, sino que su utilización obedece a un proceso dinámico de adaptación, en el cual la toma de decisiones está condicionada por un conjunto de problemas específicos. Esto implica que el análisis se sitúa en el proceso de desarrollo del instrumento antes que en sus características aisladas. De ahí que este enfoque otorgue especial importancia a la fase de implementación, bajo la presunción de que cualquier instrumento seleccionado se configura por el complejo proceso de su operación antes que por su diseño conceptual inicial (Linder y Peters 1998, 38).

En tercer lugar, se identifica el enfoque *contingentista*, el cual plantea que los instrumentos deberían ser seleccionados según el grado en que sus características satisfacen los requerimientos de un problema específico. Así, el estudio de los instrumentos se ocupa tanto de la estructuración y articulación de las demandas inherentes a los requerimientos del problema, como a los condicionamientos de una apropiada selección del instrumento. La operación del mismo vendría determinada en función de un ajuste *ex ante* entre el instrumento y el contexto. A diferencia del contexto particularista de los procedimentalistas, la relación entre problema e instrumento es entendida desde una perspectiva deductiva que asume un contexto altamente estructurado, expresado en términos tipológicos como un conjunto de requerimientos determinados (Linder y Peters 1998, 39).

En cuarto lugar, se encuentra el enfoque *constitutivista*. Desde esta perspectiva se argumenta que, además de observar los detalles del contexto, es necesario comprender el sentido subjetivo del instrumento en términos de sus valores y percepciones. Esto implica que tanto los problemas como los instrumentos constituyen un proceso subjetivo formado por interacciones sociales o profesionales. Este enfoque asume elementos de la teoría crítica en tanto plantea que, más allá de los objetivos y propósitos de las políticas, es preciso considerar también los significados evocados por una particular construcción de problemas e instrumentos, para buscar transformar esta dinámica como parte del proceso de valoración (Linder y Peters 1998, 40).

Enfoques basados en el contexto de la política

En el marco de los debates de la administración pública, Bruijin y Hufen (1998) identifican tres enfoques en el estudio de instrumentos. En primer lugar, el *enfoque clásico* enfatiza que la naturaleza del instrumento estructura el proceso de la política; en otros términos, los distintos instrumentos poseen una dinámica y economía política específica que afecta el contexto de la acción gubernamental. Analíticamente, esto implica construir una comprensiva tipología de instrumentos que explique su aplicación en términos de procesos, actividades, implementación y efectos. En este enfoque clásico se presume —desde una perspectiva inductiva— que la investigación de los instrumentos puede desembocar en una teoría instrumental o, inclusive, en una doctrina instrumental (De Bruijin y Hufen 1998, 15).

En segundo lugar, el *enfoque del contexto del instrumento* se caracteriza por explicar la operación de los instrumentos tanto en función de sus características como de las variables del contexto en el cual son aplicados. Las actividades de implementación y los efectos generados estarían determinados tanto por la naturaleza del instrumento como por variables de contexto tales como la organización y el grupo objetivo. Hay que señalar que si bien la categoría "contexto" es difícil de definir, su explicación ha estado sobre todo situada en las teorías de la administración pública, de la implementación, gestión de la organización y teoría de redes. No obstante, el desarrollo de las distintas teorías no necesariamente ha logrado estructurar una doctrina instrumental de mayor alcance (De Bruijin y Hufen 1998, 16).

Finalmente, el *enfoque contextual*, contrario al clásico, plantea que el instrumento constituye solo uno de los muchos factores que determinan el proceso de la política; su rol sería modesto dentro del sistema político, así como en los procesos de toma de decisión e implementación. En línea con esto, el debate desarrollado en este enfoque va más allá de una teoría instrumental, en tanto abarca actividades en las cuales los instrumentos no tienen mucha incidencia. El análisis contextual se concentra así en factores externos tales como el sistema político, las redes de política, los procesos de implementación, entre otros. En la medida que los instrumentos no son significativos como variables, no es posible aquí hablar de una teoría instrumental (De Bruijin y Hufen 1998, 16-17).

Enfoques basados en la lógica de selección de los instrumentos

El debate sobre la instrumentación se ha concentrado sobre todo en entender los problemas de implementación y rendimiento de los instrumentos. No obstante, una tercera problemática menos explorada es su selección. Más allá de que en una determinada situación un instrumento pueda ser caracterizado como eficiente o ineficiente, se observan en las políticas procesos de decisión que generan cambios entre instrumentos. Es precisamente el análisis de estas lógicas de cambio lo que permitiría explicar cómo y por qué los instrumentos de las políticas son seleccionados (Bagchus 1998, 46).

Desde esta posición, Bagchus (1998) plantea que el análisis de instrumentos puede ser entendido a partir de tres enfoques. El *instrumental tradicional* concibe los instrumentos en función de una estricta racionalidad anclada a objetivos, esto es, como entidades neutrales que no poseen características intrínsecas, sino que las derivan de los objetivos a los cuales atienden. Esto significa que los objetivos son externos, es decir, determinados independientemente de los instrumentos de las políticas. Su selección, por lo tanto, puede ser entendida como la operacionalización de los objetivos. De este modo, el número de alternativas de instrumentos puede ser ilimitado, dependiendo únicamente del conjunto de objetivos. En este enfoque, el contexto en el cual el instrumento es diseñado o aplicado no tiene mucha relevancia, mientras que, en función de una lógica jerárquica, la instrumentación es solo un medio de la dirección asumida desde el centro (Bagchus 1998, 48).

El *enfoque de la instrumentación redefinida* se diferencia del tradicional en al menos cuatro aspectos. Primero, con respecto a la manera en la que los instrumentos son considerados, en tanto incorpora un estudio profundo de las tensiones entre instrumentos, así como también elementos relacionados con sus características intrínsecas, que llevan al desarrollo de distintas tipologías. Segundo, en cuanto a la relación entre contexto e instrumento, en atención a la cual se incorpora la dinámica social como factor relevante del proceso político, cuestionando las nociones tradicionales de una dirección ejercida desde el centro y de una instrumentación guiada por objetivos. Tercero, con respecto a la forma en que los instrumentos son seleccionados, donde se piensa que la toma de decisiones está condicionada por una dinámica de actores con intereses en conflicto. Por último, con respecto a la implementación y evaluación de la selección de los instrumentos, se asume que los actores los consideran solamente en función de la decisión acordada sobre su propio juicio (Bagchus 1998, 49).

El *enfoque institucional* marca una ruptura respecto a los anteriores al considerar los instrumentos de las políticas como un proceso institucional. La principal diferencia radica en que, más allá de la idea de un contexto institucionalizado, este enfoque incorpora la noción de instrumentos institucionalizados. Esto implica considerar aspectos que no recibían mucha atención en los otros enfoques, tales como el rol de los actores y gobernantes involucrados o las acciones, dinámicas y valores inherentes al proceso.

El avance analítico implícito en el enfoque institucional puede observarse en tres dimensiones. Primera, *desde el presente al pasado*, lo cual significa que las decisiones hechas en un momento determinado de alguna manera restringen la disponibilidad de opciones futuras. La emergencia de un instrumento no se explica así solamente en función de las preferencias y posibilidades de los actores, sino como parte de un desarrollo histórico que marca una dependencia de sendero. Segunda, *desde el diseño a la evolución*, se cuestiona el impacto de la conducta intencional de los actores y la posibilidad de diseñar instrumentos efectivos. Por el contrario, el enfoque institucional plantea que, en tanto es moldeada por el proceso histórico, la selección de instrumentos presenta un desarrollo incremental sin mucha incidencia de los actores involucrados. En la tercera dimensión, *desde el resultado hacia el proceso*, se argumenta que la decisión de los instrumentos no está guiada por un criterio funcional de efectividad, sino que responde a una lógica de lo adecuado, esto es, un comportamiento estructurado por roles específicos —autoimpuestos o impuestos por la comunidad— que se encuentran insertos en convenciones, rutinas y formas particulares de pensar y actuar (Bagchus 1998, 52-53).

Esto implica entender los instrumentos de las políticas según la influencia que las instituciones ejercen sobre su selección, tanto en términos de una lógica de lo adecuado que moldea las decisiones individuales, como de la memoria colectiva de las organizaciones, la cual tiende a producir un mismo resultado de la deliberación a través del tiempo (Linder y Peters 1989, 41).

Enfoques basados en los estilos de políticas nacionales

La complejidad inherente a la selección de los instrumentos de políticas ha originado un importante conjunto de problemas de investigación, en función de los cuales se ha desarrollado una diversidad de esquemas y taxonomías, destinados a reducir la complejidad e identificar de manera sistemática las variables claves que intervienen en los procesos de decisión. No obstante, aunque muchos de estos modelos analíticos pretenden ser teorías generales, su relevancia ha terminado restringiéndose al ámbito nacional donde se inscriben, generando de manera no intencional unos estilos de políticas nacionales, identificables en al menos tres contextos (Howlett 1991, 53).

El *enfoque americano*, construido en función de las sugerencias de Lowi y Anderson, empieza en la década de los ochenta a cambiar el análisis de las políticas públicas, presionando el paso de la preocupación por las políticas y programas hacia el estudio de la implementación y las técnicas. Un primer grupo de autores, como Salamon, Bardach y Elmore, enfatizó la conveniencia de abordar el análisis de políticas en términos de los instrumentos de la acción de gobierno antes que en función de áreas o campos. Esto les llevó a construir una serie de taxonomías que clasificaban los instrumentos en relación con los recursos de gobierno, categorías que, sin embargo, no condujeron a un esfuerzo sistemático para estructurar una teoría sobre la racionalidad de la selección de instrumentos.

Otro grupo de investigadores, entre los que se cuentan Dahl y Lindblom, advirtió que el número posible de alternativas de instrumentos político-económicos es virtualmente infinito, lo que les condujo a describir las diferencias y similitudes de las opciones de selección que el gobierno enfrenta en la implementación de las políticas. Metodológicamente, se plantearon modelos de continuos que abarcan categorías tales como la propiedad, membresía y autonomía de los instrumentos, así como la influencia y control del gobierno.

De otra parte, el debate más reciente está dominado por el *enfoque de diseño de políticas*, desarrollado por autores como Linder y Peters. Desde un criterio multidimensional, se sintetiza los modelos de recursos y los continuos, argumentando que los instrumentos son técnicamente sustituibles y, por tanto, en una determinada situación, los responsables de las políticas elegirán una combinación de ellos para potenciar los recursos. En este enfoque, la selección de instrumentos es concebida como una decisión política fuertemente influenciada por las creencias, actitudes y percepciones de los tomadores de decisiones (Howlett 1991, 56-59).

El *enfoque británico*, en segundo lugar, tradicionalmente ha tomado el estudio de la administración pública como independiente del debate de las políticas, lo que ha conducido a que fracase en el abordaje de problemas relacionados con la determinación o implementación de políticas públicas. No obstante, la excepción es el trabajo de Christopher Hood. Este autor utiliza el esquema basado en recursos pero, a diferencia de otros planteamientos similares, asume la noción de que los instrumentos son técnicamente sustituibles. Esto ha permitido que su modelo sea relativamente sencillo y sirva como una síntesis de otros modelos basados en recursos. A partir de la idea de que los gobernantes poseen un conjunto de recursos (nodalidad, autoridad, tesoro y organización), direccionados a monitorear la sociedad y alterar su comportamiento, Hood argumenta que la selección de instrumentos es esencialmente cuestión de emparejar fines y medios dentro de un contexto de restricciones sociopolíticas (Howlett 1991, 60-61).

Tercero, el *enfoque canadiense* se ha desarrollado alrededor del trabajo de G. Bruce Doern y sus colegas, quienes durante la década de los setenta e inicios de los ochenta crearon —sobre la base de la matriz de Lowi— un modelo de selección de instrumentos que incorporaba un continuo de grados de coerción legítima. La taxonomía incluía categorías tales como autorregulación, exhortación, subsidios y regulación, incorporándose más adelante otras como impuestos y empresas públicas. El argumento central es que la racionalidad implícita en la selección de instrumentos es esencialmente ideológica, pero matizada con un componente político. Esto significa que cualquier instrumento puede funcionar eficientemente, pero los gobernantes preferirán evitar el uso de instrumentos coercitivos a menos que se vean obligados por la presión de la sociedad. Este es un planteamiento multidimensional, dado que considera variables políticas y de contexto, pero difiere de otros similares en cuanto asume de entrada ciertas preferencias tanto del Estado como de los actores de la sociedad (Howlett 1991, 63-65).

La dimensión nacional presente en estos tres enfoques sugiere la reconsideración de su estatus teórico, asociado al cuestionamiento de si son teorías parciales dentro de un proceso de síntesis general o si constituyen teorías de rango medio sujetas a las variaciones nacionales.

Los instrumentos de políticas: de objeto de investigación a método de análisis

La construcción de tipologías de instrumentos

El influyente trabajo de Lowi (1964, 1972), desarrollado desde la década de los sesenta, constituye la base de la construcción de tipologías en políticas públicas. Lowi vincula las funciones básicas de los distintos procesos políticos, articulando la noción de proceso del emergente campo de las políticas con los estudios de caso de selección de instrumentos (Linder y Peters 1998, 35). Desde esta perspectiva, el autor planteó una tipología de políticas (distributivas, constitutivas, regulatorias y redistributivas) en función de los mecanismos de coerción dirigidos a controlar el comportamiento individual, directamente o a través del entorno. Esto le permitió revertir la secuencia de causalidad, argumentando que el contenido de las políticas determina la naturaleza del proceso; esto es, tanto las expectativas como la intención impactan a las políticas en función de los diferentes patrones de coerción. Esta situación se manifestaría en una serie de arenas políticas históricamente situadas (Woodside 1986, 778).

Como es conocido, Lowi adoptó las ideas de Cushman relacionadas con las posibles gradaciones en las actividades de gobierno, lo que le permitió evidenciar —basado en una matriz de cuatro celdas— la especificidad de los objetivos de coerción y la posibilidad de que su aplicación fuese suficiente para distinguir los diferentes tipos de actividades de gobierno. Sin embargo, aunque la tipología de Lowi ha sido ampliamente revisada y citada en el campo de análisis de las políticas, presenta dificultades para ponerla en práctica y en ocasiones inconsistencias internas, por lo cual ha sido pocas veces aplicada (Howlett 1991, 54).

En lo que se refiere a tipologías de instrumentos, además de la profusión de clasificaciones, Bruijin y Hufen (1998) identifican tres tipos o familias. En primer lugar, *instrumentos de regulación*, de naturaleza legal, enfocados en normalizar el comportamiento de los actores sociales. En términos de su funcionamiento, pueden ser caracterizados como aquellos que normalizan y garantizan las intervenciones del gobierno. Están signados por un carácter coercitivo y reactivo, y su uso demanda monitoreo y ejecución. En segundo lugar, *incentivos financieros*, no coercitivos, concebidos como una alternativa a la regulación. Aunque poseen cierta aceptación en determinados ámbitos, su aplicación presenta algunas restricciones. Al respecto, debido a su limitada capacidad de coerción, pueden causar mecanismos de cambio no deseados. Además, el conocimiento e información requeridos para su uso es muy difícil de alcanzar. En tercer lugar, *transferencia de información*, cuya naturaleza está muy asociada a las dinámicas de interacción de la sociedad contemporánea. En estos instrumentos, la fuerza de la convicción es el elemento que direcciona la política. Sin embargo, su aplicación presenta problemas relacionados con el marco de referencia del grupo objetivo (De Bruijin y Hufen 1998, 17-18).

En otra clasificación, Woodside (1998) identifica dos tipos de instrumentos utilizados en función del dominio de políticas del que se trate. En primer lugar, *los instrumentos de políticas en el nivel nacional* incluyen mecanismos tales como formas de impuestos o desgravación fiscal, regulación de comportamiento y acción, programas de gasto destinados a subsidios, medidas para estabilizar la propiedad pública en algunos sectores de la economía, entre otros. En el ámbito nacional, el debate sobre la selección de los instrumentos puede entenderse desde dos perspectivas. Por un lado, su estudio implica observar su uso en términos de la relación entre los responsables de las políticas y los clientes del instrumento, identificando, por ejemplo, en qué medida las connotaciones o asociaciones ideológicas de la instrumentación, vinculadas a un determinado grupo, inciden en los procesos de decisión. Por otro lado, el uso de los instrumentos en el ámbito local también puede ser analizado desde la perspectiva de los responsables de las políticas, quienes actúan como funcionarios que tratan de conseguir un objetivo particular. En ese sentido, este enfoque enfatiza el relativo mérito de un determinado instrumento en términos de su efectividad para obtener los resultados deseados, por lo que la experiencia de su uso resulta un criterio fundamental de selección (Woodside 1998, 164).

Los instrumentos de políticas en el nivel internacional, por su parte, se han enfocado tradicionalmente en ámbitos tales como la política internacional, la provisión de ayuda internacional y la negociación de tratados internacionales. No obstante, en las últimas décadas se observa un creciente interés por formular políticas económicas internacionales, así como por el uso de instrumentos en esta dimensión, consecuencia no solo de un cada vez mayor acceso a los mercados domésticos por parte de productores internacionales, sino también por la ruptura de los límites entre políticas nacionales e internacionales. Los instrumentos en el ámbito de la política económica internacional pueden ser clasificados en dos categorías. Por una parte, se encuentran aquellos relacionados con las medidas de frontera (como las normas de origen), utilizados para determinar qué bienes podrían recibir tratamiento preferencial. Por otra, un segundo tipo de instrumentos está vinculado con la capacidad de los miembros de un área de comercio liberalizada para tomar represalias en contra de otros miembros que han negado algunos de los beneficios esperados del acuerdo comercial (Woodside 1998, 165-167).

En general, como lo señalan Van Nispen y Ringeling (1998), se observa una transformación desde formas de instrumentación jerárquicas tradicionales hacia enfoques *bottom-up*. En ese sentido, la emergencia de una segunda generación de instrumentos enfatiza la importancia de variables contingentes. Estos instrumentos responden a lógicas bilaterales y multilaterales que, en última instancia, se inscriben en el cambio de visión sobre el apropiado rol del gobierno, no visto ya como una instancia omnipotente.

De otra forma, es preciso cuestionar también el carácter formal de los instrumentos. Si bien el proceso de formulación de las políticas se encuentra direccionado a través de los de regulación, financieros, estructuras organizacionales, entre otros, existe un amplio rango de instrumentos informales que no son mencionados en el proceso, pero que son frecuentemente usados en la práctica, tales como negociaciones, movilización de soporte político, persuasión, acuerdos, etc. De igual modo, hay que señalar que los instrumentos formales pueden ser usados de una manera informal, dentro de una lógica de instrumentalización. En ese sentido, el proceso de las políticas públicas es generalmente la combinación de un conjunto de instrumentos formales de naturaleza racional y de una diversidad de recursos informales de dominación/persuasión desplegados en un ejercicio político de poder y negociación (Van Nispen y Ringeling 1998, 207-208).

El análisis de los instrumentos de políticas como instituciones

Siguiendo el argumento de Lascoumes y Le Galès (2007), es factible afirmar que, en la connotación sociológica del término, los instrumentos son instituciones. En ese sentido, entendiendo que las instituciones son un conjunto de reglas y procedimientos que estructuran la acción pública, se puede argumentar que los instrumentos, a manera de un particular tipo de institución, estructuran o inciden en las políticas públicas. En efecto, ellos determinan en parte el comportamiento de los actores, crean incertidumbre acerca de los efectos del balance de poder, constriñen y abren posibilidades a la acción de los actores, moldean la representación de los problemas. La capacidad de acción que los actores sociales y políticos desarrollan en la acción pública difiere en función de los instrumentos escogidos (Lascoumes y Le Galès 2007, 8-9).

Este argumento permite situar el debate en torno a la relación existente entre un particular instrumento de políticas públicas y el proceso político en su sentido más amplio. Ciertamente, la elección es significativa para definir la política y sus características. Esto en razón de que el tipo de instrumento usado, sus propiedades, así como las justificaciones para su elección, generalmente ofrecen explicaciones más allá de las simples motivaciones o racionalizaciones discursivas (Lascoumes y Le Galès 2007, 9).

Asumiéndolos como un método a través del cual se estructura la acción colectiva frente a un problema público, y en línea con el razonamiento neoinstitucionalista, puede argumentarse que los instrumentos son instituciones. A este respecto, es posible esgrimir dos razones. Primera, en la medida que los instrumentos estructuran la acción, se puede decir que se encuentran institucionalizados, es decir, las relaciones que establecen no son autónomas ni transitorias sino que regularizan patrones de interacción entre individuos u organizaciones; definen, por lo tanto, quiénes participan en la operación de los programas públicos, cuáles son sus roles y de qué manera se relacionan. Segunda, plantear que la acción estructurada por los instrumentos es acción colectiva —y no solo acción de gobierno— significa asumir que responde a problemas públicos en su sentido más amplio (Salamon 2000, 1642).

Es pertinente entonces preguntarse: ¿cómo la instrumentación genera sus propios efectos? Al respecto, Lascoumes y Le Galès (2007) argumentan que los instrumentos producen efectos independientemente de los objetivos propuestos, estructurando la política conforme a su propia lógica. Ellos no son inertes, sino que desarrollan su propia fuerza de acción, la cual puede ser observada en al menos tres cuestiones fundamentales: i) la creación de *efectos de inercia*, a través de los cuales los instrumentos generan resistencia a presiones externas, tales como conflictos de intereses entre actores o cambios en la política global; ii) los instrumentos producen, a manera de realidades agregadas, una particular *representación de los problemas*, la cual no solamente ofrece una estructura para describir lo social y categorizar una determinada situación, sino que establece la asimilación de mecanismos de indexación sustentados en información estandarizada; iii) los autores identifican una específica *problematización de los asuntos*, mediante la cual se establece una jerarquización de las variables y se construyen sistemas interpretativos presentados como justificaciones científicas (Lascoumes y Le Galès 2007, 10-11).

En ese orden de ideas, el argumento de estos autores implica asumir que los instrumentos tienen autonomía respecto a las políticas públicas, por lo que pueden ser considerados como instituciones. Así, resulta factible analizar los instrumentos de políticas tanto en términos de variables independientes de la implementación como en calidad de variables dependientes del diseño de políticas. De esta última aproximación se derivan, precisamente, las implicaciones sobre el análisis de su efectividad.

El análisis de la efectividad de los instrumentos

En el enfoque de la instrumentación redefinida, el contexto es un factor primordial para explicar por qué determinados instrumentos de políticas son más o menos efectivos que otros. A este respecto, un instrumento sería efectivo si existiera un óptimo ajuste entre sus características y las del contexto, los propósitos de la política y el público objetivo (Bagchus 1998, 50).

Una de las críticas hacia los instrumentalistas es que ignoran el carácter dinámico de la relación entre objetivos y medios, en tanto consideran los objetivos como construcciones preestablecidas que operan dentro de un continuo proceso de búsqueda de metas. No obstante, teniendo en cuenta que los medios no están relacionados con un solo objetivo sino que generalmente responden a objetivos contradictorios, sujetos a diversos intereses, no tiene sentido utilizar un objetivo desactualizado como criterio para evaluar la efectividad de la política (Van Nispen y Ringeling 1998, 210).

La efectividad no necesariamente significa lograr metas. En realidad, es muy difícil aislar el impacto de la aplicación de instrumentos debido a la interdependencia de estos y la interrelación de los diferentes procesos en la sociedad. Es importante, de otra parte, distinguir entre la dimensión teórica y el sentido práctico de los instrumentos, en tanto su aplicación es más relevante que lo establecido en la formulación, en al menos dos aspectos. Por un lado, los medios de las políticas se vuelven obsoletos después de algún tiempo debido a que los actores políticos aprenden a controlar y neutralizar los instrumentos, lo que ocasiona que su efectividad disminuya a través del tiempo. Por otro, los responsables de las políticas tienden a responder en función de la efectividad o inefectividad de los instrumentos (Van Nispen y Ringeling 1998, 212).

Desde esta perspectiva, la efectividad puede ser una categoría inadecuada para medir el éxito de un instrumento de política, más aún cuando este es seleccionado por razones que no corresponden a la optimización de la relación entre objetivos y medios. Como se ha indicado, los instrumentos de políticas no son neutrales; poseen un carácter político o ideológico que materializa valores insertos en una dinámica de negociación, en la cual la aceptabilidad de un determinado instrumento termina siendo más importante que la legitimidad de los objetivos. En definitiva, hay que tener en cuenta que los medios de gobierno siempre tendrán un cierto grado de inefectividad y suboptimización, consecuencia de la interrelación de los instrumentos. Por ello, que usar la efectividad como único valor referencial puede conducir a que se pierda de vista la valoración en conjunto del sector público (Van Nispen y Ringeling 1998, 213-214).

Más allá de la argumentación funcional-etapista asociada al ciclo de políticas, en términos empíricos se observa que los instrumentos de políticas son ajustados y reemplazados continuamente en función de las necesidades concretas de la sociedad y de la efectividad del cambio de instrumento. De ahí que la selección y aplicación de un determinado instrumento está sujeta a un complejo proceso de toma de decisiones, en cuya dinámica operan dos principios: el de la acumulación política y el de la efectividad limitada. En relación con este último, la idea de que todo sistema de gobernanza o conjunto de políticas presenta un ciclo de efectividad de carácter limitado permite explicar precisamente algunas de las dinámicas de la selección de instrumentos (In't Veld 1998, 153).

La naturaleza limitada de los sistemas de instrumentos puede ser entendida en función de la realidad empírica señalada anteriormente. Por definición, los objetivos delineados en la política no se cumplirán de manera automática o por un desarrollo espontáneo; en tal razón, la implementación de las políticas por parte de las autoridades se realizará con el soporte de alguna forma de poder. No obstante, la instrumentación trae consigo un conjunto de efectos previstos y no previstos, insertos en una dinámica de disminución gradual de efectividad, de acuerdo con la cual, durante el transcurso del tiempo, los efectos previstos se contraerán mientras que los efectos no previstos aumentarán (In't Veld 1998, 154).

En esta dinámica se encuentra implícito un proceso de potencial aprendizaje, directamente relacionado con el comportamiento tanto de los individuos como de las organizaciones. Esto debido a que, frecuentemente, la implementación de las políticas contrapone el curso de acción preferido por los actores al curso de acción requerido por las políticas. Esto lleva a desarrollar un conjunto de estrategias —en términos de sabotaje y resistencia, por ejemplo— para evitar los efectos no deseados. Esta capacidad de aprendizaje, entendida en términos de una estrategia de cambio de comportamiento, puede categorizarse como la *reflexividad* que poseen los sistemas sociales y los individuos. Esta acción reflexiva, a su vez, puede entenderse como un proceso de *internalización*, en la medida que los patrones de valores de los actores afectados con el cambio de la política se direccionen en sentido de los deseos e ideas de los responsables de la política (In't Veld 1998, 155).

Ventajas y desventajas del enfoque instrumental

A la luz de los argumentos de Bruijin y Hufen (1998), pueden identificarse aspectos favorables y desfavorables de los enfoques centrados en el análisis de instrumentos. En cuanto a las desventajas, se identifican vacíos en las tipologías, lo que ha dificultado que las diversas clasificaciones se conviertan en una estructura básica para desarrollar una teoría de instrumentos. Las tipologías no son exhaustivas, lo cual genera una suerte de área gris que muchas veces dificulta identificar a qué categoría pertenecen los instrumentos. Otro problema de las tipologías se relaciona con la visión estática que se les atribuye, aspecto que limita el análisis de cómo cambian los contenidos de su caracterización inicial.

Es también una desventaja del enfoque la unilateralidad teórica, revelada en el hecho de que las teorías sobre instrumentación generalmente tienen un alcance limitado respecto a la complejidad del entorno en el cual los instrumentos son aplicados. Un problema más está asociado con la lógica de reificación, bajo cuyo influjo se corre el riesgo de que el análisis difiera considerablemente de la realidad, en tanto la caracterización del instrumento como un objeto puede llevar a convertirlo en una entidad abstracta acotada a un determinado esquema conceptual, excluyendo sus implicaciones empíricas.

Las restricciones de aplicabilidad práctica pueden llevar a reducir la realidad a relaciones de causa-efecto o de objetivos-medios. El desarrollo teórico ha fortalecido la dimensión explicativa de los instrumentos, pero al mismo tiempo ha debilitado su aplicabilidad. En efecto, el funcionamiento de los instrumentos ha sido explicado a partir de variables contextuales que si bien ofrecen una visión clara del proceso de implementación de las políticas, resultan menos útiles para controlar el proceso (De Bruijin y Hufen 1998, 27-29).

Autores como Bagchus (1998) identifican otras desventajas del enfoque instrumental. Así, la observación de los factores que inciden en la selección de instrumentos revela dos problemas, relacionados con las dificultades de conexión entre las condiciones y las características del instrumento. El primero se refiere a que es necesario establecer una conexión entre la efectividad del instrumento y las condiciones, esto es, determinar cuáles se deben cumplir para decidir el instrumento más efectivo en circunstancias particulares. No obstante, las condiciones producen diferentes mensajes, que suscitan diversas reacciones, no solo en términos de las transformaciones que aquellas experimentan a través del tiempo, sino también de las actividades de los actores. En ese sentido, las condiciones no inciden automáticamente sobre la selección de los instrumentos, sino que son interpretadas por individuos que buscan salvaguardar sus propios intereses y prefieren una estrategia específica. Esto determina que los mensajes emitidos por las condiciones no necesariamente generen los efectos esperados, dificultando la aprehensión analítica de su carácter y significado (Bagchus 1998, 51).

El segundo problema remite a la relación entre las características del instrumento y sus logros. Aun cuando se pudiera generar un ajuste entre el instrumento y su efectividad, es necesario identificar en qué dirección opera el contingente de la relación. Si bien el éxito de los instrumentos de políticas es medido por su grado de efectividad, existen otros factores relacionados con el diseño que condicionan los resultados, lo que complejiza la relación entre los logros y las características del instrumento. Esto ha generado que el diseño de instrumentos evolucione desde un proceso interactivo sujeto a cierta reglamentación, hasta un proceso con restricciones determinísticas. Esto explica que, a pesar de que el debate sobre instrumentación ha superado la lectura racionalista más tradicional, no se ha formulado una síntesis completa de la relación entre las condiciones, incluido el rol de los actores (Bagchus 1998, 51).

De otra parte, el enfoque instrumental presenta varias ventajas para el análisis. Inicialmente se observa una correspondencia con la práctica de la política. En la medida que el gobierno y la política son generalmente pensados en términos de instrumentos, la orientación instrumental puede jugar un rol básico en articular la dimensión teórica y la empírica de los procesos de las políticas. De igual modo, el análisis de instrumentos es revelador en la medida que evidencia la naturaleza de las acciones de gobierno. La selección de un instrumento permite observar de qué manera las intenciones políticas pueden ser traducidas en acciones concretas, dejando descubierta la retórica política implícita.

El enfoque encuentra en el arreglo y la comparación una importante ventaja. En tanto el análisis instrumental concibe a las políticas como la construcción de una serie de instrumentos, permite reconocer el proceso a través del cual se desarrolla la política, en términos, por ejemplo, de identificar la manera cómo los gobernantes deliberadamente inciden en la dinámica social. Por último, la relevancia de analizar los instrumentos se revela en el hecho de que, aun cuando las variables de contexto pueden neutralizar la importancia de estos, su observación no puede estar ausente del análisis. Ello no solamente porque la influencia de las variables de contexto puede ser insuficiente para la explicación, sino también debido a que la naturaleza de los instrumentos puede influenciar la forma en la cual las variables de contexto ejercen su poder. Esto permite argumentar que la relación entre instrumentos y contexto es recíproca (De Bruijin y Hufen 1998, 29-30).

Implicaciones metodológicas del análisis de instrumentos

Como se señaló en la introducción, en esta investigación se ha propuesto desarrollar un modelo de análisis de instrumentos de políticas estructurado en tres etapas: i) delimitación del objeto de análisis; ii) el análisis de los instrumentos; y iii) evaluación de la política. Antes de fundamentar el modelo, se desarrolla la conceptualización de la taxonomía NATO (nodalidad, autoridad, tesoro, organización), en tanto constituye la base de la matriz analítica.

La taxonomía NATO

¿Cuál es la pertinencia de asumir la taxonomía NATO como base para el análisis de instrumentos? Como se observó anteriormente, la primera generación de estudios sobre la instrumentación de las políticas produjo una serie de tipologías de mucha utilidad analítica para identificar, por ejemplo, la formación de patrones de decisión de los instrumentos. No obstante, el aporte de la taxonomía NATO, desarrollada por Christopher Hood en la década de los ochenta, radica principalmente en que incorpora un sentido analítico sobre "el arte de gobernar", el cual permite identificar los elementos básicos de cualquier combinación de políticas. En ese sentido, la matriz NATO constituye una simple pero poderosa taxonomía, en tanto optimiza la clasificación de los distintos instrumentos de políticas a través de amplias categorías de recursos de gobierno. Esto, a su vez, coadyuva a comprender mejor las acciones del gobierno al observar la selección y uso de sus recursos (Howlett y Rayner 2007, 5; Howlett, Ramesh y Perl 2009, 115). De esta manera,

> He (Hood) argued that governments confront public problems through the use of the information in their possession as a central policy actor (nodality), their legal powers (authority), their money (treasure), or the formal organizations available to them (organization) or 'NATO'. Governments can use these resources to manipulate policy actors, for example, by withdrawing or making available information or money, by using their coercive powers to force other actors to undertake activities they desire, or simply by undertaking, the activity themselves using their own personnel and expertise (Howlett, Ramesh y Perl 2009, 115-116).

Siguiendo el planteamiento de Hood (1986) y Hood y Margetts (2007), una manera de comprender qué es lo que los gobernantes hacen, es decir, cómo opera un determinado estilo de gobierno, es precisamente describiendo los instrumentos que utiliza, cómo los utiliza y de qué manera llega a sus decisiones. En ese sentido, una primera distinción se plantea entre *detectores*, aquellos instrumentos que los gobernantes usan para recolectar información, y *efectores*, los cuales son usados para generar impacto sobre el contexto externo. Una segunda distinción, estructurada sobre los recursos básicos de los gobernantes, caracteriza a los instrumentos a través del mencionado esquema NATO, que comprende nodalidad, autoridad, tesoro y organización, como ya se indicó.

Nodalidad

Los instrumentos detectores son fundamentales para que los gobernantes obtengan información del contexto; ellos estructuran el sistema de control sobre cuyo conocimiento los gobernantes desarrollan sus capacidades de acción. En este sentido, los instrumentos de nodalidad son claves para comprender la dinámica de comunicación e interacción que los actores desarrollan en los procesos de la política. En términos generales, los instrumentos de nodalidad denotan la propiedad de estar en el medio de una red social o de información. El gobierno posee un carácter nodal en tanto detenta una presencia central que varía desde una posición de cabeza principal hasta la de lugar central de convergencia, pasando por una posición privilegiada de concentración de información (Hood y Margetts 2007, 5).

Los instrumentos de nodalidad confieren al gobierno la capacidad de intercambiar información en función de su posición estratégica, situación que le permite tanto dispersar la información como atraerla. El factor limitante de estos instrumentos es su credibilidad, mientras que su uso como recurso se materializa en mensajes enviados y recibidos (Hood y Margetts 2007, 6).

El análisis de los instrumentos de nodalidad responde a una lógica que opera en dos sentidos. Por una parte, a través de la manera en la que los gobernantes usan su posición nodal como la base de los instrumentos de detección o recopilación de información. En algunos casos, el gobierno obtiene información gratis o a un bajo costo simplemente por su condición de centralidad, visibilidad o interconexión dentro de una red, es decir, en función de una presencia pasiva. Por otra parte, los instrumentos de nodalidad pueden entenderse en función de cómo el gobierno genera una serie de dispositivos para difundir la información. Se trata del uso de la nodalidad como recurso para desarrollar instrumentos orientados a formar el comportamiento de los individuos (Hood y Margetts 2007, 22, 28). Ambos procesos, detectar/efectuar mediante la nodalidad, operan conforme se observa en la tabla 2.2.

Tabla 2.2. Uso de los instrumentos de nodalidad

Uso	Tipo	Mecanismos
Detectar	Información como subproducto	- Asociado al uso de otros instrumentos - Uso limitado por convención o garantías legales
	Oído de trompeta	- Canales para que la gente dé información de manera anónima - Recolección de información desde las interacciones del gobierno con ciudadanos particulares
	Escrutinio de medios de comunicación	- Inserción como un nodo dentro de un sistema de información
	Investigación directa	- Obtención de información directamente de las personas - Encuestas de opinión pública
Efectuar	Supresión de información	- Mantener silencio - Difundir otra información (editar) - Desinformar
	Propagación directa de información	- Pago a otros para difundir información - Requerir a otros para propagar información - Permitir/prohibir mediante autoridad legal
	Mensajes a la medida	- Notificación directa - Respuesta espontánea a la consulta - Respuesta dirigida a la consulta
	Mensajes para grupos dirigidos	- Conferencia de prensa - Publicidad oficial
	Mensajes de difusión	- Mensajes privados - Mensajes empaquetados - Propaganda

Fuente: elaborado a partir de Hood y Margetts (2007, 21-38).

Autoridad

Los instrumentos de autoridad denotan la posesión del poder formal o legal propio del gobierno, a través del cual adquiere la capacidad de "determinar" la acción pública en función del uso de las fichas o recursos oficiales de los que dispone. En cierta forma, estas fichas oficiales no son más que pedazos de papel o declaraciones, sobre cuya legitimidad opera un sentido de obediencia y conformidad (Hood y Margetts 2007, 50).

En su dimensión substancial, los diferentes tipos de instrumentos de autoridad comprenden la capacidad de los gobernantes para orientar los objetivos en la dirección de su preferencia, mediante el uso de sanciones impuestas por el Estado. En ese sentido, la regulación constituye la esencia de los instrumentos de autoridad. El uso del poder coercitivo del Estado para conseguir sus objetivos a través de la alteración del comportamiento de la sociedad configura un conjunto de formas legales, tales como las leyes o edictos administrativos, que inciden en el comportamiento (Howlett 2011, 83). En su dimensión procedimental, los instrumentos de autoridad implican el ejercicio de las autoridades de gobierno para reconocer o proveer un acceso preferencial a determinados actores a los procesos de las políticas (Howlett 2011, 93).

Tesoro

En el sentido más amplio, los instrumentos de tesoro se refieren a la posesión de una reserva de dinero o de bienes muebles fungibles, es decir, recursos que se consumen con el uso. Además del dinero como tal (billetes y monedas), incluyen diversos recursos factibles de ser intercambiados. Estos instrumentos otorgan a los gobernantes la capacidad de impulsar un intercambio mediante el uso de dinero, dentro de los límites de validez y duración de los recursos. Los gobernantes pueden así usar su tesoro como un medio para influenciar o comprar, esto es, como incentivos positivos para asegurar la información o cambiar el comportamiento, siempre dentro de sus límites de solvencia (Hood y Margetts 2007, 6).

En la medida que, dentro de determinadas circunstancias, casi todo recurso puede ser intercambiado, el tesoro se superpone a otros recursos que el gobierno podría usar para el comercio o intercambio. No obstante, la acepción utilizada se relaciona principalmente con aquellos que son libremente intercambiables. De ahí que una de las características del gobierno contemporáneo sea acumular e intercambiar recursos de tesoro, en una dinámica que involucra a la sociedad en su conjunto, mediante mecanismos de compra, venta, subvenciones, subsidios, etc. Esto determina que, en última instancia, el tesoro se constituya en un instrumento de decisión del gobierno. De otra parte, es importante resaltar el poder que tiene el tesoro en las manos de los gobernantes, no solo como recurso de intercambio, sino también como medio para realizar actividades no formales, tales como comprar favores, ganar popularidad, contratar mercenarios, etc. (Hood y Margetts 2007, 78-80).

Los instrumentos financieros substantivos, más allá de restringirse a los gastos del gobierno, son concebidos como técnicas específicas relacionadas con la transferencia de recursos de tesoro hacia o desde otros actores, con el propósito ya sea de estimularlos a emprender una determinada actividad deseada por los gobernantes o bien de desalentarlos mediante la imposición de costos financieros. De esta forma, el uso de los recursos de tesoro en el diseño de políticas es muy común y resulta compatible con varios modos de gobernanza, pero especialmente con aquellos basados en el mercado, en los cuales se priorizan instrumentos financieros basados en dinero en efectivo, impuestos o regalías (Howlett 2011, 101).

Los recursos de tesoro también pueden ser usados para alterar la naturaleza del proceso de la política. En efecto, los instrumentos procedimentales financieros son generalmente utilizados para intentar afectar o controlar aspectos de la articulación de intereses y de los sistemas de agregación en los estados contemporáneos. Esto opera mediante la creación de asociaciones y grupos de interés bajo lógicas de recompensas y penalidades, direccionadas a afectar el esquema general del comportamiento de estos grupos. Estos instrumentos de tesoro pueden clasificarse en dos tipos: los que son usados para crear o apoyar la formación de grupos de interés o redes de políticas y los que ayudan a activar o movilizar estas redes (Howlett 2011, 107).

Organización

Los instrumentos o recursos de organización denotan, en general, la posesión de un conjunto de personas, tierras, construcciones, equipamiento, etc., que conforman las fuerzas propias del gobierno, en función de las cuales este es físicamente capaz de actuar de manera directa. Si bien la organización es considerada componente derivado de otros recursos como información, autoridad o tesoro, no obstante, este tipo de instrumentos posee características particulares que justifican su tratamiento por separado (Hood y Margetts 2007, 102).

El amplio rango de instituciones y personal que conforman los instrumentos de organización es utilizado por el gobierno para afectar los procesos de las políticas. De esta manera se observan, por un lado, una variedad de instrumentos de organización substantivos, los cuales están disponibles para afectar la producción y distribución de bienes y servicios en la sociedad. Dependiendo de la habilidad del gobierno para controlar los efectos de su utilización, pueden categorizarse como instrumentos de gobierno directo o instrumentos cuasigubernamentales (Howlett 2011, 63).

Por otro lado, los instrumentos de organización procedimentales están relacionados con la organización y reorganización de las agencias de gobierno, así como con los procesos que afectan los parámetros claves de las comunidades políticas de los gobiernos. Cada uno de estos instrumentos se encuentra asociado a un diferente modo de gobernanza. Así, por ejemplo, los directos corresponden a ámbitos legales, mientras que los cuasigubernamentales son característicos de modos corporativistas de gobernanza (Howlett 2011, 63).

Delimitación del objeto de análisis

Caracterización del espacio de la política

En la medida que en la segunda generación del debate sobre instrumentación de las políticas se enfatiza la importancia del contexto en la comprensión de la elección y diseño de los instrumentos, el cuestionamiento central se refiere a por qué los responsables de las políticas utilizan una particular combinación de instrumentos —substantivos y procedimentales— en un determinado contexto. Responder este cuestionamiento no es tarea sencilla, ya que resulta complejo identificar e inventariar el conjunto de instrumentos utilizados en una determinada combinación para explicar cómo se interrelacionan. Además, siempre existe el riesgo de omitir en el análisis algún instrumento, lo que hace difícil determinar con claridad en qué medida los efectos son contraproducentes o sinérgicos (Howlett, Kim y Weaver 2006, 133).

En tal sentido, un primer paso para solventar las dificultades prácticas asociadas con la elaboración de un inventario de políticas es construir un perfil de la estrategia de gobernanza, en función del cual se puedan evaluar las cuestiones relacionadas a la optimización del diseño de instrumentos. En los últimos años se han desarrollado tres métodos para evaluar los componentes instrumentales de las estrategias de gobernanza.

En primer lugar, desde una perspectiva deductiva, el *método convencional* indaga sobre el uso de instrumentos en el ámbito de la política evaluando los límites implícitos y categorías que definen un sector en términos de supuestos funcionales y lógicos. De esta manera, una política es definida principalmente a partir de las declaraciones formuladas alrededor de una determinada problemática, así como del alcance de estas declaraciones en las decisiones de gobierno. De ahí que la elección de la rúbrica inicial sea crucial en este enfoque, aunque los investigadores generalmente tienden a describir los ámbitos de manera diversa, llegando a diferentes interpretaciones de sus contornos y contextos. Esto se debe a que la construcción social de los descriptores de dominio está atravesada por problemas de exactitud y replicabilidad. Si bien pueden ser compensadas con un esfuerzo más inductivo, que identifique los límites del dominio con el comportamiento de los actores, mediante un análisis de la estructura de la red de política, estas dificultades conducen a que esta técnica requiera un extenso consumo de tiempo/recursos y no necesariamente supere los problemas de definición inicial del dominio (Howlett, Kim y Weaver 2006, 133-135).

En segundo lugar, el *método del programa* discierne el uso de los instrumentos desde las cuentas públicas, esto es, rastreando los registros de los programas de gobierno para identificar cómo los recursos —especialmente los financieros— son utilizados. Este proceso demanda observar la estructura organizacional del gobierno, cuentas públicas y otros registros que ayuden a comprender los patrones de la actividad gubernamental en las áreas del programa. En la medida que los programas están agrupados dentro de ámbitos relacionados con la organización formal del gobierno, generan un conjunto de dominios más objetivamente identificables. En todo caso, este enfoque provee un método útil para evaluar el tamaño del gobierno y sus dinámicas de crecimiento, por lo que ha sido aplicado de manera exitosa en el estudio de instrumentos de políticas (Howlett, Kim y Weaver 2006, 135).

Finalmente, el *método legislativo* identifica el uso de los instrumentos en función del conjunto de leyes y regulaciones establecidas en un determinado espacio de políticas, el cual es delimitado a través de un sistemático inventario de los que están enumerados en la legislación. La metodología implica identificar el marco general del programa establecido en el dominio de las políticas y examinar la legislación relevante en el subdominio. En este sentido, el argumento central del enfoque es que los contenidos del subdominio y sus límites podrían ser discernidos al observar la naturaleza de los instrumentos que lo conforman, según lo establecido en la legislación adoptada en el subsector. La observación del contenido de las leyes permite así identificar los instrumentos creados para implementar las políticas, lo que en última instancia proporciona un inventario de la combinación de los que fueron identificados en un espacio de políticas (Howlett, Kim y Weaver 2006, 136).

Desde esta perspectiva, la identificación de los instrumentos en un dominio de políticas implica combinar los enfoques de programa y legislativo, con el propósito de complementarlos entre sí y anular las fallas presentes en cada metodología. Sobre la base del esquema NATO, el método de programa permite generar una lista de instrumentos basados en el tesoro y en la organización, pero posiblemente no ayude a identificar los instrumentos de información y autoridad. Por su parte, el método legislativo puede generar algunas ideas sobre instrumentos procedimentales y de autoridad, pero probablemente no cubra los de información o financieros, en tanto estos últimos no requieren mandatos legislativos. No obstante, hay que señalar que la combinación de las dos metodologías solamente genera un inventario parcial de instrumentos usados en un espacio de la política, por lo que debe complementarse con otras fuentes que ayuden a aprehender el rango completo de instrumentos presentes en un sector (Howlett, Kim y Weaver 2006, 137).

En todo caso, la aplicación de una metodología combinada (de programa y legislativa) para realizar el inventario de instrumentos deriva de la articulación de agencias y programas de gobierno que definen un dominio de política. Aun así, no es necesario asumirla como una relación directa, en tanto existen múltiples tipos de espacios de políticas que se estructuran en función de configuraciones específicas de programas y agencias, tal como se observa en la tabla 2.3.

Tabla 2.3. Tipos de espacios de políticas

Número de programas	Número de agencias	
	Bajo	Alto
Bajo	Simple	Interburocrático
Alto	Intraburocrático	Complejo

Fuente: adaptado de Howlett, Kim y Weaver (2006).

Ubicación de la política

Una de las cuestiones metodológicas fundamentales en la delimitación del objeto de estudio se relaciona con la definición de la variable dependiente en el análisis de la dinámica de las políticas (Méndez 2010). Al respecto, Howlett y Cashore (2009) identifican en el debate sobre el cambio de las políticas dos trayectorias que han marcado tendencia. En la primera, los estudios inscritos se encuentran en la antigua ortodoxia incrementalista, desarrollada por Charles Lindblom a finales de la década de los cincuenta, los cuales enfatizan que los incrementos marginales constituyen el único tipo de dinámica en el cambio de las políticas. En la segunda, se identifican los estudios de una ortodoxia posincrementalista, heredera de la idea del cambio de paradigma planteada por Peter Hall a finales de la década de los ochenta. A partir de este planteamiento, en las últimas dos décadas se ha desarrollado un debate que ha intentado articular las dos trayectorias, bajo el argumento de que los períodos de adaptación marginal y de transformación radical están vinculados en un patrón de equilibrio puntuado (Howlett y Cashore 2009, 34).

El desarrollo de esta nueva ortodoxia ha contribuido a entender una serie de problemáticas, enfatizando sobre todo el rol de factores externos a la dinámica de las políticas. Sin embargo, hay que señalar que la mayoría de elementos del modelo del equilibrio puntuado no han sido plenamente demostrados, ni se ha encontrado evidencia de un proceso de cambio impulsado exógenamente. No obstante, las investigaciones han concluido que los cambios de las políticas se realizan en la ausencia de un cambio institucional e involucran una mayor complejidad en los patrones de vínculos entre los tres órdenes de políticas identificados por Hall. Esto ha propiciado que otros procesos de cambio, presentes en los elementos específicos de las políticas, no hayan sido considerados en la operacionalización y medición de la variable dependiente.

En ese sentido, es importante volver a conceptualizar la clasificación inicial de Hall en función de su propia lógica, esto es, estableciendo una distinción entre las metas generales, los objetivos específicos y los ajustes operacionales de las políticas. La distinción de estos tres niveles en cuanto a sus objetivos y medios permite construir una matriz analítica de seis elementos de políticas (tabla 2.4). Esta taxonomía no solamente posibilita observar la dinámica de las políticas en toda su complejidad, en términos de la estabilidad o cambio de cada elemento, sino que también permite identificar la articulación entre los componentes de la política y los factores endógenos y exógenos que intervienen en su dinámica (Howlett y Cashore 2009, 35-38).

Tabla 2.4. Niveles de análisis de los componentes de la política

Componentes de la política	Niveles de la política		
	Macro	Meso	Micro
Objetivos	**Metas generales** Ideas abstractas que orientan el gobierno en una determinada área de política.	**Objetivos específicos** Aspectos de las políticas que se espera abordar con el fin de lograr los objetivos.	**Ajustes operacionales** Requerimientos concretos de las políticas
Medios	**Preferencias de implementación** Tipos de instrumentos organizativos formados por preferencias generales y de largo plazo.	**Instrumentos específicos** Tipos de instrumentos de gobierno utilizados para direccionar los objetivos.	**Calibraciones del instrumento** Formas específicas de ajuste/uso del instrumento, requeridas para alcanzar los objetivos.

Fuente: adaptado de Howlett (2009) y Howlett y Cashore (2009).

El análisis de los instrumentos

Dimensión substantiva y procedimental

La categorización de los instrumentos de políticas muestra una importante evolución. Sus orígenes pueden ser rastreados en la década de los cincuenta en la concepción funcionalista de la emergente ciencia de las políticas, etapa en la que se enfatizaba la manera cómo los gobernantes pueden afectar cada etapa del proceso de las políticas a través de la manipulación de los instrumentos. Posteriormente, en la década de los ochenta, autores como Salamon empezaron a dar forma a una categorización más precisa, aludiendo a las razones del uso de esos recursos. No obstante, este enfoque concebía a los instrumentos de manera individual y en su dimensión substantiva, esto es, en términos de cómo afectan directamente el tipo, cantidad, precio u otras características de los bienes y servicios producidos en la sociedad. En consecuencia, el debate de este período no incorporó un análisis sistemático de la dimensión procedimental de la instrumentación, aun cuando la preocupación por el proceso de las políticas se encontraba presente desde los debates seminales del campo disciplinar, que estuvieron focalizados en entender la naturaleza de las acciones que los gobernantes emprenden para lograr sus objetivos (Howlett 2005, 34-35).

Es durante las últimas dos décadas que emerge el interés por abordar los instrumentos tanto en su dimensión substantiva como procedimental, bajo el criterio de que el conocimiento sistemático de ambos tipos de instrumentos, así como de sus efectos y razones de selección, permite identificar la complejidad de las estrategias de gobernanza implícitas en la instrumentación de las políticas. Desde esta perspectiva, los instrumentos son caracterizados en función de dos dimensiones.

En la primera, los *instrumentos substantivos* son aquellos que proporcionan directamente bienes y servicios a los miembros de la sociedad o de los gobiernos. Incluyen una variedad de instrumentos relacionados con los diferentes recursos de los que dispone el gobierno para su actividad. Hay que señalar que en las últimas dos décadas se ha desarrollado un importante debate conceptual alrededor de los instrumentos substantivos, en cuyo marco se han generado una serie de taxonomías. Entre las diversas clasificaciones destaca la propuesta de Christopher Hood, quien los agrupa en función de: i) si se basan en el uso de nodalidad, autoridad, tesoro u organización para su efectividad; y ii) si los instrumentos están diseñados para generar o detectar un cambio en las políticas (Howlett 2005, 36; Howlett y Giest 2013, 22).

En la segunda dimensión, los *instrumentos procedimentales* se diferencian de los substantivos en tanto su impacto sobre el resultado de las políticas es menos directo. Antes que afectar la producción de bienes y servicios, su principal intención es modificar o alterar la naturaleza del proceso de las políticas. Como se mencionó, los instrumentos procedimentales han sido menos analizados que los substantivos, no obstante lo cual existen varios estudios que han abordado la dimensión procedimental e identificado instrumentos tales como educación, formación, audiencias, entre otros, así como tratados y acuerdos políticos que pueden afectar la relación entre el gobierno y los grupos objetivo.

Otros estudios enfocados en el comportamiento de los grupos sociales de interés han determinado la existencia de instrumentos relacionados con la creación y manipulación del grupo, en términos del rol que ejercen los sectores públicos y privados en la formación y actividades de los mismos. En todo caso, una manera de sistematizar esta diversidad de clasificaciones es aplicar la misma taxonomía de Hood a la dimensión procedimental. Esto permite entender que, así como los instrumentos procedimentales han sido usados para mejorar la participación y el conocimiento, también pueden ser utilizados en un sentido negativo, para afectar el comportamiento de los actores (Howlett 2005, 36; Howlett y Giest 2013, 22).

En definitiva, es fundamental entender que el diseño de las políticas responde a una particular combinación de instrumentos substantivos y procedimentales (tabla 2.5) que son utilizados en un ámbito de políticas específico. Las distintas formas de combinar los instrumentos generan ventajas y desventajas respecto a cómo se relacionan entre sí y qué efecto tienen sobre los costos y beneficios para el gobierno (Howlett y Giest 2013, 22).

Selección de los instrumentos

Más allá de describir la naturaleza de los instrumentos usados por los responsables de las políticas, el estudio de los procesos de instrumentación debe ser complementado con el análisis de la racionalidad de la elección de los instrumentos. A este respecto, existe una variedad de opciones que difieren en términos del carácter del Estado, las cuales pueden alterar de distintas maneras tanto la provisión de bienes y servicios como las dinámicas de interacción de los actores. Por ello es necesario identificar el conjunto de factores que inciden en la elección de los instrumentos, ya que, lejos de ser un proceso exento de problemas y errores, la lógica de elección conlleva una serie de dificultades que pueden generar efectos negativos, afectando, por ejemplo, la claridad y precisión de los objetivos. Esto a su vez puede derivar en una falta de coincidencia entre medios y fines y el consecuente fracaso (Howlett 2005, 40).

Tabla 2.5. Taxonomía de los instrumentos de políticas

Dimensión	Objetivo	Recursos del gobierno			
		Nodalidad	Autoridad	Tesoro	Organización
Substantiva Acción sobre comportamiento actores/social	Alterar	Asesoramiento Formación	Regulación Cargos a usuarios Licencias	Subvenciones Préstamos Gastos tributarios	Administración burocrática Empresas públicas
	Controlar	Informes Registros	Censos Consultores	Votación Reportes de policía	Registros Encuestas
Procedimental Acción sobre redes e interacción social	Promover	Educación Información Grupos focales	Etiquetado Acuerdos políticos	Creación grupos interés Financiación investigación	Reforma institucional Revisión judicial Conferencias
	Restringir	Propaganda Supresión de información	Prohibición grupos y asociación Denegación de acceso	Eliminación de financiamiento	Retraso y ofuscación administrativa

Fuente: adaptado de Howlett (2005) y Howlett y Giest (2013).

En ese sentido, la elección de los instrumentos no es un ejercicio meramente técnico. Por el contrario, se encuentra condicionada por factores sociales, políticos y económicos inherentes al contexto externo y, también, por un contexto interno derivado de cómo incide la combinación de instrumentos sobre la lógica de elección. De esta forma, la racionalidad de la elección a través de la cual los gobernantes adoptan una particular combinación de instrumentos substanciales y procedimentales, estructura el estilo de implementación en un sector determinado (Howlett 2005, 41-42).

El análisis de la elección de los instrumentos substantivos se ha focalizado en la interacción de dos variables independientes: i) la capacidad del Estado para afectar a los actores sociales; y ii) la complejidad del subsistema o área de la política, definida por el número y tipo de actores que el gobierno afecta en la implementación de sus programas. Así, el tipo de instrumentos seleccionados depende de la interacción entre la capacidad del Estado y la complejidad de las redes de actores sociales sobre las que quiere influir (tabla 2.6). En esta lógica, los instrumentos de *mercado o subsidios* pueden ser usados efectivamente solo si existe una alta capacidad del Estado y un complejo subsistema de política. Por el contrario, cuando la capacidad del Estado es baja y el entorno de la política no es muy complejo, el uso de instrumentos de *delegación a actores privados* puede ser efectivo. En un escenario caracterizado por una limitada capacidad del Estado y un complejo subsistema, se tiende a adoptar instrumentos de *regulación o información*. Finalmente, los de *provisión directa* son usados cuando hay una alta capacidad del Estado pero existe un bajo nivel de complejidad del entorno, expresado, por ejemplo, en la presencia de pocos actores y un reducido número de relaciones interorganizacionales (Howlett 2005, 43).

Tabla 2.6. Modelo de selección de instrumentos substantivos

Nivel de capacidad del Estado	Nivel de complejidad del área de la política	
	Alto	Bajo
Alto	Mercado y subsidios	Provisión directa
Bajo	Regulación e información	Delegación a actores privados

Fuente: adaptado de Howlett (2005).

En lo referente a los instrumentos procedimentales, la intención de los gobernantes de alterar el proceso de las políticas se encuentra relacionada con la existencia de procesos o procedimientos considerados creíbles o legítimos por los actores políticos. En ese sentido, se identifican dos variables que inciden en la selección de instrumentos procedimentales: el nivel de deslegitimación sectorial, la cual afecta a la manipulación del subsistema; y la deslegitimación sistémica, que incide en la capacidad del gobierno para usar redes existentes que le permitan continuar con las deliberaciones políticas (tabla 2.7).

Según esta lógica, en primer lugar, cuando los gobiernos enfrentan bajos niveles de deslegitimación tanto sectorial como sistémica se privilegia el uso de instrumentos de *manipulación de información*, a través de la liberalización o retención de documentos. En este escenario, solo se requiere una manipulación menor de la red para legitimar el proceso de las políticas. En cambio, cuando la desconfianza y el descontento sectorial son altos y la deslegitimación sistémica es baja tienden a utilizarse instrumentos de *manipulación financiera,* mediante la inyección de dinero para crear soporte selectivo a grupos de interés específicos. En tercer lugar, cuando la deslegitimación sistémica es alta y la sectorial es baja, los gobiernos pueden reconocer nuevos actores o reorganizar a los antiguos a través de medios autoritarios, tales como el establecimiento de comités de asesoramiento especializado cuasi independiente e investigaciones direccionadas a distanciar el proceso sectorial de las preocupaciones generales de legitimación sistémica. Finalmente, cuando la deslegitimación es alta tanto a nivel sistémico como sectorial, el gobierno puede apelar a estrategias de manipulación institucional, concretadas en el cambio de reglas (Howlett 2005, 44-45).

Tabla 2.7. Modelo de selección de instrumentos procedimentales

Nivel de deslegitimación sectorial	Nivel de deslegitimación sistémica	
	Alto	Bajo
Alto	Manipulación institucional	Manipulación financiera
Bajo	Manipulación de reconocimiento	Manipulación de información

Fuente: adaptado de Howlett (2005).

Evaluación de la política

Combinación de instrumentos (estilos de implementación)

El desarrollo teórico de la instrumentación de las políticas ha evolucionado en las últimas décadas desde una argumentación focalizada en el análisis de instrumentos individuales hacia el planteamiento de teorías de elección. La ampliación de las opciones del gobierno ha exigido incorporar un amplio rango de instrumentos substantivos y procedimentales, así como entender la importancia del contexto en los procesos de decisión. De esta manera, la trayectoria del debate instrumental se ha desplazado hacia el abordaje de una serie de preocupaciones relacionadas con el diseño y la adopción de una óptima y coherente combinación de instrumentos, en el contexto de complejos procesos de toma de decisiones e implementación (Howlett, Kim y Weaver 2006, 129).

La idea de una apropiada combinación de instrumentos se ha concretado en un conjunto de aspectos claves que encarnan la naturaleza del enfoque de la instrumentación: i) la comprensión del diseño de políticas sobre la base de una combinación de instrumentos coherentes con el contexto de un determinado sector; ii) la consideración de una amplia gama de instrumentos, rompiendo la dicotomía entre la regulación y el mercado; iii) la necesidad de incrementar el uso de instrumentos basados en incentivos, formas de autorregulación y políticas que incorporen actores comerciales y no comerciales; y iv) la importancia de buscar nuevos instrumentos procedimentales para afrontar los desafíos de la gobernanza. En definitiva, la consideración de estos aspectos implica entender que la elección de los instrumentos —tanto substanciales como procedimentales— está moldeada por las preferencias de los tomadores de decisiones y la naturaleza de las restricciones en las cuales operan, conforme se observa en la tabla 2.8 (Howlett 2005, 46).

Tabla 2.8. Modelo de estilos de implementación

Nivel de limitaciones del Estado(recursos / legitimidad)	Complejidad de los objetivos de la política (intercambio y actores de la política)	
	Alto	Bajo
Alto	Voluntarismo institucionalizado	Corporativismo reglamentario
Bajo	Subvenciones dirigidas	Previsión pública bajo supervisión

Fuente: adaptado de Howlett (2005).

En este esquema, el contexto es fundamental y las preferencias de instrumentos se encuentran articuladas a una dinámica de largo plazo. Sin embargo, esto no significa que los procesos de elección de instrumentos sean inmutables o que no ocurran cambios substanciales en el estilo de implementación. Estos cambios pueden suscitarse tanto en función de las restricciones que los gobiernos enfrentan como de las decisiones que toman para ampliar o limitar su foco sobre objetivos de políticas específicos (Howlett 2005, 48).

Evaluación de los estilos de implementación

La mayoría de arreglos o regímenes de políticas contienen una amplia combinación de instrumentos y tienden a desarrollarse de manera incremental en función de un determinado patrón que opera en un extenso período de tiempo. Si bien estos regímenes presentan una lógica general, en la mayoría de ocasiones son el resultado de una serie de instrumentos y programas que se van acumulando dentro de una lógica de estratificación. Eso determina que los arreglos de políticas sean complejos y costosos, resultando difícil sustituir incluso combinaciones de instrumentos ineficientes debido a su conexión con intereses específicos. De ahí que los procesos de diseño de políticas tienden a estructurarse alrededor de nuevos arreglos de gobernanza, que intentan redefinir la totalidad del régimen de política y evitar los problemas derivados de la dinámica de estratificación. Estos arreglos, no obstante, presentan problemas de carácter político —en términos de dificultades de implementación— y, analíticamente, hacen complejo identificar un diseño óptimo de políticas y la posibilidad de evitar resultados ineficientes (Howlett y Rayner 2007, 1-2).

Precisamente, estas preocupaciones han sido el foco del debate contemporáneo de la instrumentación. Se ha buscado superarlas aplicando los anteriores modelos analíticos a la combinación de instrumentos y, en especial, al desarrollo de diseños óptimos de instrumentos de políticas. Al respecto, el debate sobre la elección de esos recursos es pertinente para abordar el análisis de los nuevos arreglos de gobernanza, en la medida que representa un esfuerzo por estructurar políticas integradas direccionadas a optimizar los objetivos del gobierno. En esta perspectiva, se puede definir los nuevos arreglos de gobernanza como modos de diseño de políticas que, a manera de estrategias integradas, buscan abordar las deficiencias identificadas en anteriores regímenes (Howlett y Rayner 2007, 4).

Un apropiado diseño de políticas requiere, en primera instancia, especificar qué tipo de instrumentos están disponibles para ser combinados. Este proceso implica desarrollar un estilo de implementación, entendido como la tendencia a seleccionar de manera sistemática una limitada combinación por sobre otras. En este sentido, evaluar la selección óptima de instrumentos requiere identificar las características específicas de la particular combinación realizada. De esta manera, el conjunto de estrategias integradas sobre las que se estructuran los nuevos arreglos de gobernanza está direccionado —más allá de los objetivos substantivos de las políticas específicas— a crear o reconstruir un dominio de políticas con metas coherentes y un consistente conjunto de instrumentos (Howlett y Rayner 2007, 5-6).

Desde esa visión, los nuevos arreglos de gobernanza intentan: i) *combinar* los instrumentos de políticas y sus ajustes en nuevas lógicas, de tal manera que los diversos instrumentos apoyen la búsqueda de objetivos; ii) *integrar* las iniciativas de políticas existentes dentro de una estrategia de cohesión; iii) *coordinar* las actividades de múltiples agencias y actores; y iv) implementar un *enfoque integral,* contrario a la idea de que las políticas se descomponen en un conjunto de múltiples y desarticulados problemas y soluciones. Analíticamente, esto implica entender que los elementos de antiguas combinaciones deben ser identificados y complementados/reemplazados con nuevos elementos, más coherentes y consistentes. Del mismo modo, se trata de asumir que la creación de nuevos diseños demanda un sofisticado análisis de las dinámicas de políticas y selección de instrumentos, no solo en cuanto a su dimensión técnica sino, sobre todo, a sus implicaciones políticas (Howlett y Rayner 2007, 7).

Ciertamente, la mayoría de los diseños de nuevos arreglos de gobernanza responden a la insatisfacción con los objetivos incoherentes y la descoordinación de instrumentos que caracterizan a políticas que actúan sobre varios dominios (tabla 2.9).

Tabla 2.9. Tipología de nuevos arreglos de gobernanza (relaciones entre objetivos y medios)

Objetivos de la política	Combinación de instrumentos	
	Consistente	Inconsistente
Coherente	Óptimo	Inefectivo
Incoherente	Mal dirigido	Fallido

Fuente: adaptado de Howlett y Rayner (2007).

Se observa que el desarrollo de nuevas políticas está generalmente restringido por decisiones anteriores que se han institucionalizado bajo el impulso de procesos tales como retornos crecientes y aprendizaje político incremental. En esta lógica, hay que tener en cuenta que los esfuerzos para crear un óptimo diseño de estrategias integradas pueden fallar por tres vías (tabla 2.10): i) *superposición*, la peor estrategia en tanto que añadir nuevos objetivos sin abandonar los anteriores regularmente genera incoherencia entre los objetivos e inconsistencia respecto a los instrumentos; ii) *desviación*, la cual permite que los objetivos de las políticas cambien sin alterar los instrumentos, convirtiéndose estos en incompatibles con los objetivos originales y posiblemente inefectivos en su consecución; y iii) *conversión*, el intento de cambiar la combinación de instrumentos en un dominio de política más adaptable con el propósito de perseguir nuevos objetivos en un área donde el cambio se encuentra bloqueado (Howlett y Rayner 2007, 8-9).

Tabla 2.10. Tipología de arreglos de gobernanza (relación con políticas existentes)

Objetivos de la política	Combinación de instrumentos	
	Consistente	Inconsistente
Coherente	Integración	Desviación
Incoherente	Conversión	Superposición

Fuente: adaptado de Howlett y Rayner (2007).

Conclusiones

En este capítulo se ha enfatizado la relevancia del estudio de los instrumentos para el análisis de políticas públicas. Más allá del carácter técnico y operativo sobre el que se definen los procesos de instrumentación, la aprehensión y comprensión del conjunto de recursos de los que disponen los gobiernos para resolver los problemas públicos constituye un ejercicio analítico fundamental no solo para explicar de qué manera las decisiones políticas se transforman en intervenciones concretas de acción pública, sino también para analizar las dinámicas de poder y legitimidad sobre las que se estructura el diseño de las políticas.

Se planteó una reflexión teórica y conceptual orientada a caracterizar los instrumentos de políticas como objetos de investigación. Esto implica entender que las lógicas de instrumentación, estructuradas alrededor de la selección y combinación de un conjunto de recursos de diversa índole, sintetizan una relación de causalidad entre medios y objetivos dirigida a resolver un determinado problema. De esta manera, la instrumentación de las políticas configura un campo epistemológico específico fundamentado no solo a partir de su funcionalidad intrínseca, sino sobre todo en función del marco institucional y contextual en el que los instrumentos son diseñados e implementados.

La revisión de la literatura producida en torno al análisis de los instrumentos ha permitido evidenciar que, inicialmente, la preocupación académica estuvo enfocada en explicar de qué manera los objetivos de las políticas y sus resultados se encuentran relacionados con los procesos de instrumentación, enfatizando la racionalidad técnica de los instrumentos. No obstante, el posterior desarrollo de la disciplina de las políticas públicas, en general, y de la instrumentación, en particular, ha puesto de relieve la importancia que tanto la lógica de elección como el rol del contexto tienen en el diseño de los instrumentos de políticas.

Desde esta perspectiva se ha desarrollado una segunda argumentación, dirigida a fundamentar los instrumentos de políticas como un método de análisis. Para este propósito, por un lado, se ha indagado en la literatura en torno a las tipologías de instrumentos, basadas en criterios tales como los mecanismos de regulación, asignación financiera, transferencia de información, ámbitos de acción, entre otros. Por otro lado, asumiendo que los instrumentos pueden ser caracterizados como instituciones, se ha enfatizado en la incidencia que el marco normativo y procedimental —sobre el que se estructuran los procesos de instrumentación— ejerce sobre las políticas. Este planteamiento permite, en última instancia, estructurar un marco analítico que explica hasta qué punto la selección de instrumentos condiciona el rol de los actores en las políticas mediante la institucionalización de un conjunto de patrones de interacción.

En la medida que los instrumentos pueden ser concebidos como variables dependientes del diseño de políticas, el análisis de su efectividad implica entender que la selección de un determinado conjunto de ellos responde a las lógicas concretas del sistema de gobernanza en el que se inscribe el proceso de políticas.

Capítulo 3
La seguridad ciudadana como problema de políticas públicas

Las estrategias formuladas y las acciones implementadas en el ámbito de la seguridad ciudadana son tributarias de las concepciones de seguridad humana impulsadas desde la mitad de la década de los noventa, bajo principios de convivencia, prevención y participación. Las políticas de seguridad ciudadana se han organizado desde una perspectiva integral y multidimensional, lo que ha implicado estructurar un complejo campo de políticas en cuyo diseño intervienen diversos actores estatales y no estatales.

Esas políticas se han desarrollado sobre la combinación de diversos recursos o instrumentos (información, autoridad, tesoro, organización), cuya selección e implementación responde a dinámicas de gobernanza, formas específicas de interacción entre actores estatales, sociales y del mercado. La temática de la seguridad ciudadana resulta útil para observar empíricamente la manera en que los modos de gobernanza inciden en la efectividad de las políticas públicas.

En este capítulo interesa esbozar una discusión que fundamente el caso de la seguridad ciudadana como problema de gobernanza e implementación de políticas públicas.

Violencia, control social y seguridad humana

Para explicar cómo se ha estructurado la noción contemporánea de la seguridad, es importante revisar en primera instancia las transformaciones de las teorías criminológicas del control social, como base de los debates sobre la seguridad humana y, concretamente, como una problemática urbana.

La visión criminológica sobre el control social

El punto de partida para aproximarse al análisis de la violencia es entender que las relaciones humanas se articulan a partir de una lógica de luchas, antagonismos y relaciones de fuerza. La violencia, como fenómeno, nace desde un permanente estado de conflicto inherente a la condición humana, el cual, en última instancia, define su sentido político de autodeterminación, concretado en la capacidad del individuo o grupo de establecer por sí mismo las leyes a las que se somete. Si se entiende que la sociedad se organiza alrededor de reglas y pautas de comportamiento, la conflictividad se genera precisamente dentro de las tensiones y contradicciones entre la libertad individual y el respeto a ese conjunto de normas. Se configura un ejercicio político, en tanto se estructuran lógicas de administración del poder, mediante alguna forma de coerción de unos individuos sobre otros. De esta manera, más allá de que cierto tipo de conflictos (participados, contenidos y rechazados) no necesariamente conduzcan a situaciones de violencia, existe un umbral de conflictividad que afecta el ejercicio de los derechos fundamentales del individuo (supervivencia, dignidad o seguridad), el cual finalmente decanta en una situación de violencia (Bernoux y Birou 1972).

Desde esta perspectiva, la noción de control social como categoría sociológica[1] ha sido fundamental para analizar la organización y desarrollo de la sociedad industrial. Vinculado a la construcción de un orden social sustentado en el progreso y la racionalidad, el control social estaba relacionado con la capacidad de autorregulación de la sociedad conforme a principios y valores deseables; de ahí que su aproximación empírica haya estado sujeta a las posibilidades de identificar y explicar los mecanismos regulatorios que dan forma al control. De otra parte, el concepto de control social adquiere especial relevancia cuando ha sido articulado a procesos políticos concretos y a las crisis de legitimidad, en tanto revela los límites e influencia de las instituciones políticas sobre las lógicas de las sociedades industriales (Janowitz 1995).

El abandono intelectual del concepto de control social tiene que ver con sus limitaciones para dar cuenta de las emergentes dinámicas de subjetivación, configuradas en el proceso de desmantelamiento del Estado de bienestar y de consolidación de una economía de mercado como mecanismo de regulación social (Summer 1996). Esto explica por qué la reflexión contemporánea sobre el control social es imprecisa en cuanto a la configuración de un campo analítico en sentido estricto, en tanto connota diversos significados según el contexto del debate, asociados, por ejemplo, a categorías como poder, dominio y hegemonía.

Es pertinente articular la idea de control social a las transiciones del Estado absoluto y del Estado liberal clásico hacia la democracia compleja, en cuyo seno los mecanismos económicos que el Estado garantiza le otorgan un estatus de derecho en sí mismo. Esto implica que, cuando los derechos no solo reflejan sino que además intervienen

---

[1] Una revisión detallada del concepto de control social en la sociología norteamericana es desarrollada por Summer (1996).

en el funcionamiento del mercado, estructuran una entidad legítimamente superior concebida como el Estado. En cierta forma, el ejercicio democrático inherente a la ampliación de la ciudadanía política y la institucionalización de la conflictividad social, diluyen la idea de Estado ético, desplazando el asunto del orden a otros ámbitos. En este supuesto se ancla la lectura contemporánea del control social que centra el análisis en los mecanismos y las instituciones (de prevención y gestión) de respuesta a la desviación. Esto, a su vez, conduce a considerar la problematización criminal como una cuestión institucional. De ahí que lo considerado como peligro remite, en última instancia, a una situación ingobernable derivada de una carencia institucional (Pitch 1996).

La emergencia —entre las décadas de los sesenta y setenta— de una tradición de criminología crítica implicó deconstruir las nociones de delito, ley y control social, en virtud de lo cual empezó a estructurarse un discurso contestatario, cuya principal crítica fue hacia las estructuras dominantes y las doctrinas del control del crimen y la desviación. Se impulsó así la modificación y abolición de las estructuras convencionales de la legalidad, el castigo, el control y el tratamiento (Cohen 1994). La criminología crítica radical supera la concepción mecanicista del delito y la desviación, identificando además las prácticas ilegales del Estado y desarrollando una crítica fundamentada sobre la operatividad del sistema judicial. Esto permitió ampliar el marco de análisis hacia otros ámbitos como el social, político, económico e histórico (Matthews y Young 1993).

La tradición de criminología crítica se configura alrededor de tres enfoques que redefinen la concepción positivista del delito. En primer lugar, el *abolicionismo* plantea que el delito no es una realidad ontológica, es decir, no constituye el objeto sino el producto de la política criminal, lo que implica entender que la criminalización es una forma de construir realidad social, una suerte de mito de la vida cotidiana. En segundo lugar, desde el *realismo de izquierda* se argumenta que el delito se encuentra focalizado tanto geográfica como socialmente en los sectores más vulnerables de la sociedad y su expresión es fundamentalmente intraclasista. En última instancia, el delito refleja la naturaleza antisocial del capitalismo, en tanto la conducta delictiva es generada por la privación relativa, a través de la cual la población experimenta un nivel de injusticia en la distribución de los recursos que intenta revertir mediante estrategias individualistas. En tanto es la política la que determina las condiciones sociales que posibilitan las conductas delictivas, el delito incluye un sentido político, es decir, una relación social institucionalizada y con significados específicos. Finalmente, en el *garantismo penal* se plantea que el delito no es un fenómeno natural o ahistórico, por lo cual no hay relación mecánica entre el modo de producción y el problema criminal. El delito no tiene un origen en las opciones individuales de carácter moral sino en la organización concreta de espacios sociales, circunscrita en un ámbito legal específico. El delito tiene que ser definido a partir del derecho, esto es, por los principios garantistas contenidos en la Constitución y en el Código Penal (Zaitch y Sagarduy 1992).

El realismo de izquierda colocó el delito en el centro del debate criminológico como respuesta a una evidente agudización de los problemas sociales y de criminalidad asociados con la clase trabajadora. Esta aproximación implica que las cuatro variables del delito (Estado-sociedad-delincuente-víctima), más allá de la singularidad epistémica inherente a la lectura criminológica tradicional, remiten a una interacción estructurada en la división social del trabajo y en el sistema legal. Por ello, la interacción entre los componentes produce relaciones de acción y reacción. El Estado y el sistema de control social definen estructuras que reaccionan a la acción de delincuentes y víctimas, desplegando así un rol activo en la producción del delito en la sociedad, expresado en la definición de actividades concretas y en la asignación de recursos a la contención del mismo. El Estado no solo responde al problema del delito sino que además lo estructura y define; por su parte, el comportamiento de víctimas y delincuentes no solo se configura alrededor de una situación problemática, sino también como respuesta y reacción al Estado y al sistema de control social (Lea 1996).

La noción de control social ha estado relacionada desde su origen con una política de gobierno (entendida no solo como la acción del gobierno sino también como el esfuerzo general para guiar la conducta de los otros), caracterizada por la administración sobre el delito y el castigo como elementos centrales del orden social. Esta forma de gobierno se configuró a través de la prevalencia del sistema de justicia penal, de una sobrerrepresentación del delito y el castigo en la interpelación política, de la importancia de una institucionalidad de reglas y sanciones, entre otros elementos. En cierta forma, la Modernidad supuso la desarticulación paulatina de las lógicas punitivas. Pese a que en las sociedades industrializadas se ha constatado un resurgimiento del gobierno en razón del delito, se advierte en el contexto contemporáneo una nueva forma de gobierno cuya característica es la focalización sobre el problema de la seguridad. El gobierno, a través de la seguridad, se centra en el potencial daño antes que en sus fuentes. En función de una estrategia de gestión de riesgos, no hay una inversión en el castigo como formalidad política, es decir, no se busca la adhesión individual a normas de actuación salvo cuando implique un mecanismo eficaz de minimizar costos. Se advierten, sin embargo, los peligros políticos del gobierno visto desde la seguridad, vinculados a generar procesos de exclusión. En esta idea de reemplazar las estrategias de control del delito por la generación de ambientes seguros, se fundamenta el concepto de policía comunitaria, estructuras para gobernar las comunidades mediante asociaciones híbridas entre la Policía, los seguros y el voluntarismo individual (Simon 2006).

La prevención situacional se estructura alrededor de la idea del control del delito como gestión de riesgos, es decir, la intervención sobre las amenazas y vulnerabilidades del ambiente de las potenciales víctimas. Esto implica entender, por un lado, que los programas de control del delito deben intervenir antes y no después de que este ocurra, y, por otro, que reducir las oportunidades para cometer delitos disminuirá proporcionalmente el número de delincuentes. Este abordaje, a diferencia de otras respuestas de carácter correccional y de criminología causal, ha tenido una importante influencia y legitimidad política en el control del delito. Su sentido político e ideológico (relacionado con programas de racionalismo económico y del neoconservadurismo) promueve la gestión de las poblaciones, mediante mayor punitividad a los ofensores y el desplazamiento individualizado del riesgo de las víctimas. No obstante, su argumento ha sido criticado, entre otros factores, por el significado y validez atribuidos a las tasas de delito, por el hecho de que estas intervenciones solo logran desplazar el delito hacia objetivos más accesibles y porque solo configuran una reacción ante los síntomas y fracasos, sin enfrentar los problemas permanentes (O'Malley 2004).

En una dimensión más amplia, un modo de prevención integrada se articula como prevención social, esto es, un conjunto de medidas direccionadas a incentivar el desarrollo social y económico, mejorar la calidad de vida, superar las realidades de desigualdad social y marginalidad y, en definitiva, atacar las condiciones sociales que generan la criminalización y victimización (Mosconi 2005; Sozzo 2008).

Una entrada relevante es la literatura acerca de la intervención multiagencial de la problemática del delito, que otorga mucho peso a la discusión sobre cómo se relacionan las instituciones involucradas, es decir, las dinámicas de cooperación y conflicto entre agencias. No obstante, el enfoque resta importancia a la relación entre agencias y ciudadanos. A más del papel que —dentro del enfoque criminológico moderno— la población desempeña en las tareas de policía, es necesario ampliar la lectura a las relaciones que mantienen la comunidad y las distintas instituciones relacionadas con el control del delito. Esto implica identificar niveles de demandas de acuerdo al tipo de delito, así como diversos marcos institucionales en cada una de las etapas del proceso de criminalidad. Independientemente del carácter coercitivo o no de las intervenciones institucionales, resulta fundamental diferenciar las funciones de cada agencia, claramente delimitadas y convergiendo en la dinámica multiagencial. Así, mientras la Policía aparece como la instancia que lidera las acciones coercitivas, las competencias del gobierno local se inscriben en el ámbito de la prevención (Lea, Matthews y Young 1992).

La redefinición del concepto de seguridad

Bajo la lógica de la anarquía y de un conflicto perpetuo mediado por el ejercicio de poder, la coerción y la fuerza, se desarrolló la Guerra Fría, período caracterizado por el enfrentamiento político, militar y sobre todo ideológico entre las dos superpotencias de la época, Estados Unidos y Unión Soviética. Así, se estructuró un antagonismo Este-Oeste, definitorio del orden mundial. En este contexto se observa una preponderancia del enfoque realista de las relaciones internacionales para explicar la dimensión conflictiva del sistema y la centralidad del Estado en los asuntos de seguridad nacional (Bou i Novensà 2006).

Según el enfoque realista, el régimen internacional está caracterizado por una lógica anárquica, en la cual Estados soberanos persiguen sus propios intereses nacionales de manera individual y sin la mediación de un gobierno central o autoridad supranacional.

El sistema se encuentra signado por la lucha de poder resultante de la confrontación de los diversos intereses nacionales, lo que genera una situación de permanente competencia, enfrentamiento y guerra. Esto explica la centralidad del Estado en el paradigma realista como objeto de referencia de la seguridad. La inherente condición de inseguridad en el sistema determina no solamente que uno y otro deban garantizarse el suficiente poder para contrarrestar las posibles amenazas a su soberanía de parte de otros Estados, sino sobre todo que sus estrategias de seguridad se inscriban en una lógica de equilibrio de poder (Moller 1996, 771).

La ausencia de autoridad que caracteriza al sistema internacional anárquico genera un orden de inseguridad, en el cual la soberanía de los Estados se configura por la capacidad de supervivencia, es decir, la facultad de salvaguardar la integridad del Estado territorial frente a la agresión externa. Los Estados constituyen, entonces, actores unitarios y racionales que buscan maximizar sus intereses y minimizar los riesgos. Las políticas de seguridad, por lo tanto, condensan —desde la lectura realista— un proceso de toma de decisiones que no solo representa los intereses de la nación respecto a asuntos de defensa y soberanía, sino que además delinea una lógica tendiente a generar la mejor solución posible dentro de la incertidumbre del orden internacional.

Desde esta perspectiva, la Guerra Fría significó para América Latina y concretamente para los países andinos la influencia político-militar de los Estados Unidos como parte de un control geográfico estratégico tendiente a contener la expansión del comunismo. Así, ese país, en el contexto del denominado "Estado de seguridad nacional" instrumentado a través del Acta de Seguridad Nacional de 1947, desarrolló un conjunto de lineamientos, instituciones y mecanismos dirigidos a fortalecer su papel hegemónico en el concierto político mundial.

La influencia de la política estadounidense en América Latina se concretó en difundir la concepción norteamericana de seguridad nacional, que sería determinante para configurar durante las siguientes décadas la denominada Doctrina de Seguridad Nacional. Instrumentos como el Plan Truman (1946), el Tratado Interamericano de Asistencia Recíproca (TIAR) (1947), o el mismo sustento jurídico-político de la Organización de Estados Americanos (OEA) (1948), entre otros, aseguraron la subordinación institucional de la seguridad nacional de los países andinos a las orientaciones estadounidenses. Esto se produjo a través, por ejemplo, de los programas de ayuda militar bilaterales desarrollados en la década de los cincuenta, o de los programas de información y entrenamiento militar impulsados en el contexto de la guerra de Corea, los cuales contribuyeron a alinear la política de seguridad de la región a una perspectiva realista. En este escenario, cada Estado no solo era responsable de su propia supervivencia sino que su estrategia respondía a mantener el *statu quo* desde una posición de tutela y subordinación hacia los Estados Unidos (Leal Buitrago 2002, 5).

No obstante, el fin de la Guerra Fría significó no solamente la emergencia de un nuevo orden mundial, signado por la unipolaridad hegemónica de los Estados Unidos, sino también redefinir la noción de seguridad. Durante las últimas décadas se han generado diversos debates que proponen ampliar el concepto de seguridad más allá de la visión estadocéntrica del enfoque realista. Han procurado situar al ser humano como el eje de una cada vez más compleja e interdependiente realidad (liberalismo institucional), y también identificar los contactos intersubjetivos sobre los cuales se configuran las lógicas de poder en las relaciones internacionales (constructivismo).

Sin embargo, se observan posiciones contrarias, sostenidas en el argumento de que, pese a las evidentes transformaciones del contexto internacional, redefinir el concepto de seguridad sobredimensiona los factores de cambio y omite las constantes históricas del proceso. A este respecto, se advierte que la seguridad ha experimentado menos cambios de los que se suele señalar (Sotomayor 2007, 68). Las políticas de seguridad en los países de la región andina pos-Guerra Fría estarían condicionadas por una serie de continuidades expresadas en la prevalencia —implícita o explícita— de la influencia de los Estados Unidos. Sería evidente: i) que la condición de unipolaridad estratégico-militar norteamericana se mantendrá vigente en el mediano plazo; ii) que prevalecerá la estrategia de primacía, adoptada respecto a sus políticas de defensa; iii) que existe una crisis de los organismos internacionales y las prácticas multilaterales; y iv) que América Latina no ha sido ni será una prioridad para la política exterior estadounidense (Russel y Tokatlian 2009, 214-216).

A más de redefinir las estrategias de seguridad, en la región se mantendría un orden signado por lógicas realistas impulsadas por la vigencia de la hegemonía militar y financiera de los Estados Unidos. Este debate se sustenta teóricamente en dos entradas. La primera: el enfoque de *realismo agresivo* argumenta que, así como la bipolaridad y el balance militar de la Guerra Fría produjeron paz por más de cuatro décadas, su desaparición está generando efectos negativos a largo plazo. Según este argumento, la lógica de un escenario pesimista fomenta el conflicto y la agresión, por lo que la racionalidad del Estado continúa articulándose alrededor de estrategias ofensivas y la búsqueda de seguridad. La segunda: en el enfoque de *neorrealismo defensivo* se resalta que si bien los factores sistémicos y el rol de los Estados tienen efectos sobre su comportamiento, existen además otros elementos que determinan sus estrategias y acciones, relacionados, por ejemplo, con el tipo de amenazas definidas en términos de factores tecnológicos, proximidad geográfica, capacidades ofensivas, etc. (Carlsnaes 2008, 91).

De esta manera, de acuerdo con el segundo enfoque y por las características del proceso político y económico de la región, los cambios y rupturas ocurridos en las últimas décadas en las políticas de seguridad de los países andinos podrían ser explicados a partir de la redefinición del tipo de amenaza, expresada, por un lado, en la eliminación del riesgo de expansión del comunismo y, por otro, en la emergencia y consolidación del narcotráfico como nueva amenaza regional.

Es evidente que la noción de seguridad ciudadana que se ha ido consolidando en la agenda pública de la región durante las últimas décadas, de alguna manera se inscribe en la redefinición del concepto de seguridad en su sentido más amplio. Particularmente, atiende al desplazamiento de una visión estadocéntrica de seguridad nacional, sustentada en instituciones como el Ejército y la Policía, hacia un enfoque antropocéntrico de seguridad humana, que prioriza la necesidad de proteger el libre desarrollo de las personas (Moller 2000; Orozco 2006b).

Esta ampliación conceptual implica en última instancia un proceso de *securitización*, esto es, la politización de un conjunto de amenazas que se legitima mediante una retórica que prioriza la seguridad. De esta forma, factores propios de la seguridad (amenaza, vulnerabilidad, protección, y otros) se incorporan en los ámbitos social, económico, ambiental, etc., atribuyendo a dicha noción un carácter multidimensional (Buzan, Waever y de Wilde 1998).

Alrededor del debate de la securitización se ha consolidado, por un lado, una corriente de estudios críticos que cuestionan los tradicionales enfoques realistas y neorrealistas de la seguridad. Por un lado, la denominada Escuela de Copenhague,[2] basada en una

---

2 La Escuela de Copenhague hace referencia al conjunto de investigadores del Copenhague Peace Research Institute (COPRI), creado en 1985. Entre sus principales exponentes se encuentran Barry Buzan, Ole Waever y Bill McSweeney.

perspectiva sociológica y en las teorías del análisis del lenguaje, plantea abordar la seguridad desde su dimensión discursiva y su carácter intersubjetivo, es decir, como un proceso político, crítico y autorreferencial que se configura en función de los intereses, valores e identidades de los actores involucrados (Orozco 2006a; Tello 2011; Verdes-Montenegro 2015). Desde este enfoque se entiende que "las amenazas y la inseguridad en general son construcciones sociales derivadas de nuestro conocimiento y de los discursos que las representan como tales" (Verdes-Montenegro 2015, 113). Dichos argumentos fundamentan la teoría de la securitización, la teoría de los complejos de seguridad regional o la noción de seguridad societal, y son considerados algunos de los principales aportes de esta escuela.

Del otro lado está la Escuela de París[3] cuya base es la sociología política de autores como Michael Foucault y Pierre Bourdieu. Se ha desarrollado principalmente alrededor del sentido pragmático y relacional de la seguridad. Constituye la segunda generación de debates sobre las teorías sobre la securitización pero, a diferencia de la Escuela de Copenhague, plantea que más allá del acto discursivo, la noción de seguridad es el resultado de la disputa entre grupos profesionales que intentan imponer una particular caracterización de las amenazas asociadas al desarrollo capitalista neoliberal y a las sociedades del riesgo. Dichas amenazas se encuentran conectadas globalmente mediante un continuum de peligros y miedos, como por ejemplo en los casos del terrorismo, el crimen organizado o la migración. La seguridad se configura de esta manera como una técnica de gobierno desde donde se despliegan una serie de estrategias condicionadas por el conocimiento de ciertos colectivos que buscan

---

[3] La Escuela de París es un espacio de investigación colectiva que se configuró alrededor de la revista *Culture et Conflicts*. Su principal expositor es Didier Bigo.

legitimar su poder a través de procesos de securitización que confrontan el Poder Ejecutivo (Estévez 2011).

En ese sentido, las escuelas de Copenhague y de París, conjuntamente con la Escuela de Gales, han configurado alrededor de la teoría de la securitización un nuevo marco de análisis de los estudios de la seguridad, fundamental para abordar el debate del paradigma contemporáneo de la seguridad humana y de la seguridad ciudadana como un problema de políticas públicas.

La noción de seguridad humana

El concepto de *seguridad humana* emergió a mediados de la década de los noventa en el marco del debate pos-Guerra Fría, referido a explicar las nuevas dinámicas del sistema internacional y la consecuente redefinición de las concepciones tradicionales de seguridad (Fuentes y Rojas 2005). Estas se transformaron desde una perspectiva estadocéntrica hacia una visión antropocéntrica, en función de la cual se ha priorizado la figura del ser humano como sujeto de derechos y la protección de los individuos ante nuevas amenazas. En ese sentido, la irrupción de esta nueva noción ha implicado no solo cuestionar las perspectivas dominantes, centradas en la seguridad del Estado frente a los peligros externos inherentes a las relaciones internacionales, sino sobre todo reivindicar la protección de las personas respecto a amenazas de carácter multidimensional que afectan la vida cotidiana. Desde esta lógica, se argumenta que la seguridad de los individuos y grupos sociales se ve afectada por la complejidad y la interrelación de las amenazas que operan al interior de los Estados, en diversos ámbitos de carácter social, económico, ambiental, delictivo, etc. (Fuentes 2012, 33).

Formalmente, el origen del concepto de seguridad humana puede rastrearse en el Informe de Desarrollo Humano del PNUD de 1994, en el cual se intentó por primera vez exponer un análisis integral y definir la noción de seguridad sobre parámetros diferentes a los tradicionales. El documento "Nuevas Dimensiones de la Seguridad Humana" constituyó el instrumento fundador de una nueva doctrina, según la cual existen dos condiciones para garantizar la paz: en el ámbito de la seguridad, "librarse del miedo"; y otra, en lo económico y social, "librarse de la necesidad". El informe plantea cuatro características esenciales sobre las que se define la seguridad humana: i) es un asunto universal; ii) sus componentes son interdependientes; iii) prioriza la prevención antes que la intervención; y iv) se centra en las personas. Según estas características se definen siete categorías de seguridad: económica, alimentaria, sanitaria, medioambiental, personal, comunitaria y política (Bassedas 2006, 50).

De otra parte, existe una estrecha relación entre la noción de seguridad humana y los ocho objetivos de desarrollo incluidos en la Declaración del Milenio,[4] enfocados en combatir problemáticas relacionadas con la pobreza, la educación, la igualdad de género, la mortalidad infantil, la sostenibilidad medioambiental y el desarrollo. En el contexto de la Cumbre del Milenio fueron creadas la Comisión de Seguridad Humana, responsable del texto "Seguridad Humana Ahora" (2003), y la Comisión Internacional sobre Intervención y Soberanía de los Estados, encargada del informe titulado "Responsabilidad de Proteger" (2001). Especial importancia tuvo la Comisión de Seguridad Humana, en la que se plantearon estrategias concretas para incorporar la seguridad humana, como un asunto público, así como para convertir el concepto en una herramienta operativa, útil para formular e implementar políticas direccionadas a enfrentar las distintas amenazas.

El informe preparado por la Comisión de Seguridad Humana destacó la necesidad de aplicar un enfoque integral en las políticas

---

[4] Esta declaración fue aprobada por 189 países en el año 2000.

e instituciones responsables de abordar el carácter multidimensional de la inseguridad. Frente a la complejidad de la problemática y la incorporación de nuevos actores, si bien el Estado se mantiene como el principal responsable de la seguridad, es necesario ampliar el paradigma hacia la protección de las personas y de sus libertades vitales. Para este propósito, se presentaron en el informe dos estrategias: la una, relacionada con la *protección,* entendida como el esfuerzo concertado para aislar a las personas de las amenazas y los peligros, dentro de una perspectiva de derechos humanos; la otra, vinculada con la *potenciación,* mediante la cual se permitiría a las personas participar de manera activa en la toma de decisiones. Estos preceptos llevan implícita una articulación entre la seguridad humana y los principios democráticos y el desarrollo (Fuentes y Rojas 2005).

Posteriormente, en 2006, se publicó el informe "La seguridad humana para todos", donde se recopilan las aplicaciones prácticas del concepto mediante el análisis de nueve casos en distintos países. Las temáticas abordadas incorporan algunos aspectos no considerados en el informe anterior, tales como el consumo de drogas ilícitas, el empoderamiento de las mujeres y niñas en riesgo, la provisión de energía a comunidades rurales, el acceso a educación, la trata de personas, la protección de refugiados/desplazados, y la estabilización de los países receptores, entre los principales.

Finalmente, en 2009 se emitió el informe "Teoría y práctica de la seguridad humana", documento que detalla los mecanismos para aplicar el concepto en diversos contextos. Para ello fueron analizados dos estudios de caso: escenario posconflicto y seguridad alimentaria. En estos análisis se destaca que la seguridad humana es sensible a contextos específicos, esto es, que varía en el tiempo y en el espacio, por lo que su aplicación debe adaptarse a las condiciones y necesidades de cada región. Metodológicamente, aplicar el concepto implicaría: primero, análisis de vulnerabilidades y capacidades de la población; segundo, implementación con participación de la comunidad; y tercero, evaluación de impacto de los programas y su incidencia en las necesidades identificadas inicialmente (Fuentes y Rojas 2005, 19-20).

El concepto de seguridad humana ha tenido una importante evolución, revelada en los sucesivos informes emitidos por la Organización de Naciones Unidas (ONU) desde mediados de los años noventa, en los cuales se han incorporado diversas problemáticas y se han discutido mecanismos para operacionalizar el concepto, tal como se evidencia en la tabla 3.1.

Tabla 3.1. La seguridad humana, aportes teóricos de Naciones Unidas

	Informe Desarrollo Humano PNUD (1994)	**La Seguridad Humana Ahora (2003)**	**La Seguridad Humana para todos (2006)**	**Teoría y práctica de la seguridad humana (2009)**
Temas y enfoques	- Seguridad económica - Seguridad alimentaria - Seguridad en salud - Seguridad ambiental - Seguridad personal - Seguridad de la comunidad - Seguridad política	- Protección de armas - Migrantes y refugiados - Recuperación de conflictos violentos - Seguridad económica - Seguridad en salud - Acceso a educación	- Hambre, pobreza y salud - Demanda de drogas - Acceso a la energía - Tráfico y trata de personas - Acceso a educación - Acceso a la información - Migraciones y desplazamientos forzados - Receptores de refugiados	- Seguridad económica - Seguridad alimentaria - Seguridad en salud - Seguridad ambiental - Seguridad personal - Seguridad de la comunidad - Seguridad política (retoma las dimensiones de los informes anteriores)

Fuente: Fuentes y Rojas (2005, 17).

Así, dentro de la nueva dinámica internacional, en respuesta a nuevas amenazas y a la redefinición de los conflictos armados contemporáneos, se ha consolidado y legitimado durante las últimas décadas una noción de seguridad humana de carácter individuo-céntrica.

Sin embargo, en el debate no necesariamente existe acuerdo respecto del tipo de inseguridades de las que se debe proteger al individuo. Por un lado, está una visión reducida de la seguridad humana, entendida a partir de la noción de *libertad frente al temor*, que enfatiza la necesidad de eliminar el uso de la fuerza y la violencia mediante políticas de prevención de conflictos, protección de civiles en conflictos armados, operaciones de paz, etc. Este enfoque cuestiona la real capacidad de implementación del concepto de seguridad humana, argumentando que es demasiado amplio para ser aplicado en procesos concretos. De otro lado, se señala que la seguridad humana debe ser abordada desde una concepción amplia enmarcada en la idea de *libertad frente a la necesidad*, por la que se considera una diversidad de necesidades básicas del individuo, relacionadas con aspectos sociales, económicos, medioambientales, alimentarios y de salud. Esta lectura ampliada demanda la lucha contra la desigualdad económica, el combate a regímenes políticos autoritarios, el establecimiento de relaciones comerciales justas, el cumplimiento de libertades fundamentales, etc. (Bassedas 2006, 49).

Además de las divergencias entre los enfoques amplio y restringido, el concepto de seguridad humana revela una serie de potencialidades y limitaciones hermenéuticas. En cuanto a las potencialidades, hay aportes en función de al menos siete aspectos: i) la reivindicación del ser humano como sujeto de la seguridad en términos de su bienestar, libertad y derechos, lo que ha significado no solo cuestionar la concepción realista y estadocéntrica tradicional sino además analizar la seguridad en una dimensión micro; ii) la articulación teórica y política de los problemas de seguridad con los debates sobre el desarrollo, en coherencia con la dinámica de las sociedades contemporáneas; iii) la consideración de una dimensión cuantitativa que busca garantizar la satisfacción de las necesidades materiales de las personas, así como de un ámbito cualitativo que resalta la dignidad humana, concretada en participación comunitaria, control sobre la vida, etc.; iv) la integración de las dimensiones global y local para entender la naturaleza de las amenazas y el sentido de las estrategias de la seguridad; v) las connotaciones progresistas y transformadoras de la seguridad humana en tanto privilegia la satisfacción de los derechos y el desarrollo humano; vi) las posibilidades de analizar, a través de la seguridad, las políticas del Estado y la manera cómo se relaciona con la sociedad; y vii) el cuestionamiento a narrativas y conceptos dominantes sustentados en lógicas de confrontación (Pérez de Armiño 2006, 63).

Por el contrario, el concepto de seguridad humana presenta una serie de limitaciones conceptuales y riesgos respecto a su aplicación práctica. En primer término, existen diversas definiciones del concepto, lo que ha derivado en imprecisión en el análisis. Esto se evidencia en una indefinición de las fronteras del concepto y su constante desplazamiento, en tanto abarca una amplia gama de cuestiones que van desde la seguridad física hasta aspectos relacionados con el bienestar psicológico, lo que en última instancia dificulta identificar la totalidad de amenazas que actúan sobre el individuo. Esta ambigüedad complejiza el análisis de las interacciones causales entre los componentes de la seguridad, lo que resta utilidad práctica al concepto.

En segundo lugar, el carácter multidimensional de la noción genera el riesgo de que se militaricen las políticas públicas, dentro de una lógica de instrumentalización de la seguridad para fines particulares, ejemplificada, por poner un caso, en las intervenciones humanitarias de países ricos en zonas periféricas. Se observa además, tanto en la conceptualización como en el uso de la seguridad humana, el riesgo de distorsionar la articulación entre la seguridad y el desarrollo. Al respecto, por ejemplo, alrededor de la guerra contra el terrorismo se está consolidando una posición determinista de protección de los Estados derivada de intereses geopolíticos (Pérez de Armiño 2006, 70).

Con estos antecedentes, la noción de seguridad humana puede entenderse a la vez como producto de un síndrome y de un programa político-normativo. En el primer caso, como síndrome o conjunto de síntomas, el uso del concepto no solo es la expresión global de una serie de cambios fácticos relacionados con la evolución del sistema internacional, sino principalmente resulta de la convergencia de tres aspectos: la seguridad, la paz y el desarrollo, que subyacen en las relaciones internacionales contemporáneas. Este síndrome expresa la emergencia, en las décadas de los setenta y ochenta, de enfoques alternativos que reivindican la seguridad como un proceso de resolución de conflictos. De ahí que, con el fin de la era bipolar, la noción de seguridad adquiere vital importancia en la política de los Estados, en las actividades de las organizaciones y movimientos internacionales y en el debate de las ciencias sociales. En ese sentido, en la medida que el uso del concepto expresa la consolidación de un enfoque de seguridad multidimensional centrado en las personas, ha adquirido un rol central en el debate político interno y externo de la pos-Guerra Fría (Grasa 2006, 12).

Como programa político-normativo, la seguridad humana se concreta en la construcción de una agenda promovida por los diversos organismos de Naciones Unidas, cuyas estrategias se enfocan en el desarrollo y la protección, tanto en general como para grupos vulnerables. En cierta forma, la seguridad humana aparece como un conjunto de valores morales y políticos compartidos, bajo cuyo influjo se ha *securitizado* una serie de temáticas anteriormente excluidas de la agenda, como es el caso de la lucha contra la pobreza. Esto ha conducido a configurar un proyecto estratégico que busca interrelacionar tres agendas y sus problemas inherentes: la investigación para la paz y la resolución de conflictos, los estudios sobre el desarrollo y la cooperación, y el debate de los derechos humanos relacionados con la democratización y el buen gobierno (Grasa 2006, 13).

La naturaleza multidimensional del concepto de seguridad humana ha suscitado un importante interés social, político y académico, en tanto confiere un sentido integral al conjunto de derechos y valores que se han impuesto en el mundo contemporáneo durante las últimas décadas. Este carácter multidimensional se expresa en al menos tres aspectos. Primero, en función de las diversas disciplinas y ciencias que convergen en el análisis de esta nueva perspectiva de la seguridad, cuyo debate permite en última instancia aprehender y explicar el rol del Estado y la sociedad en estos procesos. Segundo, alrededor de la redefinición del objeto de la seguridad, de una visión centrada en el mantenimiento del orden en el ámbito interno y la defensa de la soberanía en el externo, hacia la consideración de nuevas dimensiones que incorporan los diversos riesgos y peligros que en la sociedad actual atentan contra las personas, limitando el despliegue de sus capacidades. Finalmente, esta multidimensionalidad se expresa en la idea de que el Estado, si bien mantiene su carácter de principal responsable, ya no aparece como el único actor de la seguridad, en tanto la participación de la propia comunidad se constituye en un factor fundamental para impulsar estrategias y políticas públicas direccionadas desde distintos ámbitos de acción a fomentar la seguridad (Fernández 2009).

Violencia urbana y seguridad ciudadana

La violencia, en su condición de producto construido por la sociedad (Bernoux y Birou 1972), ha sido un fenómeno tradicionalmente relacionado con la dinámica de la ciudad. Las características demográficas, económicas, culturales, etc., de los procesos urbanos insertos en la Modernidad configuraron durante el siglo XX formas específicas de violencia urbana, matizadas por la racionalidad capitalista. En respuesta, el correlato normativo de estas nuevas formas de violencia urbana se estructuró hasta la década de los setenta alrededor del paradigma de la criminología positivista. El gobierno del conflicto y la criminalidad en las ciudades estuvo instrumentalizado básicamente a través de políticas de carácter punitivo, enfocadas en controlar el comportamiento de la población y establecer orden en la ciudad (Pavarini 2006).

No obstante, la emergencia —entre las décadas de los sesenta y setenta— de una tradición de criminología crítica implicó deconstruir las nociones de delito, ley y el control social, a partir de lo cual se empezó a estructurar un discurso contestatario, cuya crítica fue dirigida hacia las estructuras dominantes y las doctrinas del control del crimen y la desviación (Cohen 1994). En tal sentido, la criminología crítica radical superó la concepción mecanicista del delito y la desviación, lo que permitió ampliar el marco de acción hacia los ámbitos social, económico y cultural (Matthews y Young 1993). Todas estas estrategias se inscribieron en el cambio de paradigma de un "gobierno a través del delito" hacia la noción de "prevención del delito" (Garland 2005; Simon 2006). Dicha noción se aleja del recurso penal y la racionalidad de la criminología positivista, al plantear la necesidad de una estrategia comunitaria de control sustentada en la convivencia ciudadana.[5]

---

[5] Para un revisión de la importancia de la participación ciudadana en las estrategias de seguridad humana en contextos urbanos, ver Monteoliva y Escobar (2011), y Dangond y Londoño (2011).

De otra parte, en el contexto de las transformaciones económicas (globalización) y políticas (democratización) que han definido la condición urbana contemporánea, se observa un reescalamiento de la violencia, expresado no solo en la intensificación del fenómeno sino también en la emergencia de nuevos tipos de violencia y la ampliación de una serie de impactos sociales y económicos subyacentes. En América Latina, en el marco de las transiciones democráticas que varios países experimentaron en las décadas de los ochenta y noventa, el cambio de paradigma significó sobre todo la superación de la concepción de seguridad nacional, enfocada en la protección del Estado a través de instituciones como el Ejército y la Policía, por la nueva noción de seguridad ciudadana.

Esta concepción de seguridad ciudadana se refiere al replanteamiento que ha experimentado en las últimas décadas el concepto de seguridad en su sentido más amplio, desplazado de una visión estadocéntrica de seguridad nacional hacia un enfoque antropocéntrico de seguridad humana (Moller 2000; Orozco 2006b). En cierta medida, la construcción de la problemática de la seguridad ciudadana se inscribe en una lógica de *securitización* (Buzan, Waever y De Wilde 1998), esto es, la politización de factores propios de la seguridad (amenaza, vulnerabilidad, protección, etc.), presentes en ámbitos como el social, económico, ambiental y demás.

En este proceso, los gobiernos locales se constituyen —bajo el principio de subsidiaridad— en ejes articuladores de la formulación e implementación de las políticas de seguridad ciudadana, entendidas como el conjunto organizado y estructurado de acciones enfocadas en generar situaciones, bienes y servicios públicos para satisfacer demandas ciudadanas de seguridad (C. Gómez 2008, 370). Esto ha respondido, por un lado, a la incapacidad del Estado para dar respuesta a las nuevas lógicas de violencia en contextos urbanos y, por otro, al nuevo rol que los gobiernos locales han adquirido en los procesos de descentralización.

Así, durante las últimas décadas, la violencia urbana se ha convertido en una de las problemáticas fundamentales de las ciudades latinoamericanas. Sin embargo, las tasas de criminalidad sistematizadas por organismos como la ONU, la Organización Panamericana de la Salud (OPS) o los observatorios de seguridad, y una serie de estudios de caso resaltan las limitaciones de las políticas de seguridad impulsadas por gobiernos locales.

Las políticas de seguridad ciudadana: una revisión de la literatura

En general, en la literatura se observa una tendencia a asociar la problemática de la seguridad ciudadana con factores de carácter estructural. Así, por ejemplo, Bislev (2004) sostiene que la globalización ha transformado el contexto, estructura e instituciones del Estado-nación, redefiniendo la idea de que el Estado es el depositario de la seguridad pública. Por el contrario, afirma Bislev, la seguridad se configura en términos de la asociación y participación activa de los ciudadanos como expresión de un conjunto de condicionamientos sociales, culturales y políticos. Se trata de una lógica aplicada sobre todo en el contexto de los Estados Unidos, apropiada para dar cuenta del auge de estrategias de privatización de la seguridad, independientemente de la adscripción conservadora o liberal de los modelos de políticas.

En América Latina, dadas las características de la región, la vinculación entre violencia, seguridad y factores estructurales es aún más evidente. Desde una perspectiva económica, Sánchez (2006) señala que las políticas de corte neoliberal implementadas en las décadas de los ochenta y noventa han incidido en configurar una violencia estructural (inequidad, exclusión, pobreza), una violencia radical (protesta, insurrección política) y una violencia criminal (pandillas, mafias, drogas, carteles), articuladas de manera interdependiente. Esta perspectiva multidimensional de la violencia se complementa con otras lecturas de carácter histórico, como la ensayada por (1994), autor que relaciona los fenómenos de criminalidad con las condiciones sociales, económicas, políticas y culturales de la región.

Esto ha conducido a problematizar la inseguridad ciudadana en América Latina a partir del incremento de la violencia y la aparición de nuevos tipos de delito, con lo que se abre la reflexión no solo sobre las consecuencias sociales y económicas del fenómeno (Gilibert 1997; Carrión 2005), sino además en torno a aspectos relacionados con la percepción de inseguridad, la confianza en las instituciones policiales y la situación de los sistemas penitenciarios (Costa 2012). En esta línea, Cruz (2000) argumenta que, más allá de los impactos en términos de vidas y desarrollo económico, el fenómeno de la violencia transforma la cultura política y, consecuentemente, afecta los procesos democráticos. A este respecto, ante la ausencia de estrategias sociales y políticas frente a la inseguridad, los ciudadanos tienden a no participar de manera activa, generando desconfianza en las instituciones y en los mecanismos legales de control, lo que lleva a legitimar posturas autoritarias.

De otra parte, si bien se constata una amplia producción académica sobre la problemática de la seguridad ciudadana, tanto en América Latina (Bustos 1990; Izard 1990; Castañeda 1998; Arriagada y Godoy 1999; Buvinic, Morrison y Shifter 1999; Londoño, Gaviria y Guerrero 2000; Rico y Chinchilla 2002; Cuevas 2007; Frühling s.f.), como en Iberoamérica (Sepúlveda 2008), y en distintos contextos en general (Ruiz 2011), los estudios sobre las distintas regiones del continente se han agrupado en función de problemáticas específicas. Por ejemplo, en la región andina ha concitado especial interés el alto nivel de violencia y las problemáticas del narcotráfico que caracterizan a varios países de esta subregión (Mac Gregor 1993; Bernales 1999; Carrión 2004; Espín 2010). En Centroamérica el énfasis del debate se ha puesto en analizar los condicionantes sociales de la región, en términos, por ejemplo, de la problemática de las maras y las pandillas (Chinchilla 2001; Sojo 2001; Liebel 2002; Goubaud 2008; Mesa y Moorhouse 2009).

Una de las entradas más recurrentes para explicar la seguridad ciudadana está relacionada con la problemática de la violencia urbana, en función de la cual se concibe el delito como un fenómeno social que se expresa sobre todo en las ciudades (Carrión 1994; Roux 1994; Sozzo 1999; Concha-Eastman 2000; Olmo 2000; Briceño-León 2007). En oposición al enfoque positivista de la criminología clásica, en esta literatura se plantea que la segregación socioespacial, la carencia de espacios públicos, la escasez de bienes y servicios de calidad, entre otros, son factores que contribuyen a la violencia. Sin embargo, Carrión (1994, 2004) y F. Guzmán (1994) advierten que la ciudad, como tal, no debe ser vista como determinante de la violencia, sino como el producto de relaciones sociales conflictivas, sobre las que se configuran violencias de carácter político, económico, intrafamiliar, cotidiano, etc. Borja (2003) señala que la relación entre violencia, seguridad y ciudad estaría configurada por una crisis del espacio público y su pérdida de sentido como esfera de interacción política.

Huggins (2000) argumenta que en ciudades como São Paulo el problema de la violencia urbana genera consecuencias incluso mayores a las observadas en situaciones de insurgencia armada o conflictos militares. Este problema se ve agravado por una marginalidad estructural, bajo cuyo efecto la seguridad se configura sobre un sentido antagónico que menoscaba la ciudadanía y condiciona el control social a las posibilidades económicas de los individuos. De igual modo, en estudios sobre empleo y patrones de criminalidad juvenil, realizados en Brooklyn y en algunos barrios de Chicago,

McGahey (1986) muestra cómo los cambios económicos, de organización social, demográficos, así como condiciones de pobreza e inequidad en el mercado laboral, pueden causar dinámicas de ruptura social relacionadas con actos delictivos. El argumento de fondo es que la erosión de las instituciones sociales constituye la principal fuente de la criminalidad.

De alguna manera, conforme lo resaltan Baires, De Freitas y Pedrazzini (2003), los argumentos de causalidad entre marginalidad urbana y violencia han inducido una criminalización de la pobreza, materializada en la estigmatización de los habitantes de zonas marginales como individuos peligrosos. Especial atención han recibido los debates sobre las condiciones de marginalidad de los jóvenes, tanto en situación de víctimas como de victimarios (Fournier 2000). Así lo evidencian algunos estudios realizados en ciudades como Santo Domingo (Abreu 2003) y São Paulo (Adorno 2000).

En la misma línea, estudios como el efectuado en la década de los setenta por Vigil (2003) en enclaves étnicos de afroamericanos y latinos ubicados en ciudades del medio-oeste y este de los Estados Unidos, resaltan las condiciones de violencia y marginalidad en la formación de pandillas callejeras, asociadas con procesos de inmigración y adaptación a la ciudad, en los cuales se han configurado subculturas de la violencia relacionadas con valores y normas de agresividad. Este fenómeno ha sido ampliamente abordado en países que presentan altos niveles de inmigración, como es el caso de España. En estos contextos se observa una tendencia a asociar la inmigración con el aumento de la delincuencia, sobre la base de datos que revelan un incremento de detenciones de miembros de poblaciones extranjeras (Avilés 2002). No obstante, para autores como Vanderschueren (1994) y Silveira e Imanishi (2009), este fenómeno de penalización de la marginalidad constituye en última instancia una construcción política, en la medida en que no se observan fundamentos suficientes para afirmar que existe una correlación directa entre pobreza y delincuencia.

La relación entre ciudad y violencia se hace más explícita en los debates que relacionan la expansión y desarrollo urbanísticos con los índices de criminalidad. En el caso de Barcelona, analizado por Álvarez et al. (s.f.), el problema de la seguridad ciudadana, más allá del ordenamiento jurídico del país (en términos de la protección otorgada por la sociedad a cada uno de sus miembros), está entendido sobre todo en función de las condiciones espaciales, referidas a la centralidad del distrito, tamaño, población, entre otras.

Por su parte, Wikström (1995) sostiene que algunos aspectos relacionados con las centralidades urbanas son determinantes de la seguridad, en tanto estos espacios concentran una compleja dinámica de usos de suelo, funciones y actividades que pueden crear *hot spots* en los que se concentra la criminalidad. Aunque admite que este es un fenómeno más recurrente en los Estados Unidos que en Europa, el autor destaca que investigaciones realizadas en el centro de Estocolmo a finales de los ochenta evidenciarían cómo la concentración de criminalidad en este sector estaría asociada a factores de violencia juvenil, migración, desorden público, vandalismo y deterioro del lugar, consumo de alcohol y drogas, presencia de centros de diversión, asaltos y homicidios.

Esto remite a los debates sobre la relación entre problemas de violencia y seguridad y las condiciones ambientales de las ciudades. El argumento central de Clarke (1983) es, a este respecto, que un acto criminal no depende exclusivamente de la disposición individual del delincuente para cometer un delito, sino también de las condiciones del ambiente en términos de factores situacionales, de la vulnerabilidad de la víctima y de las oportunidades presentes.

De igual forma, para Skogan (1986), existen factores que contribuyen al deterioro de los barrios, tales como la desinversión de los dueños en reparación y rehabilitación de sus propiedades, la demolición y construcción, la demagogia de actores claves (inmobiliarios y políticos), procesos de desindustrialización, cambios de uso de suelo, entre otros que producirían ambientes propicios para el desarrollo de criminalidad, pero también de miedo y percepción de inseguridad. En los casos analizados por Skogan sobre Chicago, Mineapólis y algunas ciudades de Inglaterra, se identifica una relación entre áreas de mayor criminalidad y la construcción de percepciones negativas sobre estas zonas. Este deterioro se ve expresado en desorden, lotes vacíos, carros abandonados, basura, prostitución, alcoholismo, expendio de drogas, violencia contra mujeres, conflictividad étnica y de clases. Desde este argumento, los problemas de percepción de inseguridad y miedo generan a su vez efectos sobre la vida de la comunidad, pues debilitan los procesos de control social y merman la capacidad de organización y movilización de los barrios.

Esta última puntualización introduce un amplio debate sobre la problematización de la inseguridad ciudadana en términos de su dimensión subjetiva, esto es, entendida como parte de un proceso de construcción social del miedo (Casas 1997; Walklate 1998; Reguillo 2000; Carrión y Núñez 2006; Van Leeuwen 2007; Kessler 2009). En esta línea analítica, autores como Hope (1995) y Basombrío (2003) enfatizan que los elementos subjetivos de la inseguridad tienen una correlación con los efectos reales de la victimización. Sin embargo, trabajos como los de Oviedo (1994) y Córdova (2008) revelan que, por ejemplo, en los casos de Santiago de Chile y Quito, respectivamente, la percepción de inseguridad es generalmente un fenómeno sobredimensionado.

Es preciso señalar que, a pesar de que se ha intentado instalar a nivel empírico el debate sobre la violencia urbana y la seguridad ciudadana en el contexto socioespacial de la ciudad (Rotker 2000; UN-Hábitat 2009), su análisis ha terminado anclándose a un sentido integral, explicado a través de la interrelación de un conjunto de factores estructurales, institucionales y facilitadores (Concha-Eastman 2000), lo que ha generado una suerte de desbordamiento del objeto de estudio. Así lo evidencian, por ejemplo, trabajos que muestran la incidencia del fenómeno de la guerrilla en Lima (Mastro y Sánchez 1994), los efectos de la violencia política de posguerra en San Salvador (Lungo y Baires 1994; Lungo y Martel 2004), la incidencia de la pobreza y la crisis social en Guayaquil (Villavicencio 1994), o la tensión en la frontera San Diego-Tijuana, derivada de la brecha socioeconómica y las diferencias culturales entre los dos países fronterizos (Bislev 2004).

Nivel macro: metas generales

A partir de los años noventa, se ha desarrollado una importante producción bibliográfica sobre políticas de seguridad ciudadana, tanto en términos de textos académicos (Blanco, Frühling y Guzmán 1995; Guzmán 1999; Silva 2000; Balbín 2004; Pontón 2004; G. Núñez 2006; Recasens 2007; Gutiérrez 2011), como de documentos de difusión (Buvinic, Morrison y Shifter 1999; World Bank 2006; OEA 2009;[6] PNUD 2013).

Una porción significativa de los trabajos revisados corresponde a estudios de carácter descriptivo y propositivo, en los cuales, a partir de un debate conceptual normativo (Arriagada y Godoy 1999; Tudela 2001; Borja 2003; Mesquita 2006; Gabaldón 2007; C. Gómez 2008), o de un diagnóstico empírico de la problemática de la violencia/inseguridad en un determinado contexto nacional o local (Garotinho 1998; E. López 2000; Costa 2007; Gabaldón 2008; Saín 2008; Carrión, Pontón y Armijos 2009), se plantean

[6] OEA, "Informe sobre seguridad ciudadana y derechos humanos", Documento de difusión, OEA, (2009).

una serie de estrategias y acciones inscritas en una concepción de políticas públicas. En menor proporción, existe un conjunto de trabajos en que se desarrollan análisis comparados entre distintos países (Dammert y Arias 2007; Álvarez y Manzotti 2008), fundamentados principalmente en la revisión estadística del fenómeno de la violencia y la caracterización de las instituciones de la seguridad ciudadana.

En el contexto de este debate, las políticas de seguridad ciudadana han sido concebidas en función del concepto de seguridad humana, esto es, como un conjunto de estrategias direccionadas tanto a prevenir y controlar la violencia y el delito, como a reformar las instituciones involucradas. Así, las metas generales de las políticas de seguridad ciudadana han sido delineadas desde una perspectiva holística, orientada a aprehender el contexto y la particularidad de los diferentes procesos, comprender las causas sociales e institucionales de la violencia, y combinar estrategias estructurales con acciones concretas de control (Bertranou y Calderón 2008, 18).

De este enfoque holístico se desprenden cuatro aspectos fundamentales que guían las metas generales de las políticas. Primero, un sentido multidimensional sustentado en recopilar y procesar información actualizada y confiable para el análisis y formulación de las políticas. Segundo, la construcción integral de estrategias para reducir la violencia dentro de una concepción más amplia de desarrollo. Tercero, la recuperación de la confianza ciudadana mediante una reforma institucional de los sectores judicial y de seguridad, bajo una perspectiva de mediano y largo plazo. Finalmente, la generación de mecanismos de control y participación de la sociedad civil como eje central de las políticas de seguridad (Bertranou y Calderón 2008, 19).

Estas metas generales evidencian las nuevas formas de entender la problemática de la violencia y el delito en la dinámica urbana contemporánea. Se inscriben en la redefinición de la noción de seguridad a partir del impulso del paradigma de la seguridad humana. Así, por ejemplo, el análisis de Jarrín (2005) muestra cómo en el caso ecuatoriano —desde una visión evolutiva de la seguridad— se fue incorporando la noción de una violencia urbanizada y diversificada que requería ser contrarrestada con estrategias de preservación de la integridad física y garantía de los derechos humanos. Para el mismo caso ecuatoriano, Páez (2004) argumenta que, ante el agotamiento de la doctrina de seguridad militar, se hace necesario formular soluciones de política pública de seguridad ciudadana, entendidas como una respuesta multidimensional —de carácter histórico, social y cultural— a una forma de violencia estructural que genera desequilibrios sociales.

Para Matul y Dinarte (2005), la nueva concepción de la seguridad, que coloca al ser humano como eje central de las políticas, ha significado en Centroamérica el tránsito desde una lógica autoritaria hacia esquemas de seguridad más democráticos e integrales, en el contexto de los acuerdos de paz y el avance de la integración regional. En Costa Rica, la ampliación de la agenda de seguridad desde mediados de la década de los noventa alrededor del concepto de seguridad democrática ha implicado incluir metas generales relacionadas con el fortalecimiento del estado de derecho, la lucha contra la pobreza, la gestión de amenazas naturales y tecnológicas, entre otras dimensiones. Estas metas, muy amplias y dispersas, estarían dificultando la implementación de políticas públicas efectivas.

En cierta forma, los objetivos generales de las políticas de seguridad ciudadana se encuentran relacionados con los procesos de consolidación democrática que desde finales de la década de los setenta experimentan varios países latinoamericanos. En el contexto de ese debate, Oviedo (2001) recuerda que, en el Chile de inicios de los noventa, uno de los objetivos del primer Gobierno de la

Concertación estuvo dirigido a redefinir la doctrina de seguridad del Estado hacia una concepción de seguridad ciudadana, como parte de la restitución de la institucionalidad democrática tras la experiencia del régimen autoritario.

De otra parte, se identifica en la literatura un debate alrededor de la incorporación del concepto de *seguridad humana* en los marcos constitucionales de los diferentes países y en la formulación de las metas generales de las políticas. Izu (1988) sostiene que tras la aprobación de la Constitución española de 1978 se ha redefinido el concepto de orden público hacia el de seguridad pública o seguridad ciudadana, lo que —más allá del aspecto semántico— ha implicado cambios substanciales en el ordenamiento jurídico e institucional de la seguridad. Se ha configurado, en ese sentido, un enfoque amplio e integral del derecho ciudadano, orientado a la protección de personas y bienes frente a diversas agresiones provenientes de actos humanos, fuerzas naturales o hechos accidentales.

De igual forma, como evidencia G. Núñez (2006), en Venezuela la noción de seguridad ciudadana se consagra por primera vez en la Constitución de 1999, bajo los principios de protección de derechos y libertades de los ciudadanos. En términos de políticas públicas, esto ha significado la redefinición integral y participativa de los objetivos o metas generales, en los que se incluyen reducir las desigualdades sociales, atender a sectores pobres y activar mecanismos de prevención del delito.

Es importante señalar que la definición de las metas generales de las políticas de seguridad ciudadana responde a una lógica homogénea en los diferentes contextos. De ahí que se ha debatido sobre la incidencia de los distintos organismos internacionales en las políticas públicas de seguridad, tanto en términos del apoyo técnico y financiero a los gobiernos, como a través de la difusión de las denominadas buenas prácticas y los postulados del *good governance*.

Para el caso de Chile, Puente y Torres (2001) evidencian cómo la seguridad ciudadana se ha configurado en las últimas décadas como un fenómeno "glocalizado". Esta concepción ha reemplazado a la anterior Doctrina de Seguridad Nacional gracias a la difusión internacional de una serie de teorías y estrategias surgidas en los países industrializados, tales como la "ventana rota", la "tolerancia cero" y diversos modelos de prevención del delito, postulados que se han incorporado en el contexto chileno, muchas veces en contradicción con la realidad del país. En la misma línea, Barberet (2004) analiza la problemática de la seguridad urbana en Europa y sus consecuencias para las ciudades de América Latina, resaltando las dificultades de exportar ideas y estrategias sobre seguridad ciudadana a otros contextos sin que medie un proceso de adaptación según las características socioculturales e institucionales de cada región.

Nivel meso: objetivos específicos

En la literatura revisada se enfatiza que las políticas de seguridad ciudadana se han estructurado —en un nivel macro— alrededor de metas generales derivadas de los principios ordenadores del concepto de seguridad humana. Los objetivos específicos, de las políticas de seguridad en el nivel meso, se encuentran direccionados principalmente a fortalecer la institucionalidad, así como a la generación de dinámicas de prevención, convivencia y participación ciudadana. En ese sentido, interesa observar a continuación de qué manera se han abordado las distintas soluciones propuestas a la problemática de la violencia e inseguridad, en términos de las estrategias centradas en lo estatal, las centradas en la sociedad y aquellas de carácter mixto.

Las estrategias centradas en lo estatal

Autores como Carrión (2008) y Curbet (2009) enfatizan que las políticas de seguridad necesitan una aproximación integral, capaz de aprehender la dimensión objetiva y subjetiva de la inseguridad. Esto implica que las respuestas planteadas deben estructurarse a partir de distintas dimensiones, con el objeto de contrarrestar la multicausalidad que refleja la violencia urbana. Bajo esta lógica, el paradigma de la seguridad ciudadana conlleva desplegar estrategias que incorporan actores no estatales.

Sin embargo, la literatura evidencia el desarrollo de un debate de carácter prescriptivo en el que se recalca la centralidad y preponderancia del Estado (tanto central como del gobierno local) en las políticas de seguridad ciudadana. Así, por ejemplo, Dammert (2007) argumenta que las estrategias contra la inseguridad deben enfocarse en la continuidad de las políticas, a través de consensos que den sostenibilidad a los procesos más allá de los períodos de gobierno. De esta manera, la modernización y profesionalización del aparato municipal constituye un factor determinante para enfrentar el problema.

En el contexto de este debate, varios trabajos destacan el rol y la responsabilidad de los gobiernos locales en la construcción de políticas públicas de seguridad ciudadana (Lagrange y Zauberman 1991; Rivera 2005; Soares 2005; Mesquita 2006). Al respecto, Munizaga (2010), partiendo de la experiencia de los municipios en Chile, evidencia que estas entidades presentan una mayor presencia e influencia en el territorio, lo que les permite desplegar de manera más efectiva estrategias de prevención y seguridad ciudadana. Especial importancia se asigna al liderazgo de los alcaldes y su capacidad de dirigir a los distintos actores involucrados. De igual manera, al observar el caso colombiano, Acero (2003, 2005b) evidencia que el fenómeno de la violencia y el delito posee particularidades locales que es más conveniente abordar en ese nivel territorial. Se resalta, entonces, la necesidad de construir una institucionalidad que permita no solo revertir la organización estatal de la seguridad nacional, sino sobre todo empoderar a los gobiernos locales como instancias de coordinación de las estrategias de seguridad.

La capacidad de coordinación del gobierno local constituye una cuestión central en el debate sobre la institucionalidad de la seguridad. Mesquita (2004) muestra para el caso de São Paulo cómo la política de seguridad ciudadana ha estado condicionada por la falta de coordinación interinstitucional entre el Municipio y la Policía, tanto en el nivel local como estatal. Acero (2005a) argumenta que el éxito colombiano en materia de seguridad, concretamente en ciudades como Bogotá, Medellín y Cali, respondería en parte a una efectiva subordinación de los órganos policiales a las autoridades civiles locales.

De esta manera, las estrategias centradas en lo estatal se han direccionado a establecer mecanismos de articulación interinstitucional, pero principalmente a fortalecer la institucionalidad de las distintas organizaciones públicas involucradas en la seguridad. Se identifican, en ese sentido, amplios debates sobre la reforma del sistema penal (García y Vargas 2001; Riego y Vargas 2005; Pásara 2010; Cardozo 2010; Rosales 2010), del sistema penitenciario (E. Gómez 1997; Barrón 2002; Carranza 2003; Pinto y Lorenzo 2004; Sozzo 2007) y de los organismos policiales (Salomón y Castellanos 1996; Camacho 2000; Frühling 2001; Casas 2005; D. Pontón 2009; Saín 2010).

En este amplio cuerpo de literatura se enfatiza la necesidad de modernizar esos ámbitos institucionales en función de los objetivos de la seguridad ciudadana. Los respectivos mecanismos incluyen, por ejemplo, para el sistema penal, un mayor respeto de los derechos individuales, implementar un sistema acusatorio y racionalizar el sistema de instrucción criminal. En cuanto al sistema penitenciario, se resalta la necesidad de profundizar en las funciones básicas de las cárceles, referidas a la rehabilitación y reinserción de las personas privadas de libertad. En el ámbito policial, finalmente, las reformas institucionales se inscriben en los principios de convivencia y participación, concretados en estrategias como la policía comunitaria, tendientes a una mayor articulación entre los cuerpos del orden y la ciudadanía.

Se observa además un debate sobre la institucionalidad de la seguridad en términos de las implicaciones de los procesos de gestión pública. Autores como Paulsen (2005), Zúñiga (2010), Blanco y Varela (2011) y Tocornal (2011) destacan la pertinencia de la adaptación local de políticas o prácticas "exitosas" de seguridad ciudadana, como una manera eficaz de reducir la delincuencia y la violencia, en tanto las "intervenciones basadas en evidencia" aseguran resultados sustentados en un proceso científico. Desde una lectura económica, la temática del presupuesto asignado a las políticas de seguridad aparece en la literatura como un elemento importante. A partir de la experiencia de Lima, Muñoz (2009) demuestra que los recursos provenientes de la recaudación tributaria local explican no solo la mayor eficiencia de los servicios municipales de seguridad, respecto a los prestados por el Estado, sino además las diferencias de rendimiento de la política entre los distintos municipios del área metropolitana.

De otra parte, es importante ratificar que las estrategias de seguridad ciudadana en América Latina han estado condicionadas por el legado de la Doctrina de Seguridad Nacional (Leal Buitrago 2002), lo que ha producido una fuerte dependencia de sendero de estos marcos institucionales de carácter estadocéntrico. En el caso ecuatoriano, por ejemplo, en tanto la política de seguridad pública es tributaria de los postulados de la Ley de Seguridad Nacional vigente desde 1964 (Haro 2010), la política pública de seguridad ciudadana se sustentó en una caracterización de la violencia como un fenómeno creciente con graves impactos en la sociedad, el cual demanda una agenda de seguridad centrada en la figura del Estado e impulsada desde los municipios e instituciones estratégicas como la Policía Nacional (Jarrín 2005).

Las estrategias centradas en la sociedad

Las soluciones que involucran a la sociedad como actor fundamental de las políticas de seguridad se fundamentan en los paradigmas de la criminología crítica y de la seguridad ciudadana, materializándose en estrategias de prevención y convivencia (Puente y Torres 2000).

Conforme lo señala Hope (1995), una de las estrategias de mayor relevancia radica en la prevención comunitaria del crimen, entendida como un conjunto de acciones enfocadas en cambiar las condiciones sociales que inducen el delito en comunidades residenciales. Hope muestra cómo, a partir de la década de los setenta en los Estados Unidos y posteriormente también en Europa, se han desplegado este tipo de estrategias mediante acciones que incluyen la organización de vigilancia ciudadana (autopolicía informal operada por la población), el fortalecimiento de instituciones sociales (familia, redes de amigos, asociaciones, clubes) y la modificación ambiental (defensa residencial, mejoramiento de espacio público).

Loader (2006) sostiene que las prácticas y acciones de policía que son ejecutadas desde la sociedad civil contribuyen a la producción y fortalecimiento de los valores de la democracia, en tanto refuerzan la seguridad a través de un sentido de pertenencia y confianza en la comunidad política.

Este fenómeno ha sido bastante analizado en el contexto de los Estados Unidos. Percy (1987) plantea que el crecimiento del crimen y el miedo en las ciudades norteamericanas ha estimulado a los residentes urbanos a involucrarse en la seguridad a través de lógicas de coproducción, concretadas en mecanismos de acción ciudadana que, conjuntamente con la oferta de agencias públicas, buscan mejorar cualitativa y cuantitativamente la provisión de servicios públicos de seguridad. El autor destaca que acciones concretas como implementar protección en los hogares, instalar alarmas, mejorar espacios, entre otras, caracterizan la tendencia norteamericana a privilegiar acciones individuales. Recalca además que las características socioeconómicas de los residentes influyen en las posibilidades de construir mecanismos de coproducción. Hope (1995) revela que en barrios de poblaciones de bajos recursos, las comunidades tienden a requerir soporte externo para mantener el orden y las medidas están mayormente direccionadas a reducir el desorden ambiental antes que la propia criminalidad.

En paralelo a estas estrategias, en la revisión de la literatura se identifican respuestas por fuera del marco formal y legal de la seguridad. Como lo señala Ungar (2007), la combinación de una economía de mercado y el incremento de las tasas de criminalidad han impulsado lógicas de seguridad privada que operan dentro de la institucionalidad sectorial. Sin embargo, según evidencia Huggins (2000) en un estudio sobre Brasil, el aparecimiento de prácticas de subcontratación de la policía para labores privadas ha distorsionado el sentido público de esta institución, en tanto ha condicionado el control social a las posibilidades económicas de la población. En América Latina, sobre todo, estudios como el de M. Sánchez (2006) advierten la configuración de respuestas de carácter informal, consecuencia del hecho de que los gobernantes han perdido el control sobre la seguridad pública, siendo reemplazados por grupos privados que actúan por fuera de la normatividad. Este es el caso analizado por Romero y Parra (2008) en torno a la operación de organizaciones de protección informales en el estado Zulia, en Venezuela.

En los últimos años se ha desarrollado un debate sobre la seguridad privada como estrategia desplegada desde el mercado (Musumeci 1998; J. J. Sánchez 2001; Button 2002; Poulin y Nemeth 2004).

Señala Abelson (2006) que la prestación de servicios de seguridad se ha convertido en una compleja industria mundial en acelerado crecimiento, lo que ha determinado que la cantidad de agentes privados supere ampliamente a la fuerza pública. En el caso de Chile, analizado por Abelson, el crecimiento de la seguridad privada estaría relacionado con una brecha entre la oferta de la seguridad pública y las expectativas ciudadanas, así como con el aumento de espacios cuasipúblicos que requieren una vigilancia privada. Por el contrario, Argueta (2010) sostiene que la proliferación de servicios de seguridad privada es el resultado de la superposición de diferentes procesos políticos de posguerra y la continuidad de mecanismos de control social, tal como se observa en la experiencia de Guatemala. En el caso de España, Bosh et al. (2004) analizan, desde la perspectiva de la sociología de las organizaciones, las articulaciones entre la seguridad pública y la privada, en términos del sentido de corresponsabilidad implícito en las relaciones de cooperación y conflicto entre los dos sectores.

En definitiva, el análisis de los casos observados resalta las implicaciones de la seguridad privada para las políticas públicas, concretamente en lo que se refiere a la legislación que regula las funciones y competencias de las entidades particulares y las instituciones públicas involucradas. Se identifica además una preocupación transversal sobre el rol social de la seguridad privada, en función de un sistema de seguridad que equilibre valores como la justicia social y la equidad frente a principios económicos como la eficacia y la libertad de mercado.

Las estrategias mixtas

En la literatura se evidencia que las soluciones a la problemática de la seguridad han incorporado activamente a la población, especialmente en los Estados Unidos. No obstante, la consolidación de un nuevo paradigma de seguridad ciudadana se ha articulado sobre todo alrededor de respuestas de carácter mixto, esto es, soluciones direccionadas desde instancias estatales pero instrumentadas a través de mecanismos de participación de la comunidad. Este tipo de estrategias se inscribe en el debate sobre las relaciones Estado-sociedad en el paradigma de la seguridad (Pegoraro 1997) y sobre el rol de la sociedad civil en el desarrollo de las políticas (Sampson 2004; Van Swaaningen 2007).

Entre los autores se señala que la sustitución de estrategias punitivas de control del delito por otras enfocadas en generar ambientes seguros, fundamenta el concepto de policía comunitaria, en tanto significa estructuras para gobernar las comunidades mediante asociaciones híbridas entre la Policía, los seguros y el voluntarismo individual (Simon 2006). Como lo resalta Neild (2003), han sido claves las reformas policiales desarrolladas en las décadas de los ochenta y noventa en distintos países de la región, dirigidas a generar mecanismos de cooperación de la Policía con la comunidad, mejorar la relación de la institución con el poder público y revertir el modelo jerárquico-militar a favor de un modelo de gestión civil.

Iadicola (1986) argumenta que las dinámicas de control comunitario del crimen se han configurado como consecuencia de los efectos fiscales de la Policía y la decisión de esta institución de no preocuparse por crímenes menores, así como por el interés de utilizar a los residentes en la reducción de las oportunidades para la actividad criminal. Iadicola identifica tres modelos de control comunitario aplicados en los Estados Unidos: i) modelo de disuasión de la victimización, en el que las comunidades se organizan para afrontar la problemática del crimen asumiendo estrategias implementadas por la Policía; ii) modelo de organización social y control social, asociado a la movilización de los residentes de la comunidad para combatir la desorganización a través de programas de recreación, servicios de empleo, programas de educación y fortalecimiento del ambiente físico. Este es un modelo vinculado a comunidades pequeñas y rurales, caracterizadas por patrimonio, cultura, valores, homogeneidad y compromisos entre grupos de diferentes posiciones sociales; y iii) modelo de control de la comunidad y cambio social, sustentado en la idea de que la criminalidad es sensible a las condiciones sociales, por lo que es necesario reducir la desigualdad para disminuir el crimen.

La participación comunitaria en la prevención del delito ha sido una estrategia importante en las políticas de seguridad ciudadana también en América Latina (Silva 1997; Araya 1999; Pegoraro 2002). En un análisis comparativo de Sao Paulo (Brasil), Santiago (Chile) y Córdoba (Argentina), Dammert (2004a) identifica estrategias de carácter mixto que contemplan aspectos tales como la participación y reestructuración policial, coordinación interinstitucional, incorporación de la ciudadanía y dirección del gobierno local. De la misma manera, el análisis de Romero, Rujano y del Nogal (2008) sobre las experiencias de los peligrosos barrios 6 de Enero y Villa Valencia, en Maracaibo (Venezuela), evidencia el impacto de la fuerte organización social, asociada a estrategias como guardias nocturnas, apoyo económico de la propia comunidad, apoyo del gobierno local y la gobernación, entre otras. En la misma línea, Smulovitz (2003) muestra cómo las experiencias de *policiamiento* comunitario en Argentina, Brasil y Chile han generado resultados que correlacionan estratificación social y niveles de participación.

De otra parte, se observan estrategias relacionadas con el concepto de prevención situacional, por el cual se concibe el control del delito como gestión de riesgos, esto es, la intervención sobre las amenazas y vulnerabilidades del ambiente de las potenciales víctimas (Crawford 1998, 2009). Según O'Malley (2004), esta noción implica, por un lado, que los programas de control del delito deben intervenir antes y no después que este ocurra, y, por otro, que la reducción de las oportunidades para cometer delitos bajará proporcionalmente el número de delincuentes. Según el autor, se trata de un mecanismo que —a diferencia de otras respuestas de carácter correccional y de criminología causal— ha tenido una importante influencia y legitimidad política. No obstante, como reconoce O'Malley, las estrategias de carácter persuasivo han sido criticadas, entre otros motivos, por el hecho de que la prevención situacional únicamente logra desplazar el delito hacia objetivos más accesibles y solo reacciona ante los síntomas, fracasando en enfrentar los problemas permanentes.

En consecuencia, conforme lo señala Clarke (1983), las soluciones de la prevención situacional se orientan por formas específicas de criminalidad, mediante la gestión, diseño y manipulación del entorno urbano de manera sistemática y permanente, con el objeto de reducir las oportunidades del delito e incrementar el riesgo del delincuente. El estudio de Wikström (1995) sobre la violencia en el centro de Estocolmo identifica acciones tendientes a mantener a los jóvenes vinculados con delitos fuera de la zona (involucrándolos en actividades productivas), incrementar la vigilancia de los jóvenes en el centro, restringir la venta de alcohol, ejercer control sobre los establecimientos de diversión, implementar control de armas, entre otros. En un estudio sobre Hilo, Hawái, la autora Engle (2001) muestra cómo las estrategias, más allá de castigar a los delincuentes, buscan separar espacialmente a las potenciales víctimas y agresores. Skogan (1986) es categórico en resaltar que los índices de criminalidad no necesariamente cambian con la intervención sobre las características físicas y sociales de un determinado sector de la ciudad; para él, es necesario tener en cuenta otros factores tales como programas de gobierno, acción colectiva e iniciativas individuales que ayuden a generar estabilidad en los barrios.

Vargas y Castillo (2008) identifican algunas experiencias latinoamericanas de prevención de la violencia y el delito mediante diseño ambiental, entre las que destacan las Comunidades Justas y Seguras (Rosario, Argentina), las Colonias Urbanas y el Centro Deportivo Unidad vecinal 18 (Santiago, Chile), las Comisiones Civiles Comunitarias (Sao Paulo, Brasil), las Culturas Juveniles y Comunidad (Quito, Ecuador) y la Educación para la Conveniencia y Seguridad Ciudadana (Bogotá, Colombia).

En un sentido más amplio, las estrategias de prevención en última instancia están direccionadas a incidir en los patrones culturales de la ciudadanía. Estudios como los de Camacho y Camargo (1998), Llorente y Rivas (2004), y Martin y Ceballos (2004), identifican la política de seguridad ciudadana de Bogotá como una iniciativa de convivencia articulada a la cultura ciudadana, entendida como mecanismo para recuperar el espacio público y promover una apropiación proactiva de la ciudad. Durston (2009) destaca que las estrategias de prevención y participación pueden incorporar elementos culturales y educativos a las políticas, tal como se evidencia en las estrategias artísticas contra la violencia aplicadas en Río de Janeiro. De manera más general, Mosconi (2005) señala que un modo de prevención integrada implica una prevención social, materializada en un conjunto de medidas direccionadas a incentivar el desarrollo social y económico, mejorar la calidad de vida, superar las realidades de desigualdad social y marginalidad, todo lo cual, en definitiva, implica atacar las condiciones sociales que generan los procesos de criminalización y victimización.

Las soluciones de carácter mixto han sido también abordadas en la literatura a partir de las lógicas de interacción entre actores estatales y no estatales. En el contexto de los gobiernos locales en Brasil, Ribeiro y Patrício (2011) destacan el papel de las instituciones externas al Municipio respecto a la planificación e implementación de políticas de seguridad, dentro de una lógica de asociación público-privada. Trabajos como los de Edwards y Hughes (2009) y Selmini (2009) abordan —aunque de manera tangencial y descriptiva— cómo en Europa las implicaciones de las nuevas formas de autoridad pública, configuradas más allá del Estado, en términos de una participación directa del sector comercial y del voluntariado, están condicionando el desarrollo de las políticas de seguridad.

E. Velásquez (2008a, 2009) atribuye parte de los éxitos de Bogotá a la gobernabilidad de la seguridad ciudadana, lograda desde la década de los noventa, situación que ha llevado a considerar esta experiencia como un referente de política de seguridad en la región (Llorente y Rivas 2004; Martin y Ceballos 2004). Hay un importante debate respecto de la participación de los distintos actores involucrados en la problemática de la seguridad ciudadana y la incidencia de estas interacciones en las políticas públicas. Como lo señala M. Dávila (2000) para el caso chileno, las modificaciones en las políticas de seguridad han implicado una compleja dinámica de discusiones y negociaciones en las que han intervenido actores diversos, incluido el gobierno, los partidos políticos, los medios de comunicación y la propia ciudadanía.

Nivel micro: ajustes operacionales

En la literatura se identifican diversos instrumentos e instituciones a través de los cuales se han implementado las políticas de seguridad ciudadana. De alguna manera, redefinir el gobierno de la seguridad ha implicado construir mecanismos que permitan operativizar las nuevas lógicas de participación de la población en los asuntos de seguridad. En su análisis de varias experiencias locales de los Estados Unidos y Europa, Hope (1995) subraya que las políticas de prevención social en Gran Bretaña fueron instrumentadas en primera instancia a través de procesos de descentralización y fortalecimiento institucional de los gobiernos locales. Para el caso de Seattle, el autor revela que en los años setenta, por mandato del Congreso, se direccionaron fondos federales para proyectos como el Community Crime Prevention Program y el Crime Prevention through Environmental Design.

En la misma línea de prevención social, Hope destaca la implementación de políticas de vigilancia en programas de vivienda social para sectores marginales en Holanda, complementados con estrategias de recuperación y mantenimiento del espacio público. También analiza, en Gran Bretaña, la instrumentación a finales de los ochenta de programas como el National Association for the Care and Resettlement of Offenders, o el Safe Neighbourhoods Unit. De igual manera, resalta la presencia en diversos países de instrumentos direccionados a la protección de víctimas como el National Crime Survey USA, o el British Crime Survey, los cuales brindaban soporte para el análisis de victimización y la generación de estrategias de financiamiento para los miembros de la comunidad con mayores probabilidades de victimización. Otro programa identificado por Hope es el Burglary Prevention Project, implementado en Kirkholt Estate en Rochdale, Inglaterra, enfocado en articular talleres de trabajo y programas de servicio comunitario para pequeños grupos de vecinos victimizados.

McGahey (1986) muestra cómo en Nueva York durante la década de los setenta se implementaron programas de fortalecimiento del mercado laboral a través del Community Action Program y el Mobilization for Youth, proyectos direccionados a barrios pobres afectados por altos índices de criminalidad. En otro estudio, realizado en Hilo, Hawái, Engle (2001) analiza el reforzamiento institucional del ordenamiento jurídico relativo a crímenes menores y control de sanciones, instrumentado mediante las Órdenes de Restricción Temporales (TRO), mecanismo que incorpora en el sistema legal un proceso civil de emisión de medidas preventivas para violencia y delitos de género, adicional al proceso criminal de arresto y condena.

En cuanto a los instrumentos de prevención fundamentados en estrategias de modificación ambiental, Hope (1995) destaca el American CPTED, programa gestionado por la Westinghouse Corporation, cuyas estrategias de recuperación de espacio público incluían hasta la demolición de barrios enteros, como el caso del Pruitt-Igoe Projects en San Luis, Misuri.

De otra parte, Iadicola (1986) analiza en Hartford, Connecticut, la manera en que la implementación de programas de control del crimen a nivel de barrios se encuentra articulada a una estrategia de disuasión de la victimización. A este respecto, se busca neutralizar las motivaciones y oportunidades "provistas" por los residentes y el ambiente de los barrios, a través de acciones como la alteración de los aspectos físicos de las edificaciones y calles, el fortalecimiento de las capacidades de los grupos vulnerables, el involucramiento de la población en la problemática, el soporte policial y la reducción de los factores de miedo. Además, se implementan estrategias individuales como la instalación de alarmas en los hogares, mayores seguridades en puertas y ventanas, patrullajes colectivos y activación de sistemas de comunicación.

En América Latina, el impulso de la seguridad ciudadana como política pública significó también readecuar los marcos institucionales de la seguridad, antes anclados exclusivamente a instancias y competencias del Ejército y la Policía. Como lo resalta Dammert (2004b), a partir de finales de la década de los noventa se implementaron en Chile algunos instrumentos como la Reforma del Sistema Procesal Penal y el Plan Integral de Seguridad Nacional (a través de mecanismos como sistemas de información delictiva, gestión policial, participación comunitaria, etc.); hacia el 2001, se creó también la División de Seguridad Ciudadana. En la misma línea, en el estudio de Costa (2004) se identifica la aprobación en 2003 de la Ley Nacional de Seguridad Ciudadana de Perú, instrumento enfocado en fortalecer la institucionalidad policial, mejorar el sistema de justicia e impulsar la participación ciudadana en los asuntos de seguridad.

Martí (1994) aborda la experiencia del Consejo de Prevención Ciudadana de Córdoba, Argentina. El autor muestra cómo se han instrumentado políticas a través de acciones público-privadas, dirigidas a articular actividades de prevención y mejorar las relaciones de la Policía con la sociedad. Este mecanismo permitió además desarrollar programas de consulta diagnóstica en distintos barrios, así como programas culturales, ambientales, educativos, entre otros.

Llorente y Rivas (2004) resaltan de qué manera el Programa Misión Bogotá (1998), inscrito en la línea de las "ventanas rotas" y la "cero tolerancia", articuló estrategias de desarme y control de armas, consumo de alcohol (Ley Zanahoria), recuperación de entornos urbanos deteriorados, apoyo directo a la Policía, entre otras. Destacan también el impacto de la reestructuración de la gestión a través de instituciones como la Consejería de Seguridad y Convivencia (posterior Subsecretaría de Convivencia y Seguridad), el Consejo Distrital de Seguridad, y el Observatorio de Violencia y Delincuencia, entre otras entidades.

En un estudio sobre Cali, Concha-Eastman et al. (1994) analizan cómo, en el marco de la Constitución de 1991 y sus postulados sobre descentralización y participación comunitaria, se implementó el Plan de Desarrollo Comunitario, direccionado a enfrentar los problemas de inseguridad mediante una respuesta multicausal. Concretamente, el programa de Desarrollo, Seguridad y Paz (DESEPAZ) incluyó estrategias como los diagnósticos epidemiológicos de la violencia, el fortalecimiento institucional del orden ciudadano (consejos de seguridad, modernización del sistema penal, apoyo a la personería), la educación para la convivencia (medios, escuelas, familia) y el impulso a la participación solidaria (consejos de gobierno voluntarios, consejos de seguridad comunitarios, comités intersectoriales).

En el caso de Quito, D. Pontón (2004), Ojeda (2006, 2008) y Torres (2011) coinciden en que, ante la inexistencia de un marco normativo nacional sobre seguridad ciudadana, la política distrital tiene en el Pacto Social por la Seguridad Ciudadana (2002) la primera instancia formal en la que confluyen varios acuerdos interinstitucionales (Ministerio de Gobierno, Policía Nacional, Dirección Nacional de Rehabilitación, entre otros). Estos apuntan a generar acciones conjuntas para mejorar la seguridad. Resaltan, además, la creación de la Comisión de Seguridad del Concejo, el Concejo Metropolitano de Seguridad Ciudadana y la Dirección Metropolitana de Seguridad Ciudadana, esta última como instancia operativa responsable de planificar, monitorear y evaluar planes, programas y proyectos. Otra institución clave identificada es la Corporación de Seguridad y Convivencia Ciudadana (2002), entidad de derecho privado encargada de administrar los recursos generados por la Tasa de Seguridad Ciudadana, coordinar acciones estratégicas y brindar asistencia técnica en la materia, actividades que facilitaron la ejecución de los presupuestos y la asignación de recursos para la implementación de las políticas.

La literatura revisada evidencia que la implementación de instrumentos e instituciones operativas en materia de seguridad ciudadana en la región ha sido un proceso complejo, en tanto no ha existido claridad respecto a la definición de la problemática y el alcance de las soluciones. Así lo muestra la experiencia dominicana analizada por Olivares (2003), caso en el que el proceso de las políticas de seguridad ha atravesado problemas relacionados con contradicciones en el marco jurídico, superposición de competencias entre las distintas instituciones, ausencia de controles de gestión, entre otros.

Conclusiones

La revisión de la literatura genera varias evidencias fundamentales. En primer lugar, en lo que se refiere a la construcción de la problemática de la seguridad ciudadana, se observa una tendencia a asociar la violencia y la inseguridad con factores estructurales de carácter social, político y económico. Esta tendencia se inscribe en la redefinición de las anteriores concepciones de seguridad nacional y pública, desplazadas por el paradigma más reciente de la *seguridad humana*. Igualmente, gran parte de la literatura aborda el problema de la seguridad como un fenómeno social con una expresión concreta en las ciudades, que responde a factores relacionados con procesos de segregación socioespacial, crisis del espacio público, etc., alrededor de los cuales se configuraría una forma específica de violencia urbana. Conforme se resalta en la literatura, la asociación entre marginalidad urbana y violencia ha conducido no solo a criminalizar la pobreza, dentro de una lógica de politización o *securitización*, sino además a incorporar las condiciones ambientales de las ciudades como factores explicativos de la inseguridad.

En segundo lugar, el análisis de las metas generales, o la *dimensión macro* de las políticas de seguridad ciudadana, ha permitido evidenciar la definición de un conjunto de estrategias de carácter integral y holístico, fundamentadas en las nuevas concepciones de la seguridad humana, enfocadas tanto en generar procesos de convivencia y participación de la ciudadanía como en establecer mecanismos de control de la violencia y el delito. Esto ha implicado, según se observa en la literatura, plantear objetivos generales relacionados con el fortalecimiento multidimensional de los sistemas de información y de la institucionalidad de la seguridad. Especial interés ha concitado el debate de las políticas de seguridad ciudadana dentro de los procesos de democratización, en función de los cuales se han formulado objetivos articulados a las implicaciones políticas, sociales y económicas del régimen democrático. Se identifica que, en el contexto de estos procesos, los marcos constitucionales de varios países han incorporado paulatinamente la noción de seguridad ciudadana. Si bien esto ha significado una mayor definición del ámbito de las políticas y del rol de los distintos actores involucrados, ha generado también una suerte de expansión del concepto de seguridad.

En tercer lugar, en relación a los objetivos específicos definidos en el *nivel meso* de las políticas, se identifican en la literatura tres tipos de estrategias. Primero, las centradas en lo estatal, direccionadas —desde un criterio prescriptivo— a fortalecer procesos de gestión, institucionalidad, aspectos presupuestales, entre otros. Las estrategias que se centran en lo estatal de alguna manera se deben al legado de las anteriores doctrinas de seguridad nacional, en tanto focalizan las soluciones alrededor de instituciones coercitivas como la Policía y el sistema penal. Segundo, las estrategias privadas se articulan en torno a lógicas de prevención comunitaria del crimen, dinámicas que —sobre todo en el contexto norteamericano— han configurado soluciones individuales que distorsionan el sentido público de la seguridad. Tercero, una amplia literatura recoge las estrategias de carácter mixto. En estas se incluye una diversidad de medidas que incorporan procesos de fortalecimiento institucional, participación comunitaria, prevención situacional y social, etc., en cuyo marco se producen lógicas de interacción entre actores estatales y no estatales, dinámicas de asociación público-privada, y nuevas formas de gobernanza que inciden en las políticas de seguridad.

Finalmente, en cuanto a la implementación de las políticas a *nivel micro*, una importante proporción de la literatura se centra en mostrar de qué manera se han configurado los distintos instrumentos, especialmente los de autoridad y organización (institucionalidad). A este respecto, pueden resaltarse dos elementos. Por una parte, la redefinición del concepto de seguridad ha implicado una readecuación institucional, focalizada en los gobiernos locales, pero también la estructuración de nuevos instrumentos que dan cuenta de los diversos ámbitos incorporados en las políticas de seguridad. Por otra parte, el planteamiento de soluciones y estrategias fundamentadas en principios de convivencia y participación comunitaria confirma la tendencia a generar mecanismos de seguridad ciudadana direccionados a implementar estrategias de prevención.

De lo anteriormente expuesto se desprenden dos puntualizaciones relevantes para la investigación. En primer lugar, la revisión de la literatura ha estado dirigida a indagar qué se ha dicho sobre las políticas de seguridad ciudadana en términos de tres niveles de análisis: metas generales (macro), objetivos específicos (meso) y ajustes operacionales (micro). La heterogeneidad constatada en la bibliografía ratifica la importancia de ensayar un análisis de la efectividad de las políticas de seguridad ciudadana, en tanto es útil para comprobar en qué medida la construcción de la problemática y sus diferentes soluciones son coherentes con la implementación de las políticas.

En segundo lugar, como se ha podido observar en la revisión de la literatura, el diseño e implementación de las políticas revela distintas formas de entender y generar respuestas a la problemática de la seguridad. Esta diversidad es consecuencia no solamente de la redefinición epistemológica implícita en la consolidación del paradigma de la seguridad ciudadana, sino sobre todo de la emergencia de nuevas lógicas de interacción entre el Estado, el mercado y la sociedad, sobre las cuales se estructuran modos específicos de regulación de la acción pública y de los procesos de gobierno. Tras la construcción del estado del arte temático, se ratifica la pertinencia de la pregunta que orienta esta obra: ¿de qué manera los nuevos modos de gobernanza inciden en la efectividad de las políticas de seguridad ciudadana?

Capítulo 4
Contextualización histórica de las políticas de seguridad ciudadana en Bogotá y Quito

A fin de examinar, en perspectiva histórica y comparada, el desarrollo de las políticas de seguridad ciudadana en los tres niveles de análisis (macro, meso y micro), se revisará en primer lugar la estructuración de los gobiernos locales de Bogotá y Quito entre 1995 y 2014. En un segundo momento, se analizará de qué manera la seguridad ciudadana se ha incorporado como una problemática en la agenda pública tanto a escala nacional como local.

Descentralización y fortalecimiento de los gobiernos locales en Colombia y Ecuador

La democratización en América Latina, entendida como consolidación y profundización de los marcos institucionales del régimen democrático, está asociada a las reformas del Estado impulsadas durante las últimas décadas, a través, entre otras estrategias, de procesos de descentralización político-administrativa.

En el caso de Colombia, la reforma constitucional de 1968 constituye el antecedente jurídico de los procesos de empoderamiento y autonomía local,[1] en tanto tuvo como objetivos modernizar las administraciones municipales y revertir la lógica centralista y clientelar con la que se había desarrollado el territorio colombiano desde comienzos de siglo. Tras el fallido intento del presidente López Michelsen de implementar en 1976 un amplio proyecto de descentralización y con base en los diagnósticos arrojados por el informe de la Misión Bird-Wiesner en 1981, el Gobierno del presidente Betancourt impulsó en 1986 la Reforma Municipal, articulada alrededor de tres componentes: asignación de competencias a los municipios, fortalecimiento fiscal y participación política. De este último se desprende una importante reforma que marcaría la diferencia en cuanto a la autonomía local: la elección popular de alcaldes, cuya designación desde 1910 había estado a cargo del Gobierno central por intermedio de los gobernadores departamentales (F. Velásquez 1995, 237-263).

Igual que en Colombia, en Ecuador también se constata una marcada tradición centralista que restringió las capacidades administrativas de los municipios durante gran parte del siglo XX. Esta tendencia se agudizó en las décadas de los cincuenta y sesenta, debido al protagonismo adquirido por el Estado a través de procesos de planificación de carácter vertical y centralista y, más tarde, en la década de los setenta, con la concentración de recursos en el Gobierno militar, producto de las elevadas tasas petroleras (Gangotena 1995, 143; CONAM 2006). Pese a que la Ley de Régimen Municipal de 1966 contemplaba una serie de competencias municipales direccionadas a contrarrestar la superposición de responsabilidades entre el gobierno central y las entidades seccionales, no es sino hasta el retorno a la

1 Autonomía concretada en mecanismos tales como el denominado "situado fiscal" (1971), la creación de la Asociación de Municipios (1975) y la reglamentación de las áreas metropolitanas (1979).

democracia en 1979 que empieza a configurarse un proceso de fortalecimiento de la autonomía política de los gobiernos locales, por medio de la restitución de las elecciones populares de municipios y consejos provinciales, proscritas durante la dictadura militar.

A estos períodos iniciales de apertura les sucedieron reformas institucionales que, con divergencias en cuanto a su viabilidad y resultados, han consolidado en las últimas tres décadas los procesos de descentralización política y fortalecimiento de los gobiernos locales en ambos países.

Así, en Colombia, la autonomía territorial inducida por la descentralización ha significado la apertura y ampliación del campo político a las instancias locales. Si bien el proceso no ha estado exento de problemas de corrupción, clientelismo y el impacto de toda la secuela social y económica dejada por la guerra interna desde hace más de cinco décadas, no es menos cierto que la descentralización colombiana ha impulsado una profunda transformación territorial que ha favorecido sobre todo a las ciudades grandes e intermedias.

En cierta medida, son evidentes los resultados del empoderamiento y autonomía política de los gobiernos locales colombianos, observables en al menos tres aspectos. Primero, se registra un claro avance en la cobertura de servicios (aunque no necesariamente en su calidad), lo que confirma la idea de que la descentralización contribuye a mejorar la eficiencia en la asignación de servicios públicos. Segundo, se constatan importantes avances en el mejoramiento de la gestión pública municipal, en términos, por ejemplo, de planeación y reforzamiento de los sistemas de control institucional, mecanismos de transparencia y rendición de cuentas. Finalmente, se destacan resultados positivos en la democratización de la gestión pública, a través de la creación de mecanismos de participación que han acercado al ciudadano a las instancias de formulación y decisión de planes y políticas públicas (F. Velásquez 2007).

En Ecuador, pese al importante desarrollo institucional en términos de reformas y leyes desplegado en las últimas décadas, la descentralización como proyecto político ha registrado avances limitados y sectoriales (Barrera 2007; Suing 2010). Es precisamente la falta de continuidad e integralidad de las políticas de descentralización el principal factor que ha dificultado la construcción de un cuerpo normativo sólido, coherente con la heterogénea realidad social y económica del país. Por el contrario, los distintos momentos de la descentralización se han estructurado en función de la coyuntura de los diferentes Gobiernos, lo que ha impedido adquirir una visión política de largo plazo. Sobre este fenómeno ha ejercido gran influencia la constante crisis e inestabilidad que el sistema político ecuatoriano ha experimentado desde el retorno a la democracia en 1979.

Ciertamente, la descentralización en Ecuador ha generado el fortalecimiento de los Gobiernos subnacionales; sin embargo, los procesos de empoderamiento y autonomía de los entes locales no necesariamente se han inscrito en un proceso más amplio de readecuación territorial de carácter regional y nacional. En vez de ello, la descentralización ecuatoriana se ha desarrollado alrededor de criterios contradictorios, bien bajo lógicas municipalistas que han descontextualizado el rol de las ciudades en el territorio nacional, o bien a través de demandas de autonomía provincial que han amenazado el carácter del Ecuador como país unitario (Barrera 2007; Carrión 2007b).

A diferencia del caso colombiano, la descentralización política en Ecuador evidencia resultados moderados respecto a la capacidad de los gobiernos locales para mejorar su potencialidad institucional o incorporar procesos de participación ciudadana en la gestión pública.

Dinámica metropolitana y gobernanza urbana en Bogotá y Quito

La dinámica de las áreas metropolitanas en la región ha estado estrechamente relacionada con la planificación del desarrollo de los países respectivos y su vinculación dependiente con los centros mundiales de poder (Geisse y Coraggio 1970). Esta lógica sintetiza los desequilibrios territoriales propios de los sistemas primados, característicos del desarrollo urbano de América Latina, y las consecuentes asimetrías socioeconómicas que han desencadenado.

De esta forma, los procesos regionales se han caracterizado en las últimas décadas por el crecimiento poblacional y un elevado grado de urbanización, así como por el surgimiento de un importante número de ciudades con rasgos de áreas metropolitanas, cuyos territorios han superado el ámbito jurisdiccional de la autoridad local y han concentrado en su estructura económica un gran porcentaje de la capacidad productiva de sus países, llegando en algunos casos a bordear el 50 % del PIB nacional (Rojas 2005, 35).

En este contexto, los gobiernos metropolitanos de Bogotá y Quito presentan dinámicas particulares, asociadas a los procesos macro de desarrollo urbano y descentralización que sus respectivos países han experimentado durante las últimas décadas, pero sobre todo ligadas a la ingeniería institucional establecida para el gobierno metropolitano de cada una de las aglomeraciones (tabla 4.1).

En el caso de Bogotá, a partir de las disposiciones establecidas en la Constitución de 1991, y mediante el Decreto 1421 de 1993, se expidió el *régimen especial* para el Distrito Capital de Santafé de Bogotá, con el que se le confiere el estatus de entidad territorial unitaria y descentralizada con pleno goce de autonomía para la gestión de sus intereses, dentro de los límites dispuestos por la misma Constitución. En la década de los noventa, la gestión urbana de Bogotá atravesaba una profunda crisis institucional, resultado de un déficit de recursos fiscales y de las limitaciones del propio modelo burocrático (en términos de insuficiencia y deficiencia de recursos humanos, técnicos, etc.). Esto impedía que el Gobierno distrital pudiera generar respuestas efectivas frente a la acelerada metropolización que venía experimentando la ciudad.

Tabla 4.1. Estructura metropolitana de Bogotá y Quito

Ciudad	Bogotá Distrito Capital	Distrito Metropolitano de Quito
Área	Total: 1776 km^2 Urbana: 307,36 km^2 Suburbana: 170,45 km^2 Rural: 1298,15 km^2	Total: 4235 km^2 Urbana: 352 km^2 Rural: 3883 km^2
Población	7 878 783 hab. (según proyección censo 2005)	2 239 191 hab. (según censo 2010)
División político-administrativa	20 localidades (distribuidas en el área urbana y rural, subdivididas en Unidades de Planeamiento Zonal)	8 administraciones zonales (divididas en 32 parroquias urbanas y 33 parroquias rurales y suburbanas)
	Usaquén Chapinero Santa Fe San Cristóbal Usme Tunjuelito Bosa Kennedy Fontibón Engativá Suba Barrios Unidos Teusaquillo Los Mártires Antonio Nariño Puente Aranda La Candelaria Rafael Uribe Sumapaz	La Delicia Calderón Eugenio Espejo Manuela Sáenz Eloy Alfaro Tumbaco Los Chillos Quitumbe

Fuente: elaborado con base en Alcaldía Mayor de Bogotá, "Localidades", acceso el 12 de noviembre de 2014 (http://www.bogota.gov.co); MDMQ, "Municipio", acceso el 13 de noviembre de 2014 (http://www.quito.gob.ec).

Esta situación obligó a que la administración municipal —bajo cierta presión de los organismos multilaterales— tomara conciencia de la necesidad de redefinir los procesos de planificación y gestión de la ciudad de acuerdo con principios asociados a la democratización, descentralización, optimización de recursos, transparencia, entre otros. El propósito era no solamente neutralizar las prácticas clientelares que habían caracterizado a las administraciones anteriores, sino sobre todo impulsar una administración de corte empresarial con mayores niveles de eficiencia y una participación más efectiva de la comunidad, en función de sus propias demandas (Lulle 2010, 129).

Antes que ser resultado de políticas de ajuste estructural, el proceso de descentralización impulsado en Colombia fue una respuesta a la aguda crisis de legitimidad del sistema político (F. Velásquez 2003, 2007). Una serie de reformas políticas, fiscales y administrativas implementadas en Bogotá como parte de la descentralización contribuyó a recuperar la gobernabilidad necesaria para revertir la crisis que atravesaba la ciudad desde los años ochenta (Castro 2010). Sin embargo, si bien se observan logros importantes en términos de eficacia y eficiencia administrativa, ninguno de los gobiernos distritales ni las fuerzas políticas predominantes se han comprometido con la profundización de la democracia local (Maldonado 2010, 168).

El Distrito Metropolitano de Quito (DMQ) adquirió su personería de Gobierno supramunicipal con la Ley de Régimen del Distrito Metropolitano de 1993, instrumento jurídico enmarcado en los principios de democratización, descentralización y participación. A partir de estas directrices, durante las últimas dos décadas, se han impulsado una serie de transformaciones institucionales encaminadas a constituir un modelo de gobierno local promotor de desarrollo. Entre estas innovaciones sobresalen: la adquisición de nuevas competencias con miras a promover la descentralización en áreas estratégicas; la organización zonal como soporte territorial del proceso de desconcentración; el ejercicio de participación ciudadana como base de corresponsabilidad de los distintos actores; la implantación de la planificación estratégica como instrumento para definir un proyecto de ciudad; y la restructuración del aparato burocrático a partir de criterios gerenciales (Vallejo 2009, 82-97).

Igual que en el caso de Bogotá, la nueva ingeniería institucional del DMQ se enfocó en superar las limitaciones mostradas por el modelo burocrático frente a la nueva dinámica metropolitana que se empezaba a consolidar en la década de los noventa. No obstante, la innovación institucional desarrollada en Quito con base en la Ley de Distrito Metropolitano, si bien ha permitido configurar una nueva forma de gobierno local (Donoso 2009; Vallejo 2009; Córdova 2011), ha tenido impactos menos evidentes sobre la consolidación democrática local.

Más allá de que la ingeniería institucional del gobierno local define ámbitos vinculantes respecto a la participación e interacción de los distintos actores, la consolidación de una gobernanza metropolitana se presenta aún como un proceso heterogéneo.

Así, en el caso de Bogotá, si bien se observan importantes avances —de una gobernanza democrática territorial— en torno a la integración Bogotá-Cundinamarca, en términos, por ejemplo, de competitividad y ordenamiento territorial, aún se advierten dificultades a nivel de liderazgo de la administración pública y escenarios de cooperación entre sectores públicos y privados (Pineda 2007). Esta situación se deriva en gran parte de la lógica centralista que todavía mantiene el gobierno metropolitano de Bogotá respecto a las localidades de su jurisdicción, bajo la cual, aunque se han generado mayores niveles de eficacia y eficiencia, no se ha logrado avanzar en la descentralización territorial en la ciudad. En última instancia, ello ha obstaculizado la construcción de una democracia local (Maldonado 2010, 168).

En el caso del DMQ, es evidente que la conformación del gobierno metropolitano ha generado un cambio cualitativo en términos de administración pública (Carrión y Vallejo 1994; Vallejo 2009; Donoso 2009), al constituirse aquel en la plataforma de innovaciones de carácter político y económico que han permitido al gobierno local impulsar procesos endógenos de democratización social, y generar dinámicas centrífugas de inserción económica en contextos internacionales (Córdova 2011). Sin embargo, las dificultades para consolidar formas de gobernanza urbana multinivel se manifiestan no solo en el hecho de que la descentralización no ha logrado legitimarse como alternativa de cambio estructural de la institucionalidad (Barrera 2007), sino también en las restricciones para ampliar el poder político a una base social mayor mediante mecanismos de participación ciudadana. Al respecto, persisten formas de representación vinculadas a lógicas clientelares y enmarcadas en estructuras jerárquicas (Córdova 2012), consecuencia de la falta de impulso a la democratización y de la débil dinámica de movilización social (Barrera 2004, 39).

Por otra parte, es importante señalar que los procesos de democratización o consolidación democrática han sido relevantes en las dinámicas de gobernanza metropolitana de Bogotá y Quito. Como se señaló anteriormente, la aprobación de la Constitución Política de 1991 en Colombia implicó un proceso de descentralización direccionado a modernizar la gestión pública del distrito, permitiendo además la elección de alcaldes por voto popular. En Quito, el retorno a la democracia que experimentó el Ecuador en 1978 significó también redefinir un derrotero democrático a nivel local. Tras estas coyunturas críticas de apertura, se han sucedido una serie de administraciones municipales lideradas por alcaldes de distintas adscripciones político-ideológicas (tabla 4.2), según las cuales se han ido consolidado los procesos políticos de los dos distritos metropolitanos.

Tabla 4.2. Alcaldes de Bogotá y Quito elegidos por voto popular

Período	Alcalde	Partido
Bogotá Distrito Capital		
Junio 1988 - mayo 1990	Andrés Pastrana	Partido Conservador Colombiano
Junio 1990 - marzo 1992	Juan Martín Caicedo	Partido Liberal Colombiano
Junio 1992 - diciembre 1994	Jaime Castro	Partido Liberal Colombiano
Enero 1995 - abril 1997	Antanas Mockus	Cívico
Enero 1998 - diciembre 2000	Enrique Peñalosa	Cívico
Enero 2001 - diciembre 2003	Antanas Mockus	Movimiento Visionario
Enero 2004 - diciembre 2007	Luis Eduardo Garzón	Polo Democrático Independiente
Enero 2008 - mayo 2011	Samuel Moreno	Polo Democrático Alternativo
Enero 2012 - diciembre 2015	Gustavo Petro	Progresistas
Distrito Metropolitano de Quito		
1978 - 1982	Álvaro Pérez	Izquierda Democrática
1984 - 1988	Gustavo Herdoíza	Partido Demócrata
1988 - 1992	Rodrigo Paz	Democracia Popular
1992 - 1998	Jamil Mahuad	Democracia Popular
2000 - 2004	Paco Moncayo	Izquierda Democrática
2005 - 2009	Paco Moncayo	Izquierda Democrática
2009 - 2014	Augusto Barrera	Alianza País

La emergencia de la problemática de seguridad ciudadana en Bogotá y Quito

Particularidad del caso colombiano: la violencia como forma estructural

Hacia mediados del siglo XX se conformó en Colombia el denominado "Frente Nacional", un pacto tácito mediante el cual conservadores y liberales compartieron el poder, incluyendo la alternancia en la Presidencia y la repartición paritaria de otros puestos de representación. Este acuerdo le confirió un sentido de oclusión al sistema de partidos colombiano, pues si bien el bipartidismo había bloqueado el acceso de otras facciones en el sistema político, no necesariamente las había neutralizado. De hecho, la violencia, institucionalizada en el país desde la década de los cincuenta, en parte derivó de la decantación de un conjunto de derroteros estructurales que no lograron ser incluidos de manera formal en el proceso político. Esto generó

> una clausura de la expresión política de toda demanda radical o de cualquier frustración frente al sistema, el cual se convirtió en un mero instrumento al servicio de los intereses compartidos de la élite que repartía de antemano todos los ministerios y los cargos en el gobierno entre liberales y conservadores (Hylton 2003, 66).

Durante los últimos cincuenta años, el Frente Nacional fue la expresión de una democracia exclusivista, en cuya lógica es posible rastrear los orígenes y la reproducción de distintas formas de violencia, configuradas por la conjunción del proceso político con la radicalización de grupos insurgentes (guerrilla y paramilitares), ambos transversalizados por la economía política del narcotráfico.

Los orígenes de la violencia en Colombia deben entenderse por la compleja dinámica clientelar que la oligarquía bipartidista instaló en la interacción local-nacional, a través de la cual se estableció un régimen de dependencia con la mayoría de cultivadores de café. De ahí que los conflictos y contradicciones derivados de la tenencia de la tierra han generado un correlato político anclado en el antagonismo entre las oligarquías conservadoras y liberales. Los conflictos suscitados por la Ley 200, a mediados de la década de los treinta, polarizaron la posición del campesinado, lo que condujo a que algunas facciones de arrendatarios y aparceros vinculados al Partido Socialista Democrático (PSD) se levantaran, constituyendo las raíces de lo que posteriormente serían las Fuerzas Armadas Revolucionarias de Colombia (FARC) y el Ejército de Liberación Nacional (ELN) (Roldán 2002; Hylton 2003).

La década de los cuarenta transcurrió en un ambiente político convulsionado, lo que determinó que se configurara un período de significativa conflictividad, matizada por fuertes represiones al movimiento obrero urbano y una escalada de violencia en el área rural. El asesinato en Bogotá de Jorge Gaitán, ocurrido en 1948, no solo marcó el inicio de un mito dentro del imaginario colombiano, sino que desencadenó el *Bogotazo*, vendaval que sacudió al país entero y que inauguró el período conocido como *La Violencia*, triste episodio que durante las siguientes décadas dejaría más de 200 000 personas asesinadas (Sánchez y Meertens 1983; Hylton 2003).

No obstante, el impacto de La Violencia no necesariamente debe entenderse como un fenómeno generalizado y genéricamente vinculado a la lucha partidista entre liberales y conservadores, sino, por el contrario, tiene que analizarse desde la lógica selectiva y concentrada que permitió su reproducción. La dinámica de conflicto ha variado en cada región conforme a las respectivas condiciones económicas y contextos sociales. Por ejemplo, en el departamento de Antioquia, si bien se registra uno de los mayores niveles de violencia durante ese período, las confrontaciones y la mayoría de las muertes están concentradas en las zonas periféricas. De ahí que La Violencia en Antioquia deba ser percibida, por un lado, en función del conflicto entre los gobiernos departamental y central, expresión del proceso más amplio de formación del Estado y construcción de la identidad regional, y por otro, en términos de las diferencias geoculturales profundamente arraigadas en las distintas subregiones, expresadas en las tensiones étnicas y culturales entre las élites oligárquicas (asentadas principalmente en Medellín) y la población de zonas periféricas de reciente colonización (Roldán 2002).

Con estos antecedentes, durante la década de los cincuenta empezaron a consolidarse las primeras guerras civiles que operaban de manera clandestina en el medio rural. Grupos como las ligas campesinas del PSD y de la Unión Nacional Izquierdista Revolucionaria (UNIR) realizaron las primeras incursiones a lo largo de las líneas ferroviarias de Santander y más adelante en la zona sur de Tolima y Cundinamarca. A lo largo de toda la década, se fueron ampliando —en forma y número— las guerrillas civiles, y se intensificó la réplica armada del gobierno (Hylton 2003).

Hacia mediados de los años sesenta, con la radicalización del discurso anticomunista del Frente Nacional y la consecuente clausura de la política, todo intento de protesta —tanto urbana como rural— era criminalizado a través de una legislación de estado de sitio, lo que determinó que la insurgencia armada apareciera como la única opción para las fuerzas de la oposición. En este contexto emergen las FARC, movimiento de base campesina y reivindicación agraria, cuyos primeros embriones surgieron del desplazamiento de los combatientes del Municipio de Marquetalia, al sur de Tolima, durante la Operación Soberanía, en 1964. Años más tarde surgiría el ELN, grupo de clase media y base universitaria alineado a la teología de la liberación. En 1967 se conformó el Ejército Popular de Liberación (EPL), también con un programa de lucha agraria. Ya en la década de los setenta, surgiría el Movimiento 19 de Abril (M-19), guerrilla urbana formada por disidentes de las FARC y del Partido Comunista de Colombia (PCC), que propugnaría un discurso nacional-popular con ambiciones electorales (Hylton 2003).

Pese a su relativa legitimidad popular —inclusive en sectores urbanos—, las guerrillas no necesariamente lograron radicalizar su posición ni interferir en el sistema; de hecho, para mediados de los setenta, los grupos insurgentes habían sido de cierta forma neutralizados. Solo cuando la dinámica de la producción y comercialización de estupefacientes (marihuana en primera instancia y más adelante cocaína) se insertó tanto en el proceso político como en la guerrilla, los grupos insurgentes adquirieron mayor protagonismo en la escalada de violencia. A inicios de los años ochenta eran ya evidentes las relaciones de la política —sobre todo a nivel local— con la maquinaria del narcotráfico. El mismo Partido Liberal obtuvo un nuevo protagonismo gracias al mercado de las drogas, pues auspició incluso al narcotraficante Pablo Escobar para que accediera al Congreso (Sánchez y Meertens 1983; Hylton 2003).

El vínculo de las FARC con la economía del cultivo de coca les permitió tender una amplia red geográfica de control, así como capitalizar miles de millones de dólares para el financiamiento de su operación. Las FARC se convirtieron en una suerte de mediadores entre los pequeños cultivadores de coca y los traficantes, lo que facilitó el funcionamiento del narcotráfico. De alguna manera, el sentido ideológico sobre el que emergieron las FARC, fundado en las luchas agrarias y populares, se transformó con su participación en el mercado de la droga, convirtiendo al movimiento en una empresa militar de carácter expansionista (Zuleta 1991; Hylton 2003).

De otra parte, el narcotráfico permitió también la consolidación de las Autodefensas Unidas de Colombia (AUC), grupos paramilitares vinculados a los sectores represivos del Estado y la Iglesia católica, cuyo origen se remonta a los cuerpos armados organizados por los carteles de la droga para defenderse de las incursiones guerrilleras. Su posición estratégica (entre la oficialidad y la clandestinidad) les ha permitido convertirse en el sector que mayor beneficio ha obtenido del mercado de la droga, a través de actividades de protección, transporte y comercialización (Hylton 2003).

El narcoterrorismo protagonizado por los carteles de la droga, la guerrilla y los paramilitares ha desencadenado durante las últimas décadas el episodio de mayor violencia que haya experimentado el país. Varios han sido los intentos por restablecer la paz, desde las primeras negociaciones que en 1984 el gobierno de Belisario Betancourt entabló con los tres grupos insurgentes, pasando por la deposición de armas de algunos grupos (EPL, M-19, entre otros) en el marco del proceso de reforma de la Constitución de 1991, hasta la creación de una zona desmilitarizada por el gobierno de Pastrana, en un fallido intento por negociar con las FARC (Hylton 2003).

Desde finales de la década de los setenta, la tasa de homicidios experimentó un marcado incremento a nivel nacional, con cifras que alcanzaron los 85 casos por cada cien mil habitantes en 1991, lo que ubicó a Colombia entre los países más violentos del mundo. El problema de violencia en Colombia, entendido tanto en términos del incremento de las tasas de homicidios como de otros indicadores, adquirió durante las décadas de los sesenta, setenta y ochenta cierta especificidad respecto al resto de países latinoamericanos, lo que ha llevado a caracterizarlo como un caso atípico en la región.

Las elevadas cifras de asesinatos, junto con las de secuestros, violación de derechos humanos, desplazamientos forzados, etc., evidencian no solo la magnitud de la espiral de violencia atravesada por el país en las últimas décadas, sino también la incapacidad de los distintos gobiernos para neutralizar y erradicar a los grupos insurgentes, pese a los esfuerzos e inversiones realizadas, incluida la millonaria ayuda de Estados Unidos y la indulgencia de los organismos multilaterales de financiamiento, expresada en términos, por ejemplo, de recortes del gasto militar.

Esta incapacidad ha sido explicada en razón de varios elementos: i) una alteración del orden público derivada de las consecuencias sociales y políticas de *La Violencia*, esto es, actividades de grupos de guerrilla relacionadas con venganzas y formas de justicia privada en zonas de conflicto; ii) los altos niveles de impunidad, así como la ineficiencia y corrupción de las entidades encargadas de garantizar la seguridad, resultado de la ausencia de una política de Estado direccionada a prevenir y reducir la criminalidad; iii) la indefinición del rol de los gobiernos locales en la problemática de la seguridad ciudadana, bajo la creencia de que es una temática de exclusiva competencia de instancias nacionales como la Policía y la Justicia; y iv) la poca confianza de la ciudadanía en las instituciones de la fuerza pública, consecuencia del generalizado descrédito que habían experimentado en la etapa de *La Violencia* (Martin y Ceballos 2004, 100-101).

El fracaso de las negociaciones de paz y la consecuente intensificación de la violencia moldearon el escenario de las elecciones presidenciales de 2002, en las cuales obtuvo el triunfo Álvaro Uribe Vélez. Su gobierno estuvo caracterizado por su radical posición en contra de los grupos insurgentes; sus evidentes vínculos con sectores paramilitares y del narcotráfico; un apoyo incondicional del Gobierno de los Estados Unidos en la guerra contra el narcotráfico, concretada en el Plan Colombia; y una intransigente política exterior que provocó la ruptura de relaciones diplomáticas con países como Venezuela y Ecuador. Estos aspectos, más allá de condensar la coyuntura política y social de un país caracterizado por el conflicto durante más de cinco décadas, evidencian que el proceso político colombiano no ha logrado superar el carácter excluyente que dio origen a la violencia y ha contribuido a su reproducción (Hylton 2003).

En el contexto de la política de defensa y seguridad democrática impulsada por el presidente Uribe, el conflicto armado evolucionó favorablemente para el Estado colombiano, gracias a los importantes golpes asestados sobre las estructuras políticas, militares y económicas de los grupos que actúan al margen de la ley. No obstante, hacia finales de la primera década de 2000 resultaba evidente que las organizaciones guerrilleras, especialmente las FARC, se encontraban lejos de ser aniquiladas. El proceso de desmovilización de los paramilitares, pactado durante el gobierno de Uribe, condujo en varias regiones del país a la emergencia y consolidación de estructuras armadas provenientes de estos grupos, vinculadas al narcotráfico y otras actividades delictivas (Echandía, Bechara y Cabrera 2010, 136).

Redefinición de la seguridad pública en Colombia y Ecuador

Según se anotó en el capítulo anterior, las políticas de seguridad en América Latina durante la Guerra Fría estuvieron condicionadas por la influencia político-ideológica de los Estados Unidos. Esta se manifestó en la implementación de una Doctrina de Seguridad Nacional que, si bien tuvo una retórica homogénea en la región andina, se desarrolló bajo distintas particularidades en países como Colombia (Leal Buitrago 2002), Ecuador (Haro 2010), Perú (Clayton 1998) y Venezuela (Romero 2007).

En Colombia, desde mediados de los años sesenta, en el marco del régimen del Frente Nacional, las fuerzas militares se vieron obligadas a confrontar a las guerrillas comunistas, lo que lógicamente indujo un clima antisubversivo propicio para impulsar la Doctrina de Seguridad Nacional en el país. No obstante, la fuerte impronta ideológica derivada del conflicto entre conservadores y liberales de alguna manera neutralizó el discurso anticomunista. En ese sentido, solo fue a raíz de la revolución cubana y la difusión de la estrategia continental estadounidense que se inició la transformación de la política de seguridad (Leal Buitrago 2002, 19).

El Plan Lazo, implementado en 1960, articuló las directrices norteamericanas de contrainsurgencia con una visión desarrollista que incluía programas de educación, salud, etc. Este plan tuvo un fuerte apoyo de organismos norteamericanos, llegando a recibir entre 1961 y 1967 alrededor de 60 millones de dólares. En la misma línea, el Plan Andes (1968) mantuvo la estrategia de represión a las guerrillas, aunque con menos énfasis en los aspectos de desarrollo.

A mediados de la década de los setenta, luego del relativo éxito de la lucha antisubversiva y del agotamiento de la ideología anticomunista, se buscó redefinir la Doctrina de Seguridad. A partir de la experiencia del Cono Sur y del Estado de seguridad nacional estadounidense, se planteó una política militar sumamente esquematizada. En tal contexto, se implementó en 1978 el Estatuto de Seguridad, con el cual se desplegó una lógica de ocupación militar del Estado, con base en la cual se consolidó la Doctrina de Seguridad Nacional, caracterizada por una política represiva en contra de sectores de izquierda (Leal Buitrago 2002, 19-26).

En el caso de Ecuador, la Doctrina de Seguridad Nacional empezó a configurarse a inicios de los años sesenta con la promulgación de la Ley de Defensa Nacional (1960), fundamentada en el principio realista de defensa frente a posibles amenazas externas en contra de la integridad territorial, en alusión directa al problema limítrofe que el país mantenía con Perú. Pese a la orientación ideológica de carácter socialista del entonces gobierno de Velasco Ibarra, la política de seguridad se alineó con la estrategia anticomunista estadounidense bajo el auspicio de la Alianza para el Progreso. Durante la dictadura militar, la Ley de Defensa Nacional fue reemplazada por la Ley de Seguridad Nacional (1964), manteniendo la doctrina de seguridad norteamericana establecida para América Latina. En términos generales, la ley se articuló alrededor de cuatro frentes: interno, económico, externo y militar, direccionados a confrontar situaciones de conflicto interno, apoyar la promoción del desarrollo y combatir la amenaza comunista (Haro 2010).

El fin de la Guerra Fría y la conformación de un orden internacional unipolar operaron a manera de coyuntura crítica para la seguridad nacional tanto en Colombia como en Ecuador. Más allá del legado de la Doctrina de Seguridad Nacional, entre las décadas de los ochenta y noventa, la concepción se redefinió por las nuevas amenazas tales como el narcotráfico y un conjunto de estrategias direccionadas en función del emergente paradigma de la seguridad humana.

Así, la política de seguridad colombiana se ha reestructurado en referencia al narcotráfico y la guerrilla, siguiendo una lógica de "guerra contra las drogas", que opera en un nivel interno, y de "guerra contra el terrorismo", que se proyecta internacionalmente (Tickner 2007). En Ecuador, desde una visión evolutiva de la seguridad, se ha ido incorporando la noción de violencia urbanizada y diversificada, frente a la que se proponen estrategias de preservación de la integridad física y garantía de los derechos humanos (Jarrín 2005).

El caso colombiano presenta algunas particularidades no solo por su condición de país productor de estupefacientes, sino además por la estrecha asociación de su política con los Estados Unidos, proximidad que ha llegado incluso a configurar —en los gobiernos de Pastrana y Uribe— una suerte de "intervención por invitación". La ayuda económica y militar estadounidense ha sido considerada indispensable para enfrentar los problemas de seguridad del país, por lo que el Gobierno no solo ha admitido una considerable injerencia norteamericana a través del Plan Colombia, sino también ha estimulado un mayor involucramiento de Washington en los asuntos internos del país. De este modo, se han configurado determinadas estrategias de seguridad, en primera instancia funcionales a la lucha contra el narcotráfico y, tras la coyuntura crítica del 11-S de 2001, ancladas a un nuevo discurso de carácter antiterrorista, claramente alineado con la posición hegemónica estadounidense (Tickner 2007, 90-103).

En cierta forma, Colombia ha asumido una postura intencional y pragmática de subordinación a los Estados Unidos, apoyada y legitimada por la mayoría de los actores políticos, bajo la convicción de que la alineación es fundamental para apuntalar los intereses nacionales en términos de desarrollo económico. Esta subordinación, no obstante, ha generado una serie de externalidades negativas en las relaciones con los países vecinos, especialmente con Venezuela y Ecuador. Tales crisis han derivado no solo del hecho de que las percepciones de amenaza —y consecuentemente las concepciones de seguridad— difieren entre los tres países (Ramírez, Romero y Sanjuán 2005; Ardila y Amado 2010), sino también de la decisión de los Estados Unidos de promover una concepción regionalizada del conflicto colombiano, en la cual los países vulnerables que no coinciden con el poder hegemónico tienen dificultades para proteger sus intereses de seguridad (Bonilla 2006).

En este contexto, el Estado colombiano impulsó, desde comienzos de los años ochenta, iniciativas tendientes a enfrentar la crisis de seguridad del país, fundamentadas principalmente en un enfoque de negociación del conflicto y búsqueda consensuada de soluciones (Martin y Ceballos 2004, 103; Rivas 2005, 109).

La seguridad ciudadana como problema de políticas públicas en Bogotá y Quito

Según se observó, entre mediados de la década de los setenta e inicios de los noventa, bajo el influjo de factores sociopolíticos heredados de la época de La Violencia, la problemática de la seguridad en Colombia fue caracterizada por la dinámica del conflicto armado interno. La carencia de una política de Estado sobre seguridad ciudadana, sumada a la falta de un marco legal orientado a definir las responsabilidades del conjunto de instituciones presentes en los distintos niveles de gobierno, facilitó la consolidación de una economía ilegal de la droga y su penetración en la sociedad colombiana, que fue debilitando sus mecanismos institucionales de regulación. Así, emergieron diversas redes de criminalidad organizada, asociadas a grupos insurgentes y carteles de la droga, cuya actividad delictiva terminaría generando un fenómeno de violencia urbana, operado en las principales ciudades del país —incluida Bogotá— por pandillas, bandas y sicarios (Martin y Ceballos 2004, 101-102).

Este fenómeno ha sido categorizado en el debate académico colombiano como una suerte de urbanización del conflicto armado, esto es, el incremento, desde finales de la década de los setenta, de ciertas modalidades delictivas y de violencia relacionadas con ese conflicto y el tráfico de drogas en determinadas ciudades. De manera paralela a la paulatina urbanización de las formas de delincuencia vinculadas al conflicto armado, también se desarrollaron e incrementaron nuevas modalidades de delincuencia común (Rivas 2005, 90). Como se observa en la figura 4.1, la tasa de homicidios en Colombia, en general, y en Bogotá en particular, experimentó un crecimiento sostenido desde inicios de los años ochenta, alcanzando sus valores máximos en la primera mitad de los noventa con tasas cercanas a los 80 homicidios por cada cien mil habitantes.

Figura 4.1. Tasa de homicidios en Colombia y Bogotá (1961-2003)

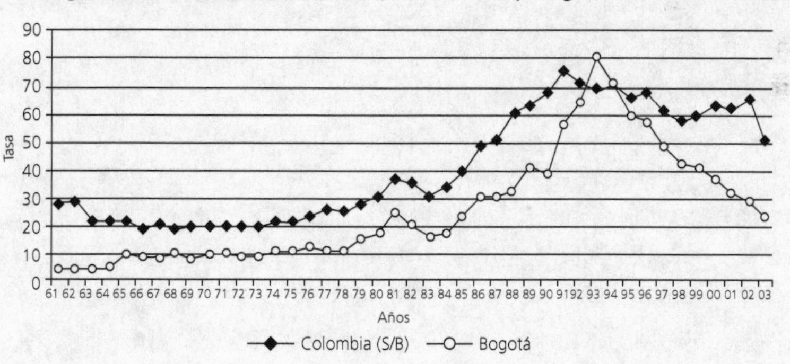

Fuente: Martin y Ceballos (2004, 100).

A inicios de los años noventa, los asuntos de seguridad empezaron a ser concebidos en Colombia como una problemática de carácter local, incorporándose en la agenda pública de varias administraciones municipales. La combinación del aumento de la delincuencia común con la emergencia de nuevas formas de violencia asociadas a la guerrilla y el narcotráfico, comenzó a ejercer un efecto directo sobre la dinámica social, económica y cultural de las grandes ciudades.[2]

En primera instancia, se evidencia una apropiación de la temática de la seguridad por parte de las autoridades locales de ciudades como Cali, Medellín y Bogotá. Las dos primeras estaban directamente afectadas por el fenómeno del narcotráfico, asentado en sus respectivos departamentos, mientras que Bogotá, en calidad de capital del país, sufría el ataque a diversas instituciones gubernamentales. Esta situación se revela en los altos índices de homicidios de las tres ciudades, como se observa en la tabla 4.3.

Tabla 4.3. Homicidios y tasas de homicidio en Colombia, Medellín, Cali y Bogotá (1990-2003)

Año	Colombia		Medellín		Cali		Bogotá	
	Número	Tasa	Número	Tasa	Número	Tasa	Número	Tasa
1995	25 398	66	4379	25	2209	116	3363	60
1996	26 642	68	4024	213	2104	107	3303	57
1997	25 379	63	4327	226	1787	89	2814	48
1998	23 096	57	3046	157	1881	91	2482	42
1999	23 209	56	3285	168	2172	103	2477	41
2000	23 505	60	3097	156	1963	1	2238	36
2001	26 311	61	3506	175	2055	93	2035	32
2002	28 230	64	3585	177	2017	89	1902	28
2003	22 199	50	2193	107	2375	103	1610	23

Fuente: Martin y Ceballos (2004, 106).

[2] Para una revisión de cómo ha evolucionado la criminalidad urbana en Bogotá, ver: Campo (1997); Velásquez (2010); Velásquez, León y Ramírez (2010) y Ávila y Pérez (2011).

El empoderamiento local, a pesar de encontrarse inmerso en una redefinición más amplia de la seguridad a nivel estatal, no se configuró como un proceso integral de carácter nacional. Apareció, por el contrario, como resultado de iniciativas concretas que surgieron y se desarrollaron de manera específica en las tres ciudades indicadas, dentro del contexto de la reforma constitucional de 1991 y de las directrices nacionales que el Estado venía impulsando en la última década (Rivas 2005, 122; Vargas y Pinzón 2008b).

En Cali, la apropiación del gobierno local ante los problemas de inseguridad se concretó en la creación del programa DESEPAZ, bajo el liderazgo del alcalde Rodrigo Guerrero (1992-1994). Se conformó como un programa adjunto a la Alcaldía, direccionado a generar estrategias de gestión de la violencia urbana, bajo la idea de que el problema de la seguridad requería un eje de acción coordinada en el nivel local. A su vez, en Medellín, la creación en 1993 de la Oficina de Paz y Convivencia, durante la gestión de Luis Alfredo Ramos, marcó el inicio del empoderamiento del Municipio en temas de seguridad. Igual que ocurría en Cali, esta oficina funcionaba como una entidad asesora adjunta a la Alcaldía, encargada de facilitar los diálogos con distintos grupos irregulares presentes en la ciudad, desde una perspectiva de convivencia (Rivas 2005, 123-124).

Estas experiencias de empoderamiento local derivaron de los procesos de descentralización, cuyas normativas dieron paso a la elección democrática de los alcaldes en 1988 y la consecuente consolidación de liderazgos locales. Precisamente, el liderazgo ejercido por los alcaldes Guerrero (Cali), Ramos (Medellín) y Mockus (Bogotá) fue fundamental para impulsar iniciativas locales destinadas a confrontar los problemas de inseguridad en sus respectivas ciudades. En términos generales,

> estos esfuerzos —realizados en Cali (Medellín y Bogotá), como en varias ciudades intermedias y otros municipios más pequeños— combinaban programas y estrategias de cumplimiento de la ley, prevención de factores de riesgo y campañas de información pública, y llegarían a ser catalogados durante la primera mitad de los años noventa como exitosos, dada su contribución al reducir las tasas de criminalidad en dichas ciudades, a pesar de su corto período de implementación (Martin y Ceballos 2004, 107).

En el caso de Bogotá, si bien gran parte de la literatura ha identificado la emergencia de las políticas de seguridad ciudadana con el inicio de la administración del alcalde Antanas Mockus en 1995, no obstante, estas políticas tienen un importante antecedente en las estrategias promovidas por el alcalde Jaime Castro, dentro del estatuto orgánico adoptado para reorganizar el Gobierno distrital.

En efecto, entre 1992 y 1994, la ciudad experimentó una serie de transformaciones de orden administrativo que le permitieron mejorar los niveles de gestión. Estos cambios operaron en términos de: i) una redefinición de las relaciones Concejo-Alcaldía y la orientación del rol del Concejo hacia funciones de planificación y fiscalización de la gestión de la ciudad; ii) generación de mecanismos de control de la corrupción a través de la creación de la Veeduría Distrital; iii) profundización del proceso de descentralización de la ciudad; iv) modernización de la gestión administrativa en su conjunto; y v) establecimiento de la autonomía fiscal y consecuente saneamiento de las finanzas municipales (Llorente y Rivas 2004, 314).

De esta manera, aprovechando un fortalecido modelo de gestión, el Gobierno de la ciudad, bajo el mando del alcalde Mockus, se involucró por primera vez en 1995 en el diseño e implementación de acciones dirigidas a solucionar la creciente problemática de inseguridad que Bogotá venía experimentando desde la década anterior. Esta iniciativa marcó el inicio, no solo en Colombia sino también en la región, de un enfoque de seguridad ciudadana que prioriza el tratamiento de la violencia urbana como eje central del gobierno municipal. En definitiva, la experiencia de Bogotá

> es producto de un proceso que se gesta con la introducción de nuevas reglas de juego para el manejo de la ciudad, así como de nuevos enfoques para abordar el gobierno municipal y en especial el manejo de la seguridad ciudadana en lo cual las autoridades civiles asumen un rol central de liderazgo. La continuidad dada desde mediados de los noventa al liderazgo de los asuntos de seguridad de la ciudad, así como a ciertos programas y su perfeccionamiento por parte de las sucesivas administraciones, sin duda han sido claves para la metamorfosis de la ciudad (Llorente y Rivas 2004, 314).

A diferencia de la trayectoria bogotana, en Quito la incorporación de la seguridad ciudadana como problema de políticas públicas se produjo a inicios de los años 2000, en un contexto de violencia urbana distinto.

Si bien Ecuador no había experimentado el fenómeno de violencia estructural presente en Colombia, a partir de la década de los noventa se observa una importante escalada de la violencia urbana, localizada en zonas conflictivas como las provincias fronterizas del norte del país y en grandes ciudades como Guayaquil y Quito. Aunque las tasas de homicidios se mantienen durante los años ochenta y noventa por debajo de la media latinoamericana, tienden a superar los promedios mundiales. Además, en este período se observa un crecimiento sostenido de estos indicadores, que llegan prácticamente a duplicarse, como se evidencia en la tabla 4.4. El fenómeno ocurre en el marco de una tendencia regional de ascenso de los niveles de criminalidad y aparecimiento de nuevas formas de violencia urbana.

Tabla 4.4. Tasas de homicidios en América Latina (1980, 1990, 1995)

País	Fines de los 70 principios de los 80	Fines de los 80 principios de los 90	Mediados de los 90
Argentina	3,9	4,8	---
Brasil	11,5	19,7	30,1
Chile	2,6	3,0	1,8
Colombia	20,5	89,5	65,0
Costa Rica	5,7	4,1	---
Ecuador	6,4	10,3	14,8
El Salvador	---	138,2	117,0
Honduras	---	---	40,0
México	18,2	17,8	19,5
Panamá	2,1	10,9	---
Paraguay	5,1	4,0	---
Perú	2,4	11,5	10,3
Uruguay	2,6	4,4	---
Venezuela	11,7	15,2	22,0

Fuente: Arcos, Carrión y Palomeque (2003, 26).

Como se desprende del primer informe sobre seguridad y violencia realizado en Ecuador bajo el auspicio del Banco Interamericano de Desarrollo (BID) (Arcos, Carrión y Palomeque 2003), la desagregación territorial de estos datos permite algunas puntualizaciones importantes. Por un lado, la violencia presenta una distribución desigual en el territorio, con tasas superiores a 30 homicidios por cada cien mil habitantes en provincias como Esmeraldas, Sucumbíos y Los Ríos, frente a promedios inferiores a los tres por cien mil en provincias como Zamora, Morona y Napo. Por otro, la violencia durante estas dos décadas exhibe una tendencia a consolidarse como un fenómeno de carácter primordialmente urbano. De manera general, las cifras entre 1990 y 1999 muestran un incremento nacional de la tasa de homicidios de 43,1 %; en las zonas urbanas el crecimiento fue de 53,1 %, mientras que en las rurales alcanzó solo el 6,8 % (tabla 4.5).

Tabla 4.5. Tasa de homicidios según tipo de área en Ecuador (1990-1999)

Año	1990	1991	1992	1993	1994	1995	1996	1997	1998	1999
Área										
Ecuador	10,3	11,4	12,2	13,2	11,4	13,4	14,0	12,4	15,1	14,8
Urbana	11,8	12,4	13,9	15,5	13,3	18,3	19,4	16,3	18,9	18,1
Rural	8,5	10,2	9,8	9,7	8,6	5,7	5,3	8,7	8,7	9,1

Fuente: Arcos, Carrión y Palomeque (2003, 33).

Este cambio en el escenario de la violencia —su desplazamiento del campo hacia la ciudad— se explica sobre todo por las transformaciones demográficas del país y su tránsito hacia una sociedad urbanizada, en cuya dinámica emergieron nuevas formas de interacción signadas por lógicas de inseguridad, agresividad, intolerancia, etc. (Arcos, Carrión y Palomeque 2003, 27). Ciudades como Guayaquil y Quito, las dos principales aglomeraciones urbanas del país, venían experimentando desde mediados de siglo un importante desarrollo urbano, generado —entre otros factores— por procesos de acumulación de capital y de migración campo-ciudad. De ahí que, aparte de las provincias de las zonas fronterizas, es principalmente en Guayas y Pichincha (cuyas capitales son Guayaquil y Quito, respectivamente) donde se observa el mayor incremento de las tasas de homicidios por cada cien mil habitantes. En Pichincha, las tasas crecieron de 6,7 en 1990 a 12,8 en 1995 y a 16,0 en 1999 (Arcos, Carrión y Palomeque 2003, 36).

Hacia finales de la década de los noventa, casi el 95 % de las defunciones por accidentes de tránsito, suicidios y homicidios en la provincia de Pichincha ocurrieron en el sector urbano. Del total de fallecimientos de la provincia el 72,2 % correspondió a Quito, con tasas de 25,1 en accidentes de tránsito y 18,0 en homicidios, números que la ubicaban —junto con Guayaquil— como una de las ciudades con mayor incremento de violencia urbana en el país (Arcos, Carrión y Palomeque 2003, 151).

En este contexto de escalada de la violencia en las principales ciudades, la problemática de la seguridad ciudadana empezó a constituirse durante los años noventa en asunto prioritario de la agenda pública nacional, tanto por los impactos que la violencia empezaba a ejercer sobre la calidad de vida de los ciudadanos, como por la generación de políticas públicas tendientes a contrarrestarlos. No obstante, como lo muestran algunas encuestas de opinión de la época, la preocupación ciudadana por la inseguridad se presentaba sobre todo a nivel local. Esta suerte de descentralización de la competencia referente a la seguridad, desde el nivel nacional hacia el local, en última instancia implicó que la demanda de soluciones se dirigiera a los gobiernos municipales, independientemente de si estos se encontraban legalmente habilitados para asumir estas competencias o si poseían las capacidades institucionales para ejercer un gobierno de la seguridad (Arcos, Carrión y Palomeque 2003, 27-28).

De esta manera, con algunos años de retraso en relación con las ciudades colombianas, en Ecuador se empezaron a impulsar a inicios de la primera década de 2000 varias iniciativas locales en temas de seguridad ciudadana. En Cuenca, bajo la consideración de la violencia como tema prioritario de la agenda local, el Municipio planteó fortalecer un consejo de seguridad ciudadana de carácter consultivo y directivo, con la participación de una serie de actores estatales y no estatales, enfocado en formular políticas de seguridad asociadas a las facultades de las distintas instituciones participantes. En Guayaquil, el Municipio emprendió el programa Más Seguridad, sustentado en un enfoque de participación ciudadana, aunque su operación estuvo básicamente dirigida a mejorar la capacidad de la Policía mediante la dotación de insumos de comunicación y vehículos (Arcos, Carrión y Palomeque 2003, 165-167).

Más allá de estas iniciativas, en Quito empieza a configurarse de manera más articulada un conjunto de acciones tendientes a solucionar los problemas de violencia urbana que venía experimentando la urbe. Durante la década de los noventa, alcaldes como Jamil Mahuad (1992-1998) y Roque Sevilla (1998-2000) ya habían planteado la problemática e implementado algunas medidas de control del orden público. En 1998, el alcalde Sevilla ejecutó acciones preventivas, incluyendo la restricción del consumo de alcohol en el espacio público y su expendio en determinados días y horas, así como la limitación del horario de funcionamiento de locales de diversión. Durante la misma administración, en el año 1999 se conformó un Consejo de Seguridad que contó con la participación de diversos actores de la sociedad, con el propósito de diseñar políticas sobre la problemática. En agosto de ese año se presentó además un plan piloto de seguridad y convivencia ciudadana que contemplaba intervención en el espacio público, capacitación a los ciudadanos y generación de información sobre la violencia en la ciudad (Rodríguez 2004, 37-38).

Un antecedente importante en las políticas de seguridad en Quito fue la creación en el año 2000 de la Dirección Metropolitana de Seguridad Ciudadana, sobre la base de la anterior Dirección de Seguridad Ciudadana que funcionaba desde 1979 con la misión de gestionar los riesgos por fenómenos naturales. La ampliación del campo de acción comprendía también su redefinición como ente planificador y coordinador de las operaciones de seguridad del distrito. Para ello se configuraron en cada una de las administraciones zonales las Unidades de Seguridad Ciudadana y se impulsaron los Comités de Seguridad Barrial, con el propósito de establecer un trabajo conjunto con la ciudadanía en términos de prevención, control y contingencia (Rodríguez 2004, 39).

A finales de los noventa se empezó a configurar un campo de acción del gobierno local de Quito en temas de seguridad ciudadana, el cual se venía consolidando institucionalmente con el asesoramiento del Municipio de Cali, a la vez que se proyectaba fortalecerlo financieramente mediante la gestión de un préstamo del BID. No obstante, las propuestas y acciones del alcalde Sevilla se vieron truncadas por su derrota en las elecciones locales del año 2000, frente al entonces candidato Paco Moncayo, exdiputado y exjefe del Comando Conjunto de las Fuerzas Armadas. En su campaña electoral, a través de su Plan Siglo XXI, Moncayo había ubicado la seguridad ciudadana como uno de los ejes fundamentales de su propuesta de gobierno (Rodríguez 2004, 39). Este es precisamente el momento de emergencia del proceso de diseño de las políticas de seguridad ciudadana de la ciudad de Quito.

Niveles de las políticas de seguridad ciudadana en Bogotá y Quito

Nivel macro: metas generales y preferencias de implementación

Las metas de la política hacen referencia a aquellas ideas abstractas que, a modo de paradigma, orientan las estrategias y acciones del gobierno en un determinado campo de política. Con esta perspectiva, desde los años noventa, en el contexto del emergente paradigma de la seguridad humana, tanto la academia como organismos internacionales empezaron a impulsar en la región una visión integral de la seguridad, según la cual la violencia y los problemas de inseguridad son obstáculos para el desarrollo y la democracia. En consecuencia, se conciben como temas complejos y multidimensionales, cuya solución debe ser resuelta desde la política pública, en términos de fortalecimiento institucional, inteligencia y justicia.

Tanto en Colombia como en Ecuador, las metas generales de las políticas de seguridad ciudadana fueron concebidas en sus inicios desde un sentido estructural, esto es, bajo los preceptos epistemológicos del paradigma de la seguridad ciudadana. Este paradigma no solo revierte la concepción militar de la seguridad nacional, sino que además asocia los problemas de violencia urbana con temáticas de otra índole, tales como la construcción de ciudadanía, la convivencia, la apropiación del espacio público, la participación ciudadana, etc. En esta perspectiva se identifican una serie de factores desencadenantes de la violencia relacionados con la pobreza, el desempleo, la marginación, la segregación socioespacial, el riesgo ambiental, entre otros.

En Bogotá, los objetivos de las políticas de seguridad impulsadas por el alcalde Antanas Mockus entre los años 1995 y 1997 fueron establecidos alrededor del marco conceptual de la denominada *cultura ciudadana*, noción enfocada en estimular la autorregulación del comportamiento de las personas a través del control cultural de las interacciones. La hipótesis sobre la que se sostiene esta idea es que la interacción humana opera en función de tres sistemas: la cultura, la ley y la moral. Una vez que se produce una ruptura en la conjunción de este orden sistémico es necesario instaurar un proceso de reconciliación, transformando algunos hábitos y costumbres sin intervenir en la moral ni en las leyes. La cultura ciudadana fue definida como "el conjunto de costumbres, acciones y reglas mínimas compartidas que generan sentido de pertenencia, facilitan la convivencia urbana y conducen al respeto del patrimonio común y al reconocimiento de los derechos y deberes ciudadanos" (Martin y Ceballos 2004, 150). En palabras del propio alcalde Mockus, esta concepción implicó asumir los problemas de seguridad como un reto pedagógico que desemboca en cultura ciudadana, esto es, bajo una lógica en la cual

> ... la gente guía emociones como culpa, vergüenza, pero también emociones positivas como el reconocimiento social, la confianza. Entonces, primero te autorregulas, pero si no te puedes autorregular eres regulado por otros, como tu familia, tus colegas, compañeros, vecinos, los transeúntes, el público en general. Si esos dos anillos no funcionan, o sea la autorregulación y la mutua regulación, entonces se pasa a la regulación policiva y judicial. Es obvio que hay que trabajar sobre los tres sistemas, eso es lo que se plantea, y luego se empieza a ilustrar con los mimos como una forma de autoridad pedagógica y con las tarjetas para hacer visible la mutua regulación.[3]

Ciertamente, la noción de cultura ciudadana, a partir de la cual se buscó modificar el comportamiento de los bogotanos a través de la pedagogía y la comunicación, implicó no solo instaurar un nuevo discurso político, sino sobre todo una novedosa forma de gobierno de la ciudad.[4] En esta renovada manera de concebir la gestión de la urbe, la seguridad ciudadana y especialmente las iniciativas de convivencia se constituyeron en los ejes rectores de la agenda pública de Bogotá; temáticas como la defensa de la vida de los ciudadanos se convirtieron en las prioridades centrales del gobierno de Mockus (Llorente y Rivas 2004, 315). Así, las estrategias de cultura ciudadana fueron delineadas como la estructura básica del Plan de Desarrollo "Formar Ciudad", en función de cuatro objetivos: i) obtener mayor cumplimiento de las normas de

---

[3] Antanas Mockus, exalcalde de Bogotá, entrevista, Bogotá, febrero 2013.

[4] Para una revisión de la noción de "cultura ciudadana" ver Mockus (1998) y Espinel (1998). Un análisis de la incidencia que ha ejercido la cultura ciudadana en los procesos de gestión distrital de Bogotá se encuentra en Bautista (1998). A su vez, Rivas (2004) presenta una lectura de las prácticas de gobierno y las tecnologías de seguridad en Bogotá en el contexto de la cultura ciudadana.

convivencia; ii) empoderar a los ciudadanos para hacer cumplir las normas pacíficamente; iii) mejorar la capacidad de producir acuerdos y soluciones a los conflictos ciudadanos; y iv) fomentar la capacidad comunicativa de los ciudadanos por medio de actividades lúdicas y deportivas (Martin y Ceballos 2004, 151).

En el caso de Quito, las estrategias de seguridad ciudadana que se desarrollaron a inicios del nuevo milenio estuvieron directamente influenciadas por la experiencia de ciudades colombianas como Cali y Medellín, pero especialmente por Bogotá, ciudad con la que se acordó un asesoramiento técnico en ámbitos como el fortalecimiento institucional, y la generación y manejo de información. A más de adoptar instrumentos concretos, por ejemplo los observatorios de seguridad, el intercambio entre las dos ciudades implicó la alineación de las estrategias de Quito a los preceptos de seguridad y convivencia que Bogotá había desarrollado desde mediados de los noventa.

En cierta medida, la construcción del concepto de seguridad ciudadana en Quito responde a una visión individual constructivista de los sujetos, inscrita en la lectura antropocéntrica del paradigma de la seguridad humana. También atiende a la lectura hegemónica del contexto internacional, relacionada con el desplazamiento de la noción de seguridad nacional por la de seguridad ciudadana, así como con la configuración de agendas y políticas públicas en temas de seguridad centradas en el desarrollo y el gobierno local (D. Pontón 2004, 353).

Esta concepción se vio impulsada también desde el emergente debate académico ecuatoriano, en el cual empezó a problematizarse la violencia urbana como un fenómeno directamente relacionado con los procesos de urbanización, así como con las dinámicas de interacción social y convivencia ciudadana (Carrión 2008). Esto condujo a entender los problemas de violencia e inseguridad como resultado de un modo de organización social en crisis, así como a plantear acciones de recuperación cívica del entorno y mecanismos de responsabilidad social como estrategias de mejora de la seguridad en el ámbito local (Castro 2004; Marchán 2004; Páez 2004). Esta retórica académica, en definitiva, caracterizaba la violencia como un fenómeno de naturaleza delincuencial, de magnitud creciente y con fuertes impactos en la sociedad, cuya solución demandaba una política pública de seguridad ciudadana de carácter sistémico, apuntalada en procesos de cambio estructural, valores cívico-morales y corresponsabilidad ciudadana expresada en términos de participación y control social (Jarrín 2005, 43-44).

Desde esta perspectiva, la administración de Paco Moncayo se propuso —al menos retóricamente— impulsar una política de seguridad ciudadana cercana a los lineamientos de la política bogotana. Esto es, con una concepción integral de seguridad que fomente el desarrollo del individuo y procese de manera pacífica la conflictividad, pero sobre todo que construya un sentido pedagógico de convivencia ciudadana, mediante valores como el respeto y la promoción de los derechos humanos (Ojeda 2006, 139).

Así, en el contexto del intercambio de experiencias con Cali y Bogotá, la propuesta que se iniciaba en Quito en el año 2000 se adscribió a la lectura cultural de Antanas Mockus, en cuanto a comprender la seguridad a partir de un enfoque de cultura ciudadana. Conforme lo señala el exalcalde Moncayo,

> [esta visión] era parte de todo nuestro modelo, [...] vinculamos seguridad con cultura ciudadana, lo que llamábamos la construcción de ciudadanía activa, ciudadanía participativa, el tema de la participación ciudadana como elemento central. [...] La seguridad ciudadana, evidentemente, está vinculada a la seguridad humana, pero no hay riesgo de vincularle con la seguridad nacional, porque cuando se concibe la seguridad

> humana desde el gobierno local no existen aparatos de represión. De ahí que el concepto de seguridad ciudadana que aplicábamos era un paso adelante del concepto de seguridad pública y del orden público. La problemática de seguridad no es un tema de la Policía, está más acotada a lo urbano, de ahí los planes de espacio público, tránsito, convivencia ciudadana, etc. Seguridad ciudadana, entonces, se refiere a la vida de la gente, [...] es decir, la concepción de seguridad ciudadana es una visión integral, es seguridad humana asentada en el territorio, minimizando el riesgo de seguritización. [En esta visión] el alcalde no va a mover las legiones para reprimir algo, por el contrario, los servicios públicos de calidad, la convivencia, la solución negociada de los conflictos, constituyen elementos de la seguridad ciudadana.[5]

Estos postulados fueron instrumentalizados en el Plan Equinoccio 21, carta de navegación de la ciudad que buscaba operativizar la propuesta del Plan Siglo XXI. Concebido desde un sentido estratégico y desarrollado bajo una metodología de pacto ciudadano, el plan estaba sustentado en cuatro ejes estratégicos: económico, social, territorial y político. En el eje social, en el que se proyectaba como visión una ciudad equitativa y solidaria, donde la población ejerciera plenamente sus derechos en efectiva convivencia, se inscribió el programa de seguridad ciudadana, junto con los de educación, cultura, salud y protección social. De esta manera, los medios de las políticas de seguridad ciudadana en su nivel macro fueron direccionados a construir una ciudad y territorios seguros, bajo un entorno de confianza que permitiera alcanzar un adecuado nivel de vida mediante el control de las diferentes manifestaciones de violencia.

---

[5] Paco Moncayo, exalcalde de Quito, entrevista, Quito, febrero 2015.

En función de este propósito, se plantearon acciones relacionadas con el fortalecimiento institucional, manejo de información, participación y prevención, espacio público, grupos vulnerables, violencia intrafamiliar, entre otras.[6]

Como se evidencia en ambos casos, el paradigma de la seguridad humana constituyó el referente macro que direccionó en su origen los objetivos o metas generales de las políticas de seguridad ciudadana de Bogotá y Quito. La concepción de la violencia como un fenómeno de naturaleza compleja y multicausal, en el que intervienen diversos factores de carácter social, económico, cultural, etc., se encuentra así presente en la caracterización de la problemática de las políticas de seguridad ciudadana, tanto a mediados de los noventa en Bogotá como a inicios de 2000 en Quito. De igual forma, la consecuente incorporación a la agenda pública de esta lectura de la seguridad está signada por una perspectiva de integralidad y participación de los actores involucrados, bajo un principio general de convivencia ciudadana. Esto ha significado que los medios de las políticas o las preferencias de implementación —los tipos de instrumentos organizativos conformados por preferencias generales y de largo plazo— se hayan estructurado en su inicio, tanto en Bogotá como en Quito, de acuerdo con un postulado de cultura ciudadana con un fuerte énfasis en las implicaciones pedagógicas y cognitivas de esta categoría.

Cabe resaltar que, si bien los objetivos generales y medios que conforman este nivel macro se han mantenido presentes como referentes de las políticas de seguridad ciudadana de ambas ciudades a lo largo de las últimas décadas, se observan cambios realizados en el

[6] MDMQ, "Plan Equinoccio 21. Quito hacia el 2025", Documento de difusión, (2004).

énfasis que cada una de las administraciones de turno ha otorgado al proceso.

En el caso de Bogotá, en el período 1995-2015 se han sucedido seis administraciones municipales, a lo largo de las cuales la noción de la seguridad humana, en tanto parámetro de las políticas de seguridad, se ha reformulado según las diferentes aristas del paradigma. En la experiencia bogotana se identifican claramente dos momentos. Por un lado, el período formado por las administraciones de los alcaldes Antanas Mockus (1995-1997, 2001-2003) y Enrique Peñalosa (1998-2000), el cual constituye no solo el momento de emergencia y consolidación de una política de seguridad ciudadana inédita en la región, sino sobre todo la etapa más exitosa en términos de su gestión y resultados. Por el otro, se identifica una etapa compuesta por las administraciones de los alcaldes Luis Garzón (2004-2007), Samuel Moreno (2008-2011) y Gustavo Petro (2012-2015), las tres ideológicamente ubicadas en la izquierda.

Tras la primera gestión de Mockus, la propuesta del alcalde Peñalosa evolucionó desde el énfasis cultural hacia un desarrollo pragmático fundamentado en un modelo de ciudad que promoviera la igualdad democrática, con políticas enfocadas en condiciones externas como espacio público, recreación, transporte, entre otras. En esta perspectiva se inscribió el plan de desarrollo Por la Bogotá que queremos, en el cual los temas de seguridad ciudadana fueron abordados bajo la premisa de establecer un equilibrio entre las acciones de la autoridad y el comportamiento de los ciudadanos, mediante no solo estrategias de prevención y control de las actividades delictivas, sino también con el impulso de comportamientos que propiciaran la convivencia (Martin y Ceballos 2004, 153-154). Como lo señala Héctor Morales:

> Peñalosa retomó algunos elementos de Mockus, pero para él lo importante era el espacio público. Consideraba que la seguridad se logra en los escenarios donde la gente sea igual. Las estrategias se direccionan para brindar seguridad en estos espacios y que la gente se sienta segura. [...] Para Peñalosa la seguridad se construye en escenarios donde las personas se sientan seguras y puedan compartir. Eso es más situacional, muy ambiental. Esto partiendo del supuesto de que la convivencia existe *per se* y lo que falta son escenarios donde esta situación se pueda dar.[7]

En la segunda administración de Mockus, el Gobierno distrital retomó la noción de cultura ciudadana como eje central del plan de desarrollo Bogotá para vivir todos de un mismo lado. Pero, a diferencia de la primera gestión, se puso un mayor énfasis en el cumplimiento de la norma, mediante el respeto por las personas, la ley y lo público.[8] De esta manera, la seguridad y la convivencia fueron ratificadas como principios fundamentales de la cultura ciudadana, concretados en acciones relacionadas con un sistema de medición y seguimiento de las distintas estrategias, el programa Vida Sagrada, la protección ciudadana, la intervención en zonas críticas y la implementación de mecanismos de solución de conflictos (Martin y Ceballos 2004, 156-157).

---

[7] Héctor Morales, funcionario del Consejo de Justicia de Bogotá, entrevista, Bogotá, diciembre 2013.

[8] Al respecto es importante señalar que "En el segundo mandato de Mockus, él ya tiene la norma hecha y le hace unos ajustes para modernizarla. Pero, ¿por qué tiene que crear una norma de seguridad local? Porque resulta que a nivel nacional ha sido imposible sacar una norma de seguridad, ya que a nivel nacional la norma se entiende desde el punto de vista de lo represivo, que es un discurso distinto al que manejaba Mockus" (H. Morales, entrevista).

El triunfo en 2003 de Luis Garzón representó una ruptura de la dinámica política que había caracterizado la ciudad desde 1995, así como la apertura de una nueva etapa marcada por un discurso de corte social y la consecuente transformación del gobierno de la ciudad. Dentro del plan Bogotá sin indiferencia, se concibió la seguridad ciudadana como funcional a los derechos y deberes ciudadanos; sus estrategias se articularon a otros ámbitos de la administración, relacionados, por ejemplo, con la inclusión social y los procesos de segregación socioespacial (Parada 2010, 80). Se planteó, en ese sentido, una política garantista articulada a un sistema integrado de seguridad ciudadana, sustentado en el análisis de las vulnerabilidades desde una perspectiva de derechos humanos, el diseño de estrategias de prevención, el fortalecimiento de mecanismos de reconciliación, una mayor participación ciudadana y corresponsabilidad social, y una mayor efectividad de las competencias institucionales en el manejo de los factores de riesgo (Alcaldía Mayor de Bogotá 2007). Como lo señala Héctor Morales, con Garzón se produce un cambio importante en la concepción de las políticas de seguridad ciudadana:

> ... Entra el alcalde Luis Garzón con un discurso paternalista, es decir, con un discurso que plantea que solo el Estado debe proporcionar la seguridad. La propuesta de Mockus era de ambos lados, tú pones una parte y yo pongo la otra. El discurso de izquierda es que el Estado es el causante de todos los males y por tal efecto es quien debe solucionarlos. El ciudadano deja de ser un actor que es parte y acompaña la política de seguridad y pasa a ser una persona que recibe seguridad. Cambia totalmente el concepto. Si bien ellos realizaron ciertas campañas promoviendo la convivencia, el discurso de corresponsabilidad pasa a un segundo plano. Empieza a observarse un deterioro

> [desde el gobierno de Garzón] en la construcción de políticas de seguridad. Las cifras seguían siendo buenas, pero porque existían unas estrategias implementadas en las anteriores administraciones.[9]

Dando continuidad a las administraciones de izquierda, Samuel Moreno asumió la Alcaldía de Bogotá bajo la premisa de mantener el enfoque social que impuso su antecesor. Se reiteró la idea de que existe una asociación entre la actividad criminal y factores socioeconómicos como la pobreza, exclusión y marginalidad. Aunque en esta administración la seguridad ciudadana no constituyó un tema prioritario, su planteamiento se diferenció de los anteriores en la medida que profundizó una política fundamentada en la seguridad humana, explícitamente articulada a la defensa y promoción de los derechos humanos, el respeto por la diferencia y el pluralismo en todas sus dimensiones. Se estructuró así un discurso de la seguridad abstracto y con un sentido de integralidad, que planteaba responder a los problemas de violencia y convivencia mediante logros en el ámbito social (Parada 2010, 86-92).

De las administraciones de izquierda, la de Gustavo Petro es seguramente la más representativa de esta orientación, no solo por el pasado militante del alcalde en grupos subversivos, sino por la profundización de un modelo de gobierno fundamentado en la centralidad del Estado en el manejo de lo público y en la construcción de una política de carácter social que reivindica los derechos de las minorías.[10] El plan de desarrollo Bogotá humana enfatiza el reconocimiento de los derechos de todos los ciudadanos como un

---

[9] Héctor Morales, funcionario del Consejo de Justicia de Bogotá, entrevista, Bogotá, diciembre 2013.

[10] Orlando Parada, concejal de Bogotá, entrevista, Bogotá, diciembre 2013.

mecanismo para transformar la cultura ciudadana en una cultura democrática. Sobre este supuesto se formuló el Plan Integral de Convivencia y Seguridad Ciudadana (PICSC), en el que se proponen los lineamientos de políticas para los próximos diez años, alrededor de objetivos como la preservación de libertades individuales, la disminución de los riesgos generados por la violencia, la implementación de estrategias de prevención, el incentivo a la participación comunitaria y la articulación de acciones interinstitucionales, entre otros (Alcaldía Mayor de Bogotá 2014).

Respecto al caso de Quito, en el período 2000-2014 se sucedieron las administraciones de los alcaldes Paco Moncayo (2000-2004, 2005-2009) y Augusto Barrera (2009-2014). Como se observó anteriormente, las políticas de seguridad en Quito emergieron en el año 2000 bajo el liderazgo del alcalde Moncayo, quien incorporó la problemática de la seguridad y la convivencia en las competencias del gobierno de la ciudad. Dado que Moncayo fue reelegido en 2005, totalizando luego ocho años de gestión, la mayor parte del proceso de las políticas de seguridad está concentrado en las acciones y estrategias desarrolladas durante sus dos administraciones, lo que en cierta forma otorgó continuidad tanto a las metas generales (objetivos) como a las preferencias de implementación (medios) del nivel macro de las políticas.

La administración de Barrera, iniciada en 2009, implicó la ruptura de una forma de gobierno local que se había desarrollado y consolidado durante casi una década. Ideológicamente, la administración de Barrera estaba alineada al proyecto político de la denominada Revolución Ciudadana, proceso inscrito en el giro a la izquierda que experimentaron algunos países de la región durante la última década. De esta manera, en el contexto de un nuevo marco constitucional (2008), el gobierno de Barrera se planteaba recuperar lo público a partir del fortalecimiento del aparato estatal y la institucionalidad de la administración pública, en concordancia con lo establecido en la nueva Constitución.[11]

En este proceso, el Estado central adquirió un renovado protagonismo político en detrimento de los gobiernos locales. Es así que los lineamientos de las políticas de seguridad ciudadana de Quito han experimentado importantes transformaciones en los últimos años, en tanto las competencias sobre la problemática se han desplazado paulatinamente hacia el nivel central, lo que ha llevado a redefinir el rol del gobierno local. Esta tendencia, como se observará en los siguientes capítulos, se manifiesta sobre todo en los cambios de la instrumentación de las políticas. En esta lógica, el proceso presenta una suerte de dicotomía continuidad/ruptura. Por un lado, hay continuidad en la vigencia del paradigma de seguridad humana, en tanto se ratifica una concepción multidimensional e integral de la problemática de la violencia/criminalidad y de las estrategias para afrontarla. Por otro, se evidencia una nueva concepción sustentada en el replanteamiento del rol del gobierno local alrededor de ámbitos relacionados con aspectos organizacionales, prevención, desconcentración de la justicia, entre otros.[12]

Nivel meso: objetivos específicos de las políticas y tipos de instrumentos

El nivel intermedio o meso de las políticas públicas se encuentra definido en primera instancia por los objetivos específicos, esto es, aquellos aspectos que se espera abordar para conseguir las metas propuestas. Es precisamente en este nivel fundamental donde se observan las mayores contradicciones de las políticas. En efecto,

---

[11] Augusto Barrera, exalcalde de Quito, entrevista, Quito, febrero 2015.

[12] MDMQ, "Políticas públicas de seguridad ciudadana", Documento de difusión, (2011).

el conjunto de metas delineado alrededor de un paradigma tan amplio y multidimensional como el de la seguridad humana termina desbordando las expectativas sobre la limitada capacidad de respuesta del gobierno. Así, en este nivel se vuelve factible identificar y evaluar una serie de problemas relacionados con las fallas de implementación de las políticas, tanto en términos del grado de articulación entre las metas generales planteadas y las estrategias/acciones ejecutadas, como en función de los estilos de implementación, esto es, de la coherencia y consistencia de la combinación de los instrumentos de las políticas.

En el nivel meso de las políticas de seguridad ciudadana aplicadas en los dos casos de estudio empiezan a evidenciarse algunas diferencias sustanciales. En términos generales, los objetivos de ambas políticas han estado dirigidos a enfrentar los problemas de violencia y criminalidad, así como a impulsar la convivencia entre los ciudadanos. Con estos propósitos, se han planteado objetivos específicos que pueden ser agrupados en tres ámbitos: fortalecer la institucionalidad involucrada en la problemática de la seguridad; construir mecanismos para generar y manejar la información sobre temas de violencia y criminalidad; y finalmente, fomentar la seguridad y la convivencia mediante estrategias de participación ciudadana. A su vez, cada uno de los objetivos se encuentra relacionado con combinaciones de medios, esto es, diferentes tipos de instrumentos que el gobierno utiliza para direccionar sus metas.

Fortalecimiento institucional

Respecto al ámbito institucional de las políticas de seguridad ciudadana, es importante en primer lugar señalar las implicaciones legales que los marcos constitucionales han tenido sobre los procesos de ambas ciudades. En el caso de Bogotá, la Constitución colombiana de 1991, aunque no explicita la noción de seguridad ciudadana, identifica en su artículo 2, como un fin esencial del Estado, asegurar la convivencia pacífica de los ciudadanos y la vigencia de un orden justo. En palabras de Hugo Acero, exsubsecretario de seguridad de Bogotá, esta disposición constitucional en cierta forma abstrajo el concepto de orden público, históricamente vinculado en Colombia con el conflicto armado. De ahí que, más allá de la discusión política y jurídica desarrollada en las décadas de los ochenta y noventa sobre las implicaciones del orden público,

> la Constitución estableció que el Presidente es el responsable del tema del orden público. Detrás de esta noción está lo relacionado a la seguridad pero no de manera explícita. Colombia es un país que se descentralizó fuertemente en todos los campos, excepto en el tema macroeconómico y en el de seguridad. Lo que se impulsó es un proceso de delegación de la seguridad en cabeza de los alcaldes a nivel municipal y de los gobernadores a nivel departamental. Ahí hay una responsabilidad que otorga la Constitución, aunque esa delegación no es una descentralización y puede ser retirada en cualquier momento. Esto tiene una connotación importante referida a que en materia de seguridad y orden público, el mandato del Presidente prevalece por encima de las decisiones de los gobernadores. A su vez, las disposiciones de los gobernadores predominan sobre las de los alcaldes. Implica, además, que los gobernadores y alcaldes son solo agentes del presidente en materia de orden público.[13]

[13] Hugo Acero, exsubsecretario de Seguridad de Bogotá, entrevista, Bogotá, diciembre 2013.

El marco constitucional establece así un límite a las responsabilidades del Municipio bogotano en materia de seguridad, en tanto —más allá de su condición de Distrito Capital y de las atribuciones que le otorga el Estatuto Orgánico de 1993— las políticas públicas sobre el tema deben ser definidas dentro del marco legal y del diseño institucional nacional. No obstante, como se analizó anteriormente, el Gobierno de Bogotá asumió desde mediados de la década de los noventa el liderazgo en la promoción de una política local que abordara los crecientes problemas de violencia y criminalidad. Esta decisión se sustentó en el artículo 315 de la misma Constitución, en el que se identifica al alcalde como primera autoridad de su jurisdicción, responsable de resguardar el orden público en el Municipio, para lo cual puede girar órdenes a la Policía Nacional. Este mandato le permitió a la administración local impulsar diversos instrumentos de políticas direccionados a atender las demandas ciudadanas en materia de seguridad (Martin y Ceballos 2004, 178-181). Puesto que esta Constitución ha estado vigente desde 1991, con ciertas reglamentaciones posteriores que no han alterado su sentido, el contexto legal sobre las atribuciones y competencias del gobierno local en temas de seguridad ciudadana se ha mantenido constante durante todo el período de análisis.

En el caso de Quito, contrariamente, el proceso presenta dos momentos marcados por la incidencia de las constituciones de 1998 y 2008. Por un lado, las políticas de seguridad ciudadana en Quito surgieron como una iniciativa local liderada por el alcalde Moncayo, en respuesta a la demanda de una ciudadanía afectada por el creciente problema de violencia y criminalidad. En la Constitución de 1998, vigente en esa coyuntura, el tema de la seguridad estaba concebido desde la noción de orden público y en referencia a instituciones de control como las Fuerzas Armadas y la Policía Nacional, es decir que no se contemplaban disposiciones específicas sobre la problemática de la seguridad y convivencia ciudadana.

En ese contexto legal, la iniciativa del Municipio de Quito estuvo amparada, en primer lugar, en los artículos 228 y 230 de dicha Constitución, en los que se señalaba que los gobiernos seccionales autónomos (consejos provinciales, concejos municipales, juntas parroquiales) gozaban de autonomía para dictar ordenanzas y otros instrumentos de gestión en sus circunscripciones territoriales. En segundo lugar, la iniciativa se sustentó en las prerrogativas de la Ley Orgánica de Régimen Municipal, contenidas en los artículos 1 y 11, en los que se establece como función de los municipios custodiar el bien común local y el bienestar social y material de la comunidad. Pero, especialmente, la política se fundó en los artículos 14, 64 y 155 de esta ley, en los cuales se faculta a los municipios a coordinar acciones conjuntas con otras instituciones, con la ciudadanía y, de manera específica, con la Policía Nacional, para formular políticas locales de seguridad y convivencia ciudadanas (Pontón 2004, 356; Torres 2011, 73).

La Constitución de 2008 marca un nuevo derrotero en la temática de la seguridad ciudadana en el país y especialmente en las estrategias y acciones de los gobiernos locales. Si bien prevalecen nociones de seguridad pública y seguridad nacional, rezagos de las anteriores concepciones fundamentadas en la ortodoxa Doctrina Nacional de Seguridad, no obstante, el nuevo marco constitucional incorpora conceptos de seguridad humana y seguridad ciudadana, bajo principios de integralidad, convivencia, derechos humanos, prevención y participación, articulados a la directriz constitucional del "buen vivir". Sin embargo, un elemento primordial del nuevo marco constitucional es la concentración de las responsabilidades en materia de seguridad en el Estado central, alrededor de la figura del Presidente de la República. Se establecen, además, roles y funciones tanto para la ciudadanía como para las instancias de los diferentes niveles de gobierno, incluida la Policía Nacional, en tareas de planificación y aplicación de políticas (Torres 2011, 74).

Los marcos constitucionales de ambos países inciden sobre los procesos de políticas públicas impulsados por los gobiernos de Bogotá y Quito, sobre todo en las dinámicas de gobernanza multinivel, esto es, respecto de la articulación interinstitucional entre lo local y lo nacional. Según se señaló, las experiencias de ambas ciudades son tributarias de los procesos de descentralización emprendidos en la década de los noventa, cuando se aprobaron el Régimen Especial para el Distrito Capital de Bogotá (1993) y la Ley de Régimen para el Distrito Metropolitano de Quito (1993), marcos jurídico-administrativos para redefinir la gestión metropolitana, que incluyen los temas de seguridad y convivencia.

Para el caso de Colombia, estas estrategias fueron concebidas bajo la premisa de apoyar y complementar la política de seguridad nacional, en consonancia con el fortalecimiento de los gobiernos seccionales en el contexto de la descentralización. Como se anotó en acápites anteriores, la violencia en Colombia se ha constituido en un problema estructural que ha repercutido en una sistemática erosión de la institucionalidad estatal (Pizarro 2004). Frente al historial acumulado de violencia, el Estado colombiano desarrolló estrategias enmarcadas en iniciativas de paz con los grupos insurgentes y de negociación con los carteles de la droga, encontrando en la Constitución de 1991 el escenario idóneo para impulsar un nuevo pacto social. De esta manera, el involucramiento de los municipios y departamentos en la prevención de la criminalidad e inseguridad se articuló a políticas de alcance nacional tales como la Estrategia nacional contra la violencia (1991) o el programa Seguridad para la gente (1993), entre otros, que fortalecieron la fuerza pública y generaron resultados positivos en la lucha contra la guerrilla y el narcotráfico (Martin y Ceballos 2004, 106).

En Ecuador, por el contrario, el agotamiento de la doctrina de seguridad militar contenida en la Ley de Seguridad Nacional vigente desde 1964 puso en evidencia la necesidad de formular una política pública de seguridad ciudadana, entendida como una respuesta multidimensional a una forma de violencia estructural que genera desequilibrios sociales (Páez 2004). No obstante, la tendencia a involucrar a los municipios en tareas de seguridad ciudadana, sin necesariamente crear las condiciones constitucionales y legales que avalen esta participación, condujo a que las estrategias emprendidas se desplegaran sobre una trama institucional complicada, inadecuada y compleja, dentro de una marcada desarticulación entre el ámbito local y el nacional (Rivera 2004). A diferencia de Colombia, en el caso ecuatoriano la construcción de la problemática de la seguridad ciudadana se generó en el contexto de una gobernanza jerárquica, con baja interacción entre los distintos niveles de gobierno.

En definitiva, los lineamentos y parámetros impuestos en los marcos jurídico-territoriales de Colombia y Ecuador han redefinido durante las últimas dos décadas la naturaleza de los gobiernos locales, ampliando consecuentemente sus responsabilidades y competencias. El objetivo primordial de los municipios ha sido impulsar su propio fortalecimiento institucional a fin de desarrollar los procesos de gestión y administración pública en sus territorios. La emergencia y consolidación de políticas de seguridad ciudadana en Bogotá y Quito ha implicado, en primera instancia, diseñar e implementar instrumentos tendientes a estructurar una institucionalidad que regule y articule los diferentes procesos y actores involucrados.

El fortalecimiento institucional se ha concretado sobre todo a partir de la implementación de instrumentos de autoridad y organización. En Bogotá, bajo la tutela jurídico-administrativa de la Constitución de 1991 y del Régimen Especial para el Distrito de Capital de Bogotá, se han expedido desde mediados de los noventa varios instrumentos de autoridad de carácter sustantivo: leyes, decretos, códigos, resoluciones, planes, etc., orientados a incidir y controlar aspectos como los procesos de desarme, la regulación de espacio público, el control de consumo de alcohol, la articulación interinstitucional, la gestión de la acción policial, el desarrollo de infraestructura y equipamiento, entre otros. Especial atención merece el PICSC de 2014, el primer instrumento formal de la ciudad y del país que sistematiza una política de seguridad ciudadana en el estricto sentido. De igual forma, se han impulsado diversos instrumentos procedimentales de autoridad, alrededor de planes, programas, acuerdos, etc., direccionados a promover y restringir dinámicas de interacción en ámbitos tales como relaciones interpersonales, estrategias comunicativas y pedagógicas, prevención de la violencia intrafamiliar, resolución de conflictos, entre otros.

De manera paralela, se observa el desarrollo de instrumentos de organización substantivos, entre los que se destaca la creación de entidades directoras como la Subsecretaría para Asuntos de la Convivencia, con sus distintas direcciones, el Consejo Distrital de Seguridad, los consejos locales de seguridad, entre otros. También, se han creado entidades de control presupuestal como el Fondo de Vigilancia y Seguridad. Igualmente, el fortalecimiento institucional se ha desarrollado a través de instrumentos de organización procedimentales —planes, programas, etc. —, enfocados sobre todo en impulsar la participación y veeduría ciudadanas, la policía comunitaria, etc.

En el caso de Quito, en la medida que las políticas de seguridad ciudadana se estructuraron tomando como referencia la experiencia bogotana, el proceso de instrumentación que se desarrolló al inicio de los años 2000 evidencia la consolidación de una institucionalidad fundamentada sobre las disposiciones generales de las Constituciones de 1998 y 2008, así como de la Ley de Régimen para el Distrito Metropolitano de Quito (1993) y, más recientemente, del Código Orgánico de Organización Territorial, Autonomía y

Descentralización (COOTAD) del año 2012. Se han priorizado instrumentos de autoridad substantivos, concretados en múltiples ordenanzas municipales encaminadas a regular aspectos como el financiamiento de la política, la profesionalización de la Policía Metropolitana, el control del espacio público, el control del consumo de alcohol, el reconocimiento y gestión de la violencia intrafamiliar, la administración de justicia, etc. Además, se han implementado instrumentos de autoridad procedimentales: ordenanzas, planes, etc., direccionados a gestionar aspectos como la participación, prevención, contingencia de riesgos, etc.

El fortalecimiento institucional se evidenció también en el temprano desarrollo de instrumentos de organización substantivos, con la creación de instancias rectoras de las políticas tales como la Comisión de Seguridad del Concejo, el Consejo Metropolitano de Seguridad Ciudadana y la Dirección Metropolitana, al igual que entes de regulación del ámbito financiero como la Corporación Metropolitana de Seguridad Ciudadana (Corposeguridad). Como se analizará más adelante, estos instrumentos fueron redefinidos bajo el nuevo modelo administrativo instaurado por el alcalde Barrera. Por otra parte, en la dimensión procedimental, se observan instrumentos de organización orientados a promover procesos de participación y prevención comunitaria mediante consejos, comisiones y mesas. Resaltan en este ámbito el Pacto por la Seguridad Ciudadana[14] y el Foro de Seguridad Ciudadana, constituidos en espacios de interacción entre diversos actores estatales y no estatales. Según explica Lorena Vinueza, exdirectora de seguridad del DMQ:

---

[14] MDMQ, "Pacto por la seguridad ciudadana en el Distrito Metropolitano de Quito", Documento de difusión, (2004).

> En vista de que el marco legal no nos permitía actuar en seguridad, nosotros optamos por un Pacto por la Seguridad Ciudadana. En ese pacto estaba incluida lo que era la gestión local a través del Municipio, Policía Nacional, Rehabilitación Social, Fiscalía, Justicia. Por primera vez, todos esos actores relacionados con la seguridad ciudadana formaban parte de un Concejo Metropolitano de Seguridad Ciudadana que lo presidía el alcalde [...] Logramos hacer una gran articulación, quizá incipiente al principio, de todos estos entes relacionados con la seguridad y se empezó a trabajar en ese sentido. También se reubicó las responsabilidades de la Dirección de Seguridad Ciudadana en los ámbitos de prevención y como apoyo a la Policía Nacional [...] El Concejo Metropolitano de Seguridad estaba liderado por el alcalde y eso hacía que los otros actores participaran de ese Concejo, incluidos los actores de Marcha Blanca que eran los opositores que demandaban más acciones por la seguridad, ellos pasaron de criticar a apoyar en la gestión.[15]

Gestión de la información

Un segundo objetivo de las políticas de seguridad ciudadana de Bogotá y Quito ha sido establecer mecanismos para generar, procesar y manejar la información sobre la problemática de la violencia y criminalidad. Esto se inscribe en una visión epidemiológica de la seguridad que enfatiza la representación de la violencia a través de su expresión estadística y su respectiva georreferenciación espacial. La producción de información sobre los fenómenos de violencia y criminalidad, mediante el seguimiento estadístico espacial-temporal de una serie de delitos previamente caracterizados, se ha constituido en uno de los instrumentos de mayor relevancia en las políticas de

[15] Lorena Vinueza, entrevista, Quito, abril 2014.

seguridad ciudadana (Carrión y Espín 2009). La información producida no solamente permite establecer líneas de base, diagnósticos y hacer un seguimiento sistemático, además de que su uso estratégico resulta fundamental para la toma de decisiones de las políticas.[16]

La construcción de información estadística se estableció en ambas ciudades como un elemento esencial en las políticas de seguridad, manteniéndose a lo largo de la trayectoria como uno de los ejes centrales de las estrategias de control y prevención. Así, en el caso bogotano, la creación de instrumentos de información de carácter sustantivo, como el Sistema Unificado de Información de Violencia y Delincuencia (SUIVD), fue una de las prioridades de los alcaldes Mockus y Peñalosa en la etapa inicial de las políticas de seguridad de la ciudad. Instrumentos de nodalidad sustantivos como los informes estadísticos sobre la tasa de homicidios y otros delitos, las actividades informativas de programas concretos, la información difundida a través del medio televisivo Canal Capital, etc., han sido medios que ha usado el gobierno local. De igual forma, instrumentos de nodalidad procedimentales como los reportes de la Veeduría Distrital, las encuestas de victimización, el informe Bogotá Cómo Vamos, entre otros, han marcado una posición nodal del Municipio respecto a otros actores no estales involucrados.

---

16 Este argumento evidencia la importancia de los recursos de información del gobierno en los problemas de seguridad, en tanto, por un lado, la representación mediática del delito y la violencia está asociada con la construcción social del miedo y la percepción de inseguridad y, por otro, en razón de que la información puede constituirse en un punto de tensión entre los gobernantes, los medios y la ciudadanía, incidiendo tanto en las demandas como en la credibilidad de las políticas (Rey 2005). En cierta forma, la manipulación mediática de la información puede generar una construcción determinista de la seguridad, llevando consigo un populismo punitivo con fuerte incidencia en la agenda pública (Dammert y Salazar 2009; J. Pontón 2013).

En Quito, la creación del Observatorio Metropolitano de Seguridad Ciudadana (OMSC) marcó el inicio de la instrumentación de las políticas de seguridad ciudadana bajo los mismos preceptos epistemológicos del seguimiento estadístico de los delitos. Igualmente, instrumentos de nodalidad sustantivos como la estadística producida por el observatorio y las encuestas de victimización, así como el sistema de control "ojos de águila" y las campañas de concienciación sobre temáticas como la violencia de género, han sido recursos de información usados por el Gobierno distrital. Se identifican además varios instrumentos de nodalidad procedimentales como informes, convenios, programas comunitarios, sistemas de alerta temprana, etc.

Participación ciudadana

Finalmente, uno de los objetivos centrales de las políticas de seguridad ciudadana está vinculado a la participación de actores no estatales en el diseño de dichas políticas. En efecto, el paradigma de la seguridad humana está estructurado alrededor de la protección integral de los individuos y la sociedad, por lo que la concepción de seguridad ciudadana lleva implícita la participación activa de los ciudadanos, tanto al definir la problemática como al implementar estrategias para afrontarla. Así, en la medida que las políticas de seguridad ciudadana en Bogotá y Quito fueron concebidas bajo los postulados de la seguridad humana, su diseño ha incorporado en sus objetivos y medios una dimensión participativa.

En Bogotá, la participación se constituyó en uno de los ejes centrales del planteamiento seminal de la cultura ciudadana, en tanto la idea de una seguridad sustentada en la autorregulación de las interacciones de los individuos en la sociedad implicaba ante todo el involucramiento y compromiso de los ciudadanos en las dinámicas de convivencia. A partir de esta concepción, se implementaron instrumentos de nodalidad, autoridad y organización, principalmente de carácter procedimental, tendientes a limitar las conductas y procesar el conflicto dentro de una lógica pedagógica y comunicacional.

De igual forma, la incorporación de actores no estatales ha sido una estrategia característica de la experiencia bogotana, a través, por ejemplo, de diversos mecanismos de coordinación interinstitucional tales como comités, consejos y espacios de trabajo, convocados y coordinados por la Alcaldía. Instrumentos de organización como el Consejo Distrital de Seguridad, el Consejo Distrital de Seguridad Ampliado, el Comité Distrital de Orden Público, los consejos locales de seguridad, han permitido no solo una articulación entre el ámbito distrital y las instancias nacionales, sino que además han impulsado dinámicas de participación de diversos actores políticos, sociales y económicos. Estos procesos de participación se han instrumentado de manera descentralizada en las 20 localidades que conforman el distrito, mediante canales como la Comisión Municipal de Policía y Participación Ciudadana, el Comité de Veeduría Comunitaria, los Frentes de Seguridad Local y el Servicio Comunitario de Vigilancia y Seguridad Privada (Martin y Ceballos 2004, 184-207).

A diferencia de Bogotá, donde la participación de la ciudadanía ha sido clave para apuntalar las políticas de seguridad y convivencia a nivel local, en Quito, la participación de actores no estatales y de la ciudadanía en la construcción de las políticas no ha logrado desarrollarse en la dimensión procedimental, pese a que, a nivel retórico, ha sido planteada como uno de los ejes más relevantes de las políticas.

Dentro del enfoque sistémico con que fueron concebidas las políticas de seguridad ciudadana a inicios de los años 2000, la participación social estuvo entendida como uno de los ejes fundamentales, determinante de la integralidad. A este respecto, se planteaba que la participación contribuiría a fortalecer la gobernanza, mediante el involucramiento de la sociedad de manera formal e informal en la transformación de sus problemas y necesidades en decisiones políticas.

De igual forma, el empoderamiento de los ciudadanos coadyuvaría a generar un compromiso con el cambio institucional y social necesario para desarrollar las políticas públicas (Jarrín 2005, 16, 44).

Pese a que estos preceptos fueron incorporados en los objetivos de las políticas de seguridad ciudadana de la ciudad y se desarrollaron diversos instrumentos tanto a nivel substantivo como procedimental, la participación de actores no estatales, al menos durante los primeros años de la experiencia de Quito, no fue muy relevante. Salvo la activa incidencia de la organización no gubernamental (ONG) Marcha Blanca en la incorporación de la problemática de la seguridad en la agenda pública y su moderada presencia en etapas posteriores, se evidencia en general una relativa participación de la ciudadanía. Ciertamente, las organizaciones barriales promovidas paralelamente tanto por el Municipio como por la Policía, no lograron articularse de manera programática a la agenda y funcionaron bajo lógicas clientelares. De igual forma, la conformación de Consejos de Seguridad Ciudadana y de Veedurías Ciudadanas no tuvo el apoyo necesario para consolidarse. Tampoco los sectores empresariales participaron de manera activa en los procesos de estructuración de las políticas y toma de decisiones.[17]

Nivel micro: ajustes operacionales y calibración de los instrumentos

Según se mencionó, la trayectoria de las políticas de seguridad ciudadana en Bogotá y Quito puede ser identificada a partir de las etapas constituidas por distintas administraciones municipales. Para el caso bogotano es claramente identificable un primer momento correspondiente a las gestiones de Mockus-Peñalosa-Mockus y un

[17] Lautaro Ojeda, exfuncionario de Corposeguridad, entrevista, Quito, febrero 2012; Daniel Pontón, exdirector del OMSC, entrevista Quito, febrero 2012.

segundo, ideológicamente cercano a la izquierda, con los alcaldes Garzón, Moreno y Petro. En el caso de Quito, se identifica un primer momento liderado por el alcalde Moncayo durante dos períodos administrativos y una segunda etapa correspondiente a la administración del alcalde Barrera.

En cierta forma, la experiencia en ambas ciudades se ha mantenido dentro del paradigma de la seguridad humana, por lo que los cambios de las políticas han operado principalmente en términos del segundo orden (objetivos específicos) y tercer orden (instrumentación). Así, es importante analizar en qué medida se ha transformado el nivel micro de las políticas, en términos de los ajustes operacionales implementados a partir de requerimientos concretos de ellas y de las formas específicas de ajuste y uso de los instrumentos.

Para el caso de Bogotá, se conjeturaba que el ascenso de gobiernos de izquierda iba a generar una ruptura de las políticas de seguridad, tanto en términos de objetivos como de medios. No obstante, según el concejal Orlando Parada, no necesariamente ha ocurrido un cambio en la manera de entender y abordar la problemática, en razón de que

> los modelos que venían operando no profundizaban, es decir, no se estructuraron como verdaderas políticas sino más como acciones. Contenida en algunos documentos pero no articulada como una política, tuvimos la formulación y ejecución de algunos programas, pero no se articularon como políticas permanentes sino como elementos de gobierno. En ese marco, al llegar los gobiernos de izquierda no había realmente una política que seguir o cambiar, por lo que empezaron a tomar algunos elementos que les parecían importantes y abandonaron otros.[18]

[18] Orlando Parada, concejal de Bogotá, entrevista, Bogotá, diciembre 2013.

Más allá de los logros y contradicciones del modelo bogotano de seguridad ciudadana (H. Gómez s.f.; González s.f.; Mockus y Acero 2004; Casas y González 2005; Peña 2010), los cambios se dirigen sobre todo a calibrar la instrumentación de la noción de cultura ciudadana, estructurante de las políticas desde sus inicios. Como se ha señalado, esta noción fue instrumentada en primera instancia por el alcalde Mockus a través de una serie de mecanismos pedagógicos y comunicacionales, direccionados a incidir en la conducta de los individuos y su interacción. Posteriormente, la administración de Peñalosa reorientó la instrumentación hacia la noción de "tolerancia cero", mediante formas de recuperación del espacio público, desplazando la lógica de regulación desde el individuo hacia su entorno. En la segunda administración de Mockus se planteó recuperar la instrumentación centrada en el individuo, manteniendo algunos de los elementos de prevención situacional implementados por su antecesor.

Por el contrario, los tres gobiernos de izquierda relegaron el tema de la cultura ciudadana, imprimiendo mayor énfasis en una instrumentación dirigida a lo social. Esto implicó, por ejemplo, una apropiación más incluyente del espacio público, permitiendo el comercio informal en estas áreas durante la administración del alcalde Garzón, así como activar instrumentos relacionados con programas de atención a grupos minoritarios y el control de porte de armas, que fueron implementados en la administración de Petro.

En el caso de Quito, el cambio de administración desde Moncayo hacia Barrera significó principalmente un reajuste de los instrumentos de organización, en el marco de la reestructuración institucional más amplia implementada en el período 2009-2014. De esta manera, la creación de la Secretaría de Seguridad y Gobernabilidad (SSG), en reemplazo de la anterior Dirección Metropolitana de Seguridad y Convivencia, muestra una lógica distinta del gobierno local en la gestión de la seguridad ciudadana, no solo en términos de los mecanismos de toma de decisiones, sino sobre todo en la manera de interactuar con actores no estatales.

Tanto en Bogotá como en Quito se observan ajustes operacionales en el uso de la información como recurso del gobierno local. En ambos casos se calibraron los instrumentos de nodalidad y organización, para superar el enfoque epidemiológico sobre el que se había construido la información en los observatorios de las dos ciudades. El objetivo de estos cambios fue construir una lectura más integral de la problemática de la violencia y el delito, incorporando información cualitativa mediante mecanismos tales como encuestas de victimización, investigaciones cualitativas sobre fenómenos específicos, trabajos de campo, etc.

En Bogotá, el observatorio se encontraba inicialmente adscrito al Instituto Distrital de Cultura y Turismo, siendo la temática de la seguridad solamente una línea de trabajo. En 1998 se creó el SUIVD, cuya principal actividad era el seguimiento estadístico-espacial de once tipos de conductas que incidían en la seguridad. El instrumento fue calibrado en 2006 durante la administración del alcalde Garzón, convirtiéndolo en el Observatorio de Convivencia y Seguridad, con lo cual se incorporó el procesamiento de información cualitativa. Finalmente, se creó el Centro de Estudios y Análisis en Convivencia y Seguridad Ciudadana (CEACSC), responsable de realizar investigaciones de campo, analizar la dinámica de las diversas conflictividades, violencias y delitos, y evaluar las políticas de seguridad, entre otras.[19]

Para Hugo Acero, esta ampliación en la gestión de la información puede llegar a ser contraproducente, en la medida que

[19] Investigadores del CEACSC, entrevista, Bogotá, diciembre 2013.

> la información desde el punto de vista de la gestión es un recurso que debe servir para la toma de decisiones y debe ser actual. Allí no pienso como académico, las investigaciones deben ser para la toma de decisiones. Que se conviertan en un libro es algo accesorio, tener publicaciones en un centro de investigaciones es importante pero desde el punto de vista de la política pública es para la toma de decisiones. Hoy estamos en un nivel donde se producen muchas investigaciones, [pero] sabemos tanto que no nos sirve de mucho. ¿Por qué? Porque no estamos poniendo atención, no estamos convirtiendo esa información en política pública.[20]

De otra parte, como se señaló anteriormente, la creación en 2003 del OMSC de Quito tuvo como referencia la experiencia bogotana, atendiendo similares parámetros epidemiológicos. Igual que en Bogotá, en la trayectoria de las políticas se han observado algunas calibraciones en la instrumentación de la información, principalmente enfocadas en producir información cualitativa que, en términos de análisis y evaluaciones, complemente los datos estadísticos. En tal sentido, en las últimas administraciones del OMSC, se ha intentado transformar el observatorio en un centro de investigaciones, aunque los resultados no han alcanzado los niveles de institucionalización y tipo de información logrados en Bogotá.

Conclusiones

Es importante resaltar la dinámica de estructuración que las políticas de seguridad ciudadana de Bogotá y Quito han experimentado durante las últimas dos décadas. Por un lado, la noción de seguridad

---

[20] Hugo Acero, exsubsecretario de Seguridad de Bogotá, entrevista, diciembre de 2013.

ciudadana que los dos gobiernos distritales adoptaron en la década de los noventa se deriva de la redefinición del concepto de seguridad nacional en ambos países, enmarcada en los cambios geopolíticos del período de posguerra. Esta dinámica presenta, en el caso colombiano, una particularidad, en tanto, desde mediados del siglo pasado, se ha consolidado en ese país una forma de violencia estructural con consecuencias sociales, económicas y políticas.

Por otro lado, estructurar las políticas de seguridad ciudadana responde a la necesidad de implementar estrategias frente a los crecientes problemas de violencia urbana y deterioro de la convivencia que proliferaron en Bogotá desde la década de los noventa y en Quito a inicios de los años 2000. De esta manera, la problemática de la seguridad se posicionó como un ámbito relevante en la agenda política de ambas ciudades, consecuencia no solo del mayor empoderamiento que los gobiernos locales habían adquirido en los procesos de descentralización, sino además como una respuesta al vacío institucional dejado por los gobiernos centrales frente al crecimiento de la inseguridad.

Conforme se desprende del análisis precedente, las estrategias desarrolladas para enfrentar estos problemas se estructuraron en función de tres niveles de políticas y bajo lógicas específicas en cada uno de los distritos, tal como se sintetiza en la tabla 4.6.

En primer lugar, a nivel macro, se identifican tanto en Bogotá como en Quito metas generales inscritas en el paradigma de la seguridad humana, el cual venía siendo impulsado desde los organismos internacionales. De ahí que la noción de seguridad ciudadana en las dos ciudades se concibió en una perspectiva antropocéntrica, esto es, como acciones centradas en el individuo en función de principios de convivencia y prevención.

Tabla 4.6. Niveles de análisis de las políticas de seguridad ciudadana en Bogotá y Quito

Componentes de la política	Niveles de la política		
	Macro	Meso	Micro
Objetivos	**Metas generales** Bogotá/Quito (seguridad humana)	**Objetivos específicos** Bogotá (local-nacional, cultura ciudadana, espacio público, información, control) Quito (información, control)	**Ajustes operacionales** Bogotá (evolución) Quito (inercia)
Medios	**Preferencias de implementación** Bogotá/Quito (convivencia, prevención, participación, epidemiología)	**Instrumentos específicos** Bogotá (institucionalidad, educación, observatorio, fondos vigilancia) Quito (observatorio, apoyo Policía, tasa)	**Calibraciones del instrumento** Bogotá (substantivo, procedimental) Quito (substantivo)

En segundo lugar, en el nivel meso, los dos gobiernos distritales desarrollaron políticas en torno a tres objetivos específicos: fortalecer la institucionalidad del ámbito de la seguridad, generar información para la toma de decisiones e impulsar procesos de convivencia mediante una participación activa de la sociedad. Esta instrumentación, en un nivel micro, se ha ido transformando y adecuando en las distintas administraciones distritales, en el marco de una lógica de ajuste operacional y calibración de los recursos o instrumentos de políticas.

Capítulo 5
Análisis de los instrumentos de las políticas de seguridad ciudadana en Bogotá y Quito

Las políticas de seguridad ciudadana de Bogotá y Quito se han desarrollado durante las últimas dos décadas en tres niveles de estructuración. Su análisis ha permitido contextualizar el proceso de los dos distritos en perspectiva histórica y comparada y observar cómo se han concretado los objetivos dentro de los distintos niveles.

En este capítulo se analizan las políticas de seguridad ciudadana en las dos ciudades en términos de la articulación coherente entre objetivos y medios dentro del conjunto de instrumentos seleccionados e implementados. Para este propósito, se utiliza como marco analítico la taxonomía NATO (nodalidad, autoridad, tesoro, organización), en sus dimensiones substantiva y procedimental, tal como se ilustra en la tabla 5.1. En cuanto al recorte temporal, se abordan las administraciones de Gustavo Petro (2012-2015) en Bogotá y Augusto Barrera (2009-2014) en Quito.

Tabla 5.1. Niveles de análisis e instrumentos de las políticas de seguridad ciudadana

Componente/ nivel	Macro	Meso	Micro
Objetivos	Metas generales	Objetivos específicos	Ajustes operacionales
Medios	Preferencias de implementación	Instrumentosespecíficos	Calibraciones del instrumento

Dimensión/ recurso	Nodalidad	Autoridad	Tesoro	Organización
Substantiva	Estadística epidemiológica Encuestas victimización Videovigilancia Evaluaciones	Constitución Códigos Leyes Planes Ordenanzas	Tasas Presupuestos Fondos	Secretarías Direcciones Consejos Observatorios
Procedimental	Campañas informativas Talleres capacitación	Programas Pactos Proyectos focalizados	Proyectos de inversión	Centros de atención Gestores convivencia

Fuente: elaborado a partir de Howlett (2005) y Howlett y Giest (2013).

Instrumentación de las políticas de seguridad ciudadana en Bogotá

La selección de los diferentes tipos de instrumentos (nodalidad, autoridad, tesoro y organización) para las políticas de seguridad ciudadana en Bogotá obedece a las lógicas de gobernanza, configuradas en términos del rol del gobierno local y la interacción de los distintos actores. Así, en la medida que el proceso bogotano ha estado atravesado por una dinámica de participación e interdependencia con actores de la sociedad civil y del sector empresarial, la elección de los instrumentos se ha insertado en una lógica de cambio y adaptación, una suerte de inteligencia colectiva que ha permitido una constante renovación del proceso (E. Velásquez 2008b, 56). De esa manera, más allá de los cambios de administración municipal, se constata una tendencia sostenida respecto de la seguridad como política de gobierno, en cuya dinámica se han mantenido vigentes determinados instrumentos y se han incorporado otros.

Instrumentos de nodalidad

La información se ha constituido desde el inicio de las políticas de seguridad en Bogotá en uno de los recursos más importantes del Gobierno distrital. No solo porque la generación de conocimiento sobre los distintos fenómenos de violencia y delincuencia ha sido un insumo fundamental para la política pública, sino sobre todo porque alrededor de la información, el gobierno local ha configurado una posición nodal estratégica de intercambio con los otros actores estatales y no estatales involucrados.[1] Ante todo, hay que resaltar la importancia y vigencia del enfoque epidemiológico desde el cual se empezó a construir la información sobre la seguridad en la década de los noventa. En su momento, este enfoque fue promovido por diversos organismos internacionales y asimilado, en muchas ocasiones de manera acrítica, en las emergentes experiencias de la región, incluida la bogotana.

A pesar de las limitaciones analíticas que ha mostrado la información estadística para explicar la complejidad de la violencia y la inseguridad, su elección como uno de los más importantes

1 Desde mediados de la década de los noventa, la Alcaldía de Bogotá ha publicado una serie de documentos de difusión sobre la problemática de la seguridad ciudadana, en los que se informa acerca del proceso de políticas implementadas en las distintas administraciones. Al respecto, puede revisarse: S. Acero (2007) y Alcaldía Mayor de Bogotá (1997, 2002, 2006, 2010).

instrumentos de nodalidad substantivos se inscribe en una lógica de lo adecuado, que busca mantener el sentido de racionalidad implícito en la construcción de las políticas. Sin embargo, la información en términos estrictamente estadísticos llega a ser insuficiente y muchas veces contradictoria respecto a la lectura integral sobre la cual se encuentra formulada la política de seguridad ciudadana. Así, por ejemplo, el tipo de información estadística generada en torno al seguimiento de muertes violentas y delitos de alto impacto tiene una utilidad descriptiva que permite sobre todo establecer una línea base del fenómeno en la ciudad, pero es común observar un estiramiento de la información para explicar ciertas tendencias sin una fundamentación adecuada.

Hay que señalar, entonces, que una de las innovaciones de la experiencia bogotana en los últimos años ha sido superar la lectura estrictamente estadística de la información que el gobierno local utiliza como recurso de nodalidad. Con la creación, en 2008, del Centro de Estudios y Análisis en Convivencia y Seguridad Ciudadana (CEACSC), la producción de información sobre seguridad experimentó un salto cualitativo, al incorporar, mediante un importante trabajo de campo, una dimensión analítica enfocada en caracterizar las conflictividades, violencias y delitos a partir de variables explicativas. Esto ha llevado a redefinir la información como recurso a través de una serie de investigaciones y proyectos de mediano y largo plazo que han servido como insumos para ensayar procesos de evaluación de las políticas.[2] De igual forma, la consolidación de este centro de

---

[2] CEACSC / Alcaldía Mayor de Bogotá, "Conflictividades urbanas: Inquilinatos, tiendas de barrio y ludopatía", *Cuadernos CEACSC,* (2010).
CEACSC / Alcaldía Mayor de Bogotá, "Convivencia, seguridad y cultura ciudadana: Prácticas culturales que inciden en la convivencia y seguridad ciudadana de las localidades de Kennedy, Ciudad Bolívar, Puente Aranda, Chapinero, Usaquén, Suba y Engativá", *Cuadernos CEACSC,* (2010).

estudios ha permitido ampliar la escala territorial de análisis hacia la región-capital, incorporando información de cinco departamentos que generan algún tipo de externalidad en la problemática de la seguridad en Bogotá (investigadores del CEACSC, entrevista). Se observa, por lo mismo, un replanteamiento de la producción de información a partir de un mayor trabajo de campo, como lo señala un funcionario del CEACSC:

> Hay una mayor articulación entre la información estadística y la cualitativa; la idea es que el trabajo de campo complemente los datos y genere hallazgos desde la realidad. Lo denominamos 'inteligencia social', esto es, el contacto con la comunidad para que relaten los problemas que experimentan; esa criminalidad oculta que nadie se atreve a denunciar se la cuentan a nuestros investigadores y se la intenta sistematizar de alguna manera. Por esa razón, es interesante la información obtenida mediante trabajo de campo, aunque no necesariamente pueda convertirse en cifras. [...] La parte cuantitativa no se ha perdido ni se va a perder porque es el termómetro de todo el monitoreo de la seguridad [...].[3]

La elección de los distintos instrumentos de nodalidad presenta en Bogotá una importante participación de actores no estatales. Así, la Cámara de Comercio de Bogotá (CCB), a través de su observatorio

---

CEACSC / Alcaldía Mayor de Bogotá, "Identificación, análisis y propuestas de políticas públicas para la prevención y control de las acciones de los ciudadanos, que se desarrollan en torno al tránsito de la legalidad a la ilegalidad y viceversa en Bogotá", *Cuadernos CEACSC,* (2010).
CEACSC / Alcaldía Mayor de Bogotá, "Exclusión social: Sus efectos sobre las conflictividades, violencias y delitos", *Cuadernos CEACSC*, (2011).

[3] Jairo Ricaurte, funcionario del CEACSC, entrevista, Bogotá, diciembre 2013.

de seguridad, creado en 1996, produce información estadística similar a la generada por el CEACSC. Además, viene desarrollando periódicamente, desde 1998, una Encuesta de Percepción y Victimización, cuyos resultados y recomendaciones se han convertido en un punto de referencia para las mediciones de criminalidad y un insumo para el diseño de estrategias distritales de seguridad. Conforme lo señala un funcionario de la Cámara,

> lo primero que consideró la CCB es que era importante tener una simetría de información con lo público, no vamos a hablar si no tenemos una posición técnica que respalde cualquier propuesta que vayamos a desarrollar. Y ese era el segundo elemento: no queríamos hacer solamente un observatorio que determinara qué estaba pasando [...]. Entonces, digamos, eso fue una ventaja, pero la CCB no está dispuesta solamente a hacer ese termómetro de la seguridad como en un principio se llamó, sino ir más allá de ello. Si hay un problema, vamos a tratar de generar o una propuesta de trabajo o una recomendación de política pública.[4]

A su vez, la Veeduría Distrital recopila información estadística sobre la criminalidad en el distrito, la cual es difundida a través de informes periódicos sobre muertes violentas y el boletín *Vivir en Bogotá*; sin embargo, esta información no es necesariamente diferente a la generada por el CEACSC. Especial interés como recurso tiene la Encuesta de Percepción Ciudadana de la organización Bogotá Cómo Vamos, cuyos resultados en temáticas como seguridad ciudadana, espacio público, gestión, servicios públicos, etc., son utilizados por el gobierno local como insumo de política. De esta manera, la construcción de información sobre la problemática de seguridad

---

[4] Jairo Ricaurte, funcionario del CEACSC, entrevista, Bogotá, diciembre 2013.

se ha estructurado sobre un sentido de nodalidad, alrededor de la interacción entre el Gobierno distrital y una serie de actores no estatales. Según lo indica el coordinador técnico de la organización Bogotá Cómo Vamos:

> Cuando hacemos el informe de calidad de vida, uno de los productos que realizamos anualmente, lo levantamos con información que solicitamos a la Alcaldía y, a la vez, hacemos reuniones con diferentes funcionarios de la Alcaldía por sectores. [...] El actual alcalde ha estado muy cercano porque hemos sido críticos y se ha construido este espacio de diálogo. Independientemente del gobierno de turno, Bogotá Cómo Vamos trasciende, porque no medimos el gobierno, sino lo que está sucediendo con la calidad de vida de la ciudad. En este sentido, nuestra posición es autónoma, puede que el alcalde actual salga del gobierno pero el siguiente mandatario seguirá el proceso.[5]

En la dinámica de interacción que ha caracterizado el proceso bogotano, un instrumento de información importante es el Número Único de Seguridad y Emergencias (NUSE) 123, creado en 2005. Este instrumento se centra en el seguimiento y control de incidentes de seguridad y emergencias, y está concebido como una herramienta de cooperación y articulación de los sistemas de prevención y atención de emergencias. Alrededor de su operación concurren una serie de actores, tales como la Secretaría Distrital de Gobierno, el Fondo de Prevención y Atención de Emergencias (FOPAE), la Policía Nacional, el Centro Regulador de Urgencias y Emergencias, la Secretaría

---

[5] Omar Oróstegui, coordinador técnico de Bogotá Cómo Vamos, Bogotá, entrevista, diciembre 2013.

de Movilidad y la Unidad Administrativa Especial Cuerpo Oficial Bomberos de Bogotá (UAECOB).

En términos generales, la selección de la instrumentación de nodalidad por el gobierno local se ha caracterizado por receptar e incorporar información generada por diversas entidades, como consecuencia de las dinámicas de interacción que la administración distrital mantiene con actores no estatales.

Igual que la dinámica de instrumentación a nivel substantivo, la selección de los instrumentos de nodalidad procedimentales se ha desarrollado según la incorporación de diferentes actores no estatales en el proceso. En la medida que la actual política de seguridad ciudadana se fundamenta en un enfoque de derechos, se han impulsado instrumentos como las campañas informativas de prevención y socialización, direccionadas a promover la incorporación e interacción de sectores históricamente excluidos. El Gobierno distrital ha seleccionado, en ese sentido, instrumentos procedimentales de intervención comunicacional para promocionar la cohesión social y reducir la segregación contra poblaciones vulnerables, tales como jóvenes, habitantes de calle, población LGBTI y trabajadoras sexuales.

Por otra parte, uno de los instrumentos de nodalidad procedimental seleccionado recientemente es el de los Diálogos de Ciudad, impulsados desde el CEACSC en el año 2013, con la finalidad de convocar a los principales líderes comunitarios de las localidades para discutir sobre las problemáticas de seguridad en sus territorios.

Instrumentos de autoridad

Como se indicó anteriormente, el primer recurso o instrumento de autoridad del que la administración municipal dispone es la Constitución de 1991, concretamente los artículos relacionados con la temática, sus competencias, gestión, etc. (2, 7, 11, 13, 29, 44, 115, 116, 189, 218, 228, 229, 247, 250, 296, 303, 315, 322 y 325).

De esta fuente constitucional se derivan leyes y decretos nacionales promulgados desde la década de los noventa, a partir de los cuales se ha configurado el marco jurídico de la seguridad ciudadana. Por un lado, se identifican leyes que regulan aspectos relacionados con el orden público, Policía Nacional, participación ciudadana, conciliación, gestión del riesgo, convivencia escolar, habitantes de la calle, entre otros temas. Por otro, existe un conjunto de decretos nacionales relativos a temas como la organización de los Consejos Departamentales de Seguridad, planes y programas para sectores especiales, mecanismos alternativos de resolución de conflictos, el programa Casas de Justicia, la organización del Fondo Nacional de Seguridad y Convivencia, la Superintendencia de Vigilancia y Seguridad Privada, etc. Concretamente en Bogotá, se han promulgado varios acuerdos y decretos distritales orientados a regular el ámbito de la seguridad ciudadana. Estos instrumentos están detallados en la tabla 5.2.

Con base en este marco jurídico nacional y distrital, el gobierno local de Bogotá implementó durante la administración del alcalde Petro el Plan Integral de Convivencia y Seguridad Ciudadana (PICSC), que constituye el instrumento de autoridad substancial de mayor relevancia en las políticas de seguridad del distrito. Hasta ese momento, la experiencia bogotana, caracterizada en la región como un proceso inédito no solo en términos de su sostenibilidad sino sobre todo por sus resultados, no había sido respaldada por un instrumento de autoridad que articulara el conjunto de estrategias que desde mediados de los años noventa se habían implementado alrededor de la problemática de la seguridad ciudadana.

Tabla 5.2. Acuerdos y decretos de las políticas de seguridad ciudadana en Bogotá

Acuerdos	Decretos
Acuerdo 18 de 1999. Por el cual se crea la Defensoría del Espacio Público	Decreto 292 de 2003. Por el cual se reglamenta la Policía Cívica de Tránsito en el Distrito Capital
Acuerdo 004 de 2000: Por el cual se crean los comités de convivencia en los establecimientos educativos oficiales y privados del Distrito Capital	Decreto 466 de 2003. Por el cual se crea el Comité Especial de docentes amenazados o desplazados
Acuerdo 079 de 2003. Código de Policía de Bogotá	Decreto 451 de 2005. Implementación del Número Único de Seguridad y Emergencia.
Acuerdo 135 de 2004. Planes Integrales de Seguridad para Bogotá y sus localidades	Decreto 064 de 2006. Reestructuración de los Consejos Locales de Seguridad y Convivencia.
Acuerdo 173 de 2005. Sistema Distrital de Seguridad Escolar	Decreto 539 de 2006. Por el cual se determina la estructura organizacional y las funciones de la Secretaría Distrital de Gobierno
Acuerdo 175 de 2005. Por medio del cual se establecen los lineamientos de la política pública para la población afrodescendiente residente en Bogotá	Decreto 505 de 2007. Por el cual se reglamenta el Consejo de Gobierno Distrital y los Comités Sectoriales
Acuerdo 232 de 2006. Por el cual se establece el Sistema Integrado de Seguridad y Emergencia NUSE 123 del Distrito Capital	Decreto 563 de 2007 (subroga el 503 de 2003). Plan Maestro de equipamiento de seguridad, justicia y defensa
Acuerdo 257 de 2006. Por el cual se dictan normas básicas sobre la estructura, organización y funcionamiento de los organismos y de las entidades de Bogotá, Distrito Capital	Decreto 151 de 2008. Por el cual se adoptan los lineamientos de política pública distrital y el Plan Integral de Acciones Afirmativas para el reconocimiento de la diversidad cultural y la garantía de los derechos de los afrodescendientes
Acuerdo 375 de 2009. Por el cual se establecen normas para difusión y divulgación del Sistema Integral de Seguridad y Emergencias NUSE 123	Decreto 101 de 2010. Fortalece institucionalmente a las Alcaldías Locales, el esquema de gestión territorial de las entidades distritales en las localidades
Acuerdo 449 de 2010: Por medio del cual se establece el programa Caminos Seguros al Colegio como política distrital en Bogotá D.C.	Decreto 192 de 2010. Por el cual se adopta el Plan Integral de Acciones Afirmativas para el reconocimiento de la diversidad cultural y la garantía de los derechos de la población Afrocolombiana, Negra, Palenquera en el Distrito Capital y se ordena su ejecución

Acuerdos	Decretos
Acuerdo Distrital 489 de 2012. Por el cual se aprueba el Plan de Desarrollo Económico, Social, Ambiental y de Obras Públicas para Bogotá D. C. 2012-2016	Decreto Distrital 657 de 2011. Por el cual se adopta la Política Pública Distrital de Convivencia y Seguridad Ciudadana
Acuerdo 502 de 2012. Por medio del cual se crean los planes integrales de convivencia y seguridad escolar - PICSE	

Fuente: elaborado a partir de Alcaldía Mayor de Bogotá / CEACSC, "Plan Integral de Convivencia y Seguridad Ciudadana", (2014, 37).

Como antecedente, el ejercicio prospectivo sintetizado en el denominado Libro Blanco de la Seguridad Ciudadana y la Convivencia de Bogotá, desarrollado entre 2004 y 2007 durante la administración del alcalde Garzón, había sido concebido como un instrumento de gobernabilidad de la seguridad, debatido y construido con base en la participación y negociación de diferentes actores de la ciudad (Alcaldía Mayor de Bogotá 2008; E. Velásquez 2008a; ONU-Hábitat 2010).

No obstante, en el PICSC, a manera de recurso de autoridad, se sistematizan por primera vez, en un sentido sustantivo, tanto los objetivos como los medios de las estrategias y acciones de la política de seguridad ciudadana. La elección de este instrumento responde en primera instancia al cumplimiento del Decreto Nacional 399 (2011), en el cual se ratifica la facultad de los alcaldes de formular una política integral de seguridad y convivencia ciudadana, en la que se contemplen planes, programas y proyectos, elaborados de manera conjunta con los otros actores involucrados. Así, mediante decreto, en noviembre del 2013 se ordenó implementar el PICSC como herramienta de planificación estratégica, a ser aplicada bajo la coordinación de la Secretaría Distrital de Gobierno. Conforme lo resaltan funcionarios del CEACSC, desde un sentido prospectivo, el plan se estructuró sobre una concepción amplia de seguridad humana, incorporando, más allá de las cuestiones de seguridad pública, aspectos de seguridad alimentaria, social, educativa, etc. De esta forma,

> la seguridad humana es la concepción del PICSC por la que apuesta el distrito. Bogotá expide por primera vez su plan integral de convivencia y seguridad ciudadana, y decimos por primera vez porque existen ejercicios anteriores pero ninguno había llenado las expectativas de la ciudad, ni se habían planteado con una mirada a largo plazo. De ahí que los principios que se proyectan (previsión, prevención y control) están direccionados a encaminar las políticas públicas en un período de diez años bajo un enfoque centrado en niños(as), adolescentes y jóvenes.[6]

El PICSC se estructura alrededor de siete principios orientadores: i) gobernabilidad de la convivencia y la seguridad ciudadana; ii) previsión, prevención y control; iii) generación de conocimientos de ciudad; iv) seguridad integral; v) cultura democrática; vi) corresponsabilidad; y vii) participación y control social.[7] En función de estos principios y de los criterios de inclusión social y garantía de derechos individuales y colectivos, se formularon objetivos de largo plazo, con énfasis en la atención a grupos vulnerables y minoritarios, así como con una particular preocupación por el escenario del posconflicto, derivado del proceso de negociación por la paz que se viene desarrollando en el país durante los últimos años.

---

6 Investigadores del CEACSC, entrevista, diciembre 2013.

7 Alcaldía Mayor de Bogotá / CEACSC, "Plan Integral de Convivencia y Seguridad Ciudadana", (2014)

Inscritos en los lineamientos y objetivos del PICSC, se seleccionó una serie de programas y proyectos, a modo de instrumentos de autoridad sustanciales, diseñados en distintos sectores de la administración y enfocados en impulsar la convivencia y seguridad ciudadana desde una perspectiva transversal, mediante procesos de cultura democrática, previsión, prevención, atención a niños, adolescentes y grupos vulnerables, disminución de segregación social y territorial, entre otros.

La elección de una instrumentación de autoridad de carácter procedimental se ha desarrollado principalmente en función de lógicas de interacción con la diversidad de actores no estatales incorporados en las políticas a partir de los criterios de inclusión social y derechos delineados en el PICSC. Un instrumento importante ha sido el de los *Pactos ciudadanos por la convivencia y la seguridad*, los cuales se han consolidado como un innovador mecanismo de corresponsabilidad y autorregulación que han impulsado dinámicas de convivencia entre sectores públicos, privados y sociocomunitarios. Así, en torno a factores de riesgo relacionados con el espacio público, la movilidad, los servicios públicos, la conflictividad, entre otros, se observa durante los últimos años el desarrollo de pactos de carácter gremial y territorial, que se detallan en las tablas 5.3 y 5.4.

Instrumentos de tesoro

Según el artículo 9 (Fondos Territoriales de Seguridad y Convivencia Ciudadana) de la Ley 418 de Orden Público de 1997, los municipios en Colombia están en la obligación de crear un fondo-cuenta territorial de seguridad y convivencia ciudadana, con el objeto de recaudar los aportes y efectuar las inversiones requeridas en el ámbito de la seguridad.[8] En el caso de Bogotá se identifican dos tipos

[8] Para una revisión más amplia sobre el gasto público en seguridad ciudadana en

de fondos de inversión. Por un lado están los recursos de inversión que se hallan bajo la gestión de la Secretaría de Gobierno, en particular los destinados a la ejecución de los programas y proyectos de la Subsecretaría de Asuntos para la Convivencia y la Seguridad Ciudadana. Por otro, se encuentran los recursos del Fondo de Vigilancia y Seguridad (FVS), que deben ejecutarse según las líneas estratégicas delineadas en la política integral de la administración distrital, formulada por la Secretaría de Gobierno de conformidad con lo que determina la ley.[9]

Tabla 5.3. Tipos de pactos e instituciones firmantes en Bogotá

Tipos de pactos	Gremiales	Territoriales	Institucionales
Sectores aliados en los pactos firmados	Federación Nacional de Comerciantes (FENALCO); Cámara de Comercio de Bogotá (CCB); Personería; Policía; Instituto Nacional de Investigación y Prevención del Fraude (INIF); Federación de Aseguradoras Colombianas (FASECOLDA); sector bancario; autopartistas, taxistas, vigilancia privada; centros comerciales; establecimientos de rumba; universidades	Juntas de Acción Comunal (JAC); Asojuntas, comunidad adulta y joven; poblaciones vulnerables; colegios; centros comerciales; iglesias	Fiscalía; DIJIN; SIJIN; Tránsito; Policía Comunitaria y Bachilleres; secretarías e institutos distritales; alcaldías locales; ediles; instituciones nacionales

Fuente: Alcaldía Mayor de Bogotá / CEACSC, "Plan Integral de Convivencia y Seguridad Ciudadana", (2014, 194).

Colombia, ver Vargas y Pinzón (2008a).

9 Veeduría Distrital / Alcaldía Mayor de Bogotá, "Vivir en Bogotá. Condiciones de Seguridad 2012", (2013, 23).

Tabla 5.4. Pactos ciudadanos por la convivencia y la seguridad en Bogotá

Pactos gremiales	Pactos territoriales
Pacto con Cámara de Comercio y Personería Pacto con la Asociación Nacional de Empresas de Servicios Públicos Domiciliarios (ANDESCO) Pacto distrital con centros comerciales Pacto de adhesión de la Federación Nacional de Comerciantes (FENALCO) Pacto con la Asociación Bancaria y de Entidades Financieras de Colombia (ASOBANCARIA) Pacto sobre el mercado de autopartes Pacto con la Superintendencia de Vigilancia y Seguridad Privada Pacto por el desarme Pacto con el gremio de taxistas de Bogotá D.C.	Pacto con afrodescendientes Pacto en la Primera de Mayo Pacto con las cuatro UPZ de Kennedy Pacto en la Estanzuela Pacto zona histórica de Usaquén Pacto con Tenderos de Santa Cecilia de Usaquén Pacto LGBT de Chapinero Pacto instituciones de educación superior de Teusaquillo Pacto La Capuchina - La Alameda Pacto en la zona de alto impacto Pacto Parajes de Balmoral Pacto por la convivencia en la Iglesia Manantial de Vida Pacto de la zona rosa y T de Chapinero Pacto por los cerros orientales de San Cristóbal Norte Pacto de Hayuelos Pacto de Rumba del Restrepo Pacto de Convivencia en La Candelaria Pacto con vendedores informales Pacto por la seguridad y convivencia en el barrio Sucre Pacto Distrito 27 Pacto en defensa de los derechos de la mujer en Usaquén Pacto de convivencia entre jóvenes y Policía Ciudad Bolívar

Fuente: Alcaldía Mayor de Bogotá / CEACSC, "Plan Integral de Convivencia y Seguridad Ciudadana", (2014, 194).

Instrumentos de tesoro

Según el artículo 9 (Fondos Territoriales de Seguridad y Convivencia Ciudadana) de la Ley 418 de Orden Público de 1997, los municipios en Colombia están en la obligación de crear un fondo-cuenta territorial de seguridad y convivencia ciudadana, con el objeto de recaudar los aportes y efectuar las inversiones requeridas en el ámbito de la seguridad.[10] En el caso de Bogotá se identifican dos tipos de fondos de inversión. Por un lado están los recursos de inversión que se hallan bajo la gestión de la Secretaría de Gobierno, en particular los destinados a la ejecución de los programas y proyectos de la Subsecretaría de Asuntos para la Convivencia y la Seguridad Ciudadana. Por otro, se encuentran los recursos del Fondo de Vigilancia y Seguridad (FVS), que deben ejecutarse según las líneas estratégicas delineadas en la política integral de la administración distrital, formulada por la Secretaría de Gobierno de conformidad con lo que determina la ley.[11]

El FVS fue creado por el Decreto 9 de 1980 como una entidad adscrita a la Secretaría de Gobierno, bajo la figura de un sistema de cuentas del Tesoro Distrital encargado de la administración de los bienes y recursos. Mediante el Acuerdo 18 de 1983 y el 28 de 1992, el FVS fue transformado en un estamento público del orden distrital, con personería jurídica, autonomía administrativa y patrimonio independiente, adscrito a la Secretaría de Gobierno. No obstante, el Concejo, a través del Acuerdo 071, derogó esa autonomía administrativa, constituyendo al FVS como un fondo-cuenta sin personería jurídica, es decir, como un sistema de cuentas financieras y contables, cuyos recursos son administrados por el secretario de Gobierno o un funcionario delegado por este.[12] De esta manera,

---

[10] Para una revisión más amplia sobre el gasto público en seguridad ciudadana en Colombia, ver Vargas y Pinzón (2008a).

[11] Veeduría Distrital / Alcaldía Mayor de Bogotá, "Vivir en Bogotá. Condiciones de Seguridad 2012", (2013, 23).

[12] Veeduría Distrital / Alcaldía Mayor de Bogotá, "Vivir en Bogotá. Condiciones de Seguridad 2012", (2013, 23).

> la misión del FVS es coadyuvar en el proceso de adquisiciones y contrataciones de los entes de seguridad, justicia y defensa que hacen presencia en el territorio del Distrito Capital. Básicamente realiza las inversiones que se aprueban, es decir, el Concejo y la Alcaldía asignan un presupuesto anual para cada uno de los proyectos y el FVS lo administra, es una labor ejecutiva. El Fondo tiene una junta que está compuesta por el secretario de Gobierno, el alcalde mayor de la ciudad, el comandante de la Policía, el comandante del Ejército y la gerencia del FVS, que tiene voz pero no voto [...]. De acuerdo con la ley 80 de 1993 de contratación estatal en Colombia, hay unos formalismos determinados que se requieren para cualquier tipo de proceso contractual. El FVS es el encargado de definir si una adquisición se hace vía licitación, vía subasta, inversa o bolsa mercantil de Colombia, de acuerdo al monto y a los beneficios que tenga.[13]

Así, el FVS constituye un instrumento de tesoro sustantivo, cuyas funciones se encuentran reconocidas legalmente desde el año 2001 en la Estructura Organizacional y Funcional por áreas del Fondo de Vigilancia y Seguridad de Bogotá. Entre estas funciones destacan: administración de bienes inmuebles, equipamiento e insumos para la Policía Metropolitana, financiamiento de proyectos de participación ciudadana, administración directa o mediante fideicomisos de los recursos del fondo.[14] Para el cumplimento de estas funciones, el FVS ha contado con una creciente cantidad de recursos de inversión, tal como se observa en la tabla 5.5.

---

[13] Juan Camilo Dávila, funcionario del FVS, entrevista, Bogotá, diciembre 2013.

[14] Fondo de Vigilancia y Seguridad, "Transparencia: Estructura orgánica y talento humano", acceso el 7 de febrero de 2015, http://www.fvs.gov.co.

Tabla 5.5. Recursos de inversión del Fondo de Vigilancia y Seguridad de Bogotá (1998-2016)

Plan de Desarrollo	Período	Total Plan de Desarrollo (pesos colombianos)	Año	Inversión (pesos colombianos)
Por la Bogotá que queremos	1998-2001	104 335 185 367	1998	16 449 082 703
			1999	40 150 427 422
			2000	33 820 271 683
			2001	13 915 403 559
Bogotá para vivir todos del mismo lado	2001-2004	91 112 702 839	2001	12 238 735 326
			2002	30 866 053 445
			2003	39 468 361 111
			2004	8 539 552 957
Bogotá sin indiferencia	2004-2008	323 637 108 410	2004	40 165 057 784
			2005	60 038 131 819
			2006	81 072 065 381
			2007	107 499 061 008
			2008	34 862 792 418
Bogotá positiva	2008-2012	591 204 065 984	2008	63 689 547 496
			2009	138 881 400 370
			2010	186 471 493 181
			2011	144 946 961 706
			2012	57 214 663 231
Bogotá humana	2012-2016	695 134 049 398	2012	113 724 049 398
			2013	140 410 000 000
			2014	147 000 000 000
			2015	147 000 000 000
			2016	147 000 000 000

Fuente: Veeduría Distrital / Alcaldía Mayor de Bogotá, "Vivir en Bogotá. Condiciones de Seguridad 2012", (2013, 24).

La selección de instrumentos de tesoro procedimentales se deriva de uno de los objetivos del FVS, referido al financiamiento de campañas ordenadas por el alcalde y aprobadas por la junta directiva, para garantizar la participación y colaboración de la comunidad en la seguridad, prevención del delito y eficaz administración de justicia. Aquí se encuentran algunos proyectos de inversión relacionados con apoyo a la convivencia, prevención de la conflictividad urbana, apoyo a los gestores de convivencia, entre otros. Como explica un funcionario del FVS:

> Existe el proyecto 685 que es el encargado de la seguridad ciudadana y convivencia. De ese proyecto dependen, por ejemplo, los gestores de convivencia, quienes están en las manifestaciones garantizando el cumplimiento de los derechos de la ciudadanía, es decir, cumplen una labor de intermediación entre los manifestantes y la policía [...] Otra parte del proyecto, enfocada en la creación de espacios de convivencia y seguridad ciudadana, está divida en interlocalidades, cada una con trabajos específicos de capacitación y articulación con las comunidades para generar prácticas virtuosas. Ahí están las escuelas de convivencia, la intervención del sector María Paz y una serie de proyectos similares como el de la plaza España relacionado con la utilización del espacio público y la gestión del comercio informal, entendidos como elementos de la seguridad y la convivencia.[15]

En términos procedimentales, el FVS tiene además una importante función de nodalidad. En la página web de la institución se publica cada año la información financiera de las políticas distritales de seguridad ciudadana, lo que facilita consultar datos relacionados con el presupuesto asignado a cada área o proyecto, planes de compras, contrataciones, suministros, licitaciones públicas, movimientos contables, etc. Esto ha permitido no solo establecer mecanismos de

[15] J. C. Dávila, entrevista, diciembre 2013.

transparencia en la gestión financiera de los distintos organismos estatales responsables de la seguridad, sino también abrir un espacio de interacción con la ciudadanía alrededor de la veeduría y control, posible por este acceso a la información.

Instrumentos de organización

La importancia que en las políticas de seguridad ciudadana de Bogotá ha tenido y mantiene el Gobierno distrital, en calidad de ente coordinador del proceso y eje articulador de los diversos actores estatales y no estatales involucrados en la problemática, se evidencia en las preferencias para elegir instrumentos de organización de carácter substantivo, enmarcados en el objetivo de fortalecer institucionalmente el gobierno de la seguridad. Así, desde el inicio de las políticas a mediados de los años noventa, se han consolidado organizaciones distritales e incorporado mecanismos procedimentales enfocados en incidir de manera directa en la interacción de los actores.

Históricamente, la temática de la seguridad en Bogotá ha sido competencia del alcalde, quien ha delegado esta responsabilidad, primero en la figura del secretario de Gobierno, creada en 1926, y posteriormente en la Secretaría Distrital de Gobierno, establecida en 1968. A mediados de los noventa, se creó el cargo de consejero para la Seguridad de Bogotá, quien compartía con el secretario de Gobierno la responsabilidad en la materia, pero a finales de 1997 esta instancia fue eliminada y reemplazada por la Subsecretaría para Asuntos de Convivencia y Seguridad Ciudadana.[16] Durante la primera década de 2000, se realizaron varios ajustes a la estructura organizacional y a las funciones de las dependencias de la Secretaría de Gobierno,

---

[16] Veeduría Distrital de Bogotá / Alcaldía Mayor de Bogotá, "Vivir en Bogotá. Condiciones de Seguridad 2012", (2013).

reafirmando su responsabilidad en materia de convivencia y seguridad ciudadana, según se observa en su organigrama, en la figura 5.1.

Figura 5.1. Organigrama de la Secretaría Distrital de Gobierno de Bogotá

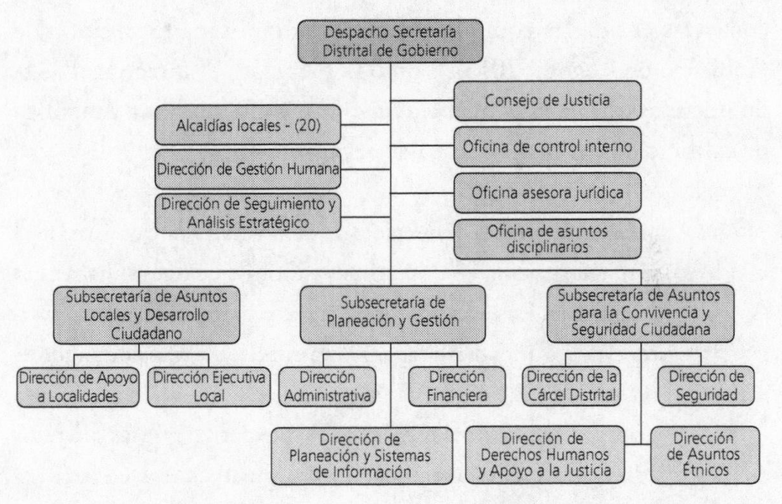

Fuente: Personería de Bogotá (2015), http://www.personeriabogota.gov.co.

De esta manera, la Subsecretaría para Asuntos de Convivencia y Seguridad Ciudadana se constituyó en el instrumento de organización substancial de mayor importancia en la estructura del Gobierno distrital. Es la instancia responsable "de formular políticas en materia de seguridad, justicia, protección y promoción de derechos y libertades públicas" (Secretaría de Gobierno de Bogotá, 2015). Entre sus objetivos se encuentra fortalecer y garantizar la convivencia e igualdad de los habitantes de la ciudad dentro de un marco jurídico participativo. Con este propósito, desarrolla y evalúa estrategias, planes, programas y proyectos relacionados con temáticas de derechos, prevención, control, información, entre otros. A nivel organizativo, esta Subdirección se encuentra estructurada en cuatro direcciones, entre las que se destaca, como instrumento de organización de las políticas de seguridad, la Dirección de Seguridad y Convivencia, dependencia de carácter operativo encargada de desarrollar de manera concreta las funciones de la Subsecretaría y coordinar las acciones con otras entidades como la Policía Metropolitana (Secretaría de Gobierno de Bogotá, 2015). Como lo señala una funcionaria de la Subsecretaría, esta dependencia ha evolucionado en una dinámica de calibración del instrumento de organización:

> anteriormente, la Dirección de Seguridad era una instancia pequeña, pero en las dos últimas administraciones se ha venido ampliando. En general, la Subsecretaría para Asuntos de Convivencia y Seguridad Ciudadana lleva una década transformándose, no solo en función de las exigencias de las problemáticas, sino principalmente de la redefinición conceptual que las distintas administraciones le han dado a la seguridad. Así, en la época de Mockus-Peñalosa-Mockus, la Subsecretaría era el subsecretario y tres personas, enfocadas en la propuesta de cultura ciudadana y espacio público. Posteriormente, en las Alcaldías de Luis Garzón, Samuel Moreno y actualmente Gustavo Petro, la Subsecretaría se ha complejizado y ampliado su estructura en función de una concepción de seguridad direccionada a estrategias de inversión social y protección de derechos.[17]

Dentro de la estructura de la Secretaría de Gobierno, una entidad históricamente relevante (con más de cincuenta años) es el Consejo de Justicia, máxima autoridad de justicia policiva del distrito, que actúa como primera instancia de decisión para las Alcaldías locales,

[17] Kristell Quiroga, funcionaria de la Secretaría de Gobierno, entrevista, Bogotá, diciembre 2013.

inspecciones de policía, comandos de estación y los Comandos de Atención Inmediata (CAI). Cumple además funciones de cierre de decisiones en segunda instancia sobre las pautas de las autoridades de policía y de los procesos administrativos, civiles y penales de policía del distrito.[18] Esta entidad constituye un importante recurso de organización en las políticas de seguridad ciudadana de Bogotá, inédito en el país, según lo señala Héctor Morales:

> El Consejo de Justicia es el máximo organismo de policía de la ciudad, es la máxima autoridad. Eso implica que es una especie de tribunal que revisa las decisiones que, en materia de sanciones a las medidas de policía, se imponen. ¿Quiénes imponen sanciones de policía en Bogotá y en el país? Las ponen los alcaldes, los inspectores, los comandantes de estación, y hay otros entes que también tienen una conducta para imponer esas medidas correctivas o sancionatorias distintos a los jueces. Todo lo que tiene que ver con jueces es delito, todo lo que no sea impuesto por un juez es de índole de policía. El Consejo de Justicia, en ese marco, lo que hace en Bogotá es revisar que esas decisiones se ajusten a la legalidad, y conocemos de un recurso de apelación que no todas las ciudades lo tienen. Bogotá es el ícono a nivel nacional y referente por ser la capital; el Consejo de Justicia existe desde 1962 y tiene antecedentes desde antes de la Secretaría de Gobierno.[19]

---

18 Alcaldía Mayor de Bogotá, "¿Qué es y qué hace el Consejo de Justicia?", acceso el 3 de febrero de 2015, http://www.gobiernobogota.gov.co.

19 Héctor Morales, funcionario del Consejo de Justicia, entrevista, Bogotá, diciembre 2013.

Otro instrumento de organización substancial relevante es el CEACSC, creado en 2008 sobre la base del anterior SUIVD del Observatorio de Cultura Urbana.[20] Según se indicó, la información como recurso ha sido uno de los elementos centrales de las políticas de seguridad en Bogotá. El CEACSC, en calidad de recurso de organización, responde a la necesidad de impulsar estudios interdisciplinarios sobre la conflictividad y la seguridad ciudadana, útiles como insumos para formular y evaluar las políticas públicas.[21] De esta manera, el CEACSC, más allá de su dimensión técnica y operativa, se ha consolidado en los últimos años como una instancia relevante dentro del proceso de toma de decisiones. Conforme lo señala el principal personero de la Dirección de Seguridad y Convivencia:

> ... Una vez realizada la planeación, hacemos los ajustes y la implementamos. [En este proceso] el CEACSC es el principal elemento que tenemos en el diagnóstico y en los estudios porque desarrolla un seguimiento completo, mediante consultas directas a la sociedad. Su trabajo es muy bueno, es la mano derecha en la toma de decisiones. Los estudios sobre la ciudad y la identificación de las principales problemáticas nos permiten ajustar la planificación. [Por ejemplo] La semana pasada se emitió un decreto que prohíbe el consumo de licor después de las 11 de la noche, las tiendas pueden seguir funcionando pero no se consume. El CEACSC ya realizó la evaluación de la medida preguntándose qué pasó con las zonas en donde no se podía consumir. Eso nos ayuda observar si en alguna de las zonas hubo delitos o contravenciones

---

[20] Acerca del Observatorio de Cultura Urbana ver Campos (1998). Para una lectura cronológica del funcionamiento del Observatorio de Seguridad en Bogotá se recomienda revisar Ortiz (1998).

[21] Alcaldía Mayor de Bogotá / CEACSC, acceso el 23 de noviembre de 2014, http://www.ceacsc.gov.co.

> o, por el contrario, si no se presentaron problemas de seguridad, información que nos permite ajustar procedimientos. Si no existiera este referente seguiríamos actuando sin criterio. Por esta razón el CEACSC es la estructura más importante de todo el proceso de toma de decisiones.[22]

Especial mención merecen algunos instrumentos de organización de carácter interinstitucional, entre los que se incluyen los Consejos Distritales de Seguridad. La instancia correspondiente, presidida por el alcalde, tiene como principal función la definición y seguimiento de las estrategias de seguridad del distrito. En la misma línea, pero con un criterio de descentralización, se encuentran los Consejos Locales de Seguridad, que operan en cada una de las veinte localidades del distrito, buscando establecer indicadores de medición y seguimiento en ese nivel territorial, así como generar escenarios de participación ciudadana. Se destaca también la Comisión Intersectorial de Convivencia y Seguridad, presidida por el secretario de Gobierno y conformada por el secretario de Integración Social, el director del Instituto Distrital de Recreación y Deporte (IDRD), el director del Instituto para la Economía Social (IPES), el director de Prevención y Atención de Emergencias y el director del FVS.

En cuanto a los instrumentos de organización procedimentales, su selección se encuentra matizada por la necesidad de incorporar en el proceso de las políticas a los diferentes actores estatales y no estatales involucrados en la problemática de la convivencia y seguridad ciudadana. A este respecto, se identifican varias estrategias organizacionales que, a manera de instrumentos, se orientan a la atención e interacción con grupos y sectores históricamente vulnerables, entre

---

22 William Núñez, director de Seguridad y Convivencia de Bogotá, entrevista, Bogotá, diciembre 2013.

los que se encuentran: Territorios de Vida y Paz, Desarme Ciudadano, Gestores de Convivencia, Centro de Atención a Víctimas de Violencias y Delitos de Alto Impacto (CAVID), Centros Comunitarios LGBTI.

En definitiva, la instrumentación de las políticas de seguridad ciudadana en Bogotá se ha estructurado en las últimas décadas bajo lógicas de interdependencia entre distintos actores estatales y no estatales. En tal sentido, la dinámica de selección de los distintos tipos de instrumentos (nodalidad, autoridad, tesoro y organización) muestra no solo la impronta institucional derivada de los diferentes modos de gobernanza, sino, además, un específico estilo de implementación, es decir, la combinación de recursos que el Gobierno distrital ha priorizado para enfrentar la problemática de la convivencia y seguridad ciudadana, tal como se sintetiza en la tabla 5.6.

Instrumentación de las políticas de seguridad ciudadana en Quito

Instrumentos de nodalidad

Para el proceso de políticas de seguridad ciudadana en Quito se tomaron como referencia las experiencias de ciudades como Bogotá, Medellín y Cali, por lo tanto, el manejo de la información como recurso de nodalidad se inscribió en la perspectiva epidemiológica que se venía aplicando especialmente en esta última. Así, tras la firma de un convenio de cooperación técnica con la OPS, direccionado a facilitar el intercambio de experiencias entre los municipios de Quito y Bogotá, se creó en 2003 el Observatorio Metropolitano de Seguridad Ciudadana (OMSC), bajo el auspicio del proyecto de Gobernabilidad Local, impulsado por el PNUD, y gracias al esfuerzo conjunto del Municipio, la Policía Nacional, la Facultad Latinoamericana de Ciencias Sociales (FLACSO) Ecuador, el Ministerio Público y la Fundación Esquel.

Tabla 5.6. Instrumentos de políticas de seguridad ciudadana en Bogotá

Dimensión	Recursos del gobierno			
	Nodalidad	Autoridad	Tesoro	Organización
Substantiva	Balances estadísticos sobre muertes violentas y delitos de mayor impacto Reporte tasa de homicidios Evaluación de políticas públicas Informe de los boletines de gestión operativa de la Policía de Bogotá Investigaciones y proyectos (CEACSC) Encuesta de percepción y victimización (CCB) Informes de muertes violentas (Veeduría Distrital) Boletines Vivir en Bogotá (Veeduría Distrital) Informe condiciones de seguridad (Veeduría Distrital) Encuesta de cultura ciudadana (Corpovisionarios) Encuesta de percepción ciudadana (Bogotá Cómo Vamos) NUSE 123	Constitución Política de Colombia Leyes nacionales Decretos nacionales Acuerdos distritales Decretos distritales PICSC Programa de lucha contra distintos tipos de discriminación y violencias Programa *Bogotá, un territorio que defiende, protege y promueve los derechos humanos* Programa *Gestión integral de riesgos* Programa *Territorios de vida y paz con prevención del delito* Programa *Fortalecimiento de la seguridad ciudadana*	Presupuesto Secretaría de Gobierno Recursos de programas y proyectos de la Subsecretaría de Asuntos para la Convivencia y la Seguridad Ciudadana FVS Proyectos de inversión del FVS Planes del FVS Informes de auditorías Procesos y procedimientos de contratación Estados contables FOPAE	Secretaría de Gobierno de Bogotá Subsecretaría para Asuntos de la Convivencia y la Seguridad Dirección de Seguridad y Convivencia CEACSC Consejo de Justicia Cárcel Distrital UAECOB Departamento Administrativo de la Defensoría del Espacio Público (DADEP) Instituto Distrital de la Participación y Acción Comunal (IDPAC) Consejos Distritales de Seguridad Consejos Locales de Seguridad Comisión Intersectorial de Convivencia y Seguridad Ciudadana

(*Continúa*)

Dimensión	Recursos del gobierno			
	Nodalidad	**Autoridad**	**Tesoro**	**Organización**
Procedimental	Campañas informativas Canal Capital Diálogos de Ciudad	Pactos ciudadanos por la convivencia y la seguridad Proyecto coordinación de la Política Pública de garantía de derechos de las personas lesbianas, gays, transgeneristas y otras identidades de género y orientaciones sexuales Proyecto protección, prevención y atención integral a niños, niñas, adolescentes y jóvenes en situación de vida de y en calle y pandilleros en condición de fragilidad social Proyecto reconocimiento de la diversidad y la interculturalidad a través de las artes Proyecto educación para la ciudadanía y la convivencia Proyecto relaciones libres de violencias para y con las familias de Bogotá Proyecto acciones metropolitanas para la convivencia	Proyecto de inversión apoyo para la convivencia en Bogotá Proyecto de inversión prevenir los conflictos urbanos, la violencia y el delito Proyecto de inversión apoyo logístico de gestores de convivencia del D.C.	Territorios de Vida y Paz Desarme Ciudadano Gestores de Convivencia El Fútbol para la convivencia CAVID Programa de Atención a Personas Desmovilizadas y Reincorporadas de Bogotá Jóvenes Promotores de Convivencia Local Centro del Bicentenario Memoria, Paz y Reconciliación Centros Comunitarios LGBTI Centros de Atención Médica a Drogodependientes (CAMAD) Casas de Justicia

El OMSC fue planteado como un sistema de recopilación de información sobre temas de violencia y delincuencia, a través de fuentes institucionales y encuestas de opinión. La información fue concebida como un insumo de apoyo a la definición colectiva de políticas de seguridad y convivencia, en términos de los siguientes componentes: i) vigilancia epidemiológica de la violencia; ii) focalización de áreas geográficas de inseguridad; y iii) determinación de grupos de población vulnerables a sufrir hechos delictivos (García 2009, 49).[23]

No obstante, en la práctica, la información producida por el Observatorio durante la administración del alcalde Moncayo no tuvo un rol determinante en el proceso de las políticas. Esto debido tanto a las limitaciones propias del aprendizaje institucional implícito en la construcción del instrumento, en términos de la producción de información o falta de la misma, como a la dificultad de articular a los distintos actores alrededor del sentido nodal de la información.[24]

En la administración del alcalde Barrera, si bien se mantuvo el sentido epidemiológico, se implementaron algunos cambios en el uso de la información como instrumento de nodalidad. Uno de los lineamientos de su propuesta de política se concretaba en "gestionar y administrar un Sistema de Indicadores de Seguridad y Violencia para el DMQ y articularlo con un Sistema Unificado de Indicadores del Distrito". Se planteó, entonces, definir un sistema de seguimiento de indicadores de delitos y violencia en el DMQ, para medir, analizar e interpretar la problemática de la inseguridad. Como lo señala Alejandro Vizuete, exdirector del OMSC, la propuesta de esta administración se orientó a generar información que sirviera de insumo para la toma de decisiones.

---

[23] OMSC / MDMQ, "10 Informe de Seguridad Ciudadana 2008", Documento de difusión, (2009).

[24] Daniel Pontón, exdirector del OMSC, entrevista, Bogotá, febrero 2012.

> En la anterior administración, el Observatorio era un centro de generación de datos del tema delictual y luego de ocho años de funcionamiento comenzó a estancarse, a generar información sin un objetivo claro. En la actual Alcaldía se empezó a cambiar el esquema, a tratar de generar no solamente información sino conocimientos sobre la información. Una vez controlado el tema de la data de la información, es decir, la parte estadística, lo que estamos haciendo en este momento es tratar de comprender las dinámicas sociales que se dan en torno al problema de la seguridad ciudadana. De igual forma, estamos planteando la posibilidad de evaluar los proyectos de seguridad ciudadana, y aunque no quisiéramos ser juez y parte, estamos intentando crear una metodología de evaluación de impacto para observar la incidencia que las distintas estrategias tienen sobre la sociedad.[25]

De esta manera, el OMSC, en su condición de instrumento de nodalidad substantivo, se estructuró como ente asesor de la SSG, bajo la premisa de generar no solo información descriptiva, sino también producir conocimiento base para desarrollar líneas de investigación sociológicas, criminológicas, etc., sobre la problemática de la violencia e inseguridad y sus factores asociados. De ahí que uno de los principales objetivos planteados en el Observatorio fue generar metodologías de evaluación de proyectos de seguridad ciudadana, acción enfocada en difundir los resultados y la gestión de la inversión pública realizada por el Municipio del Distrito Metropolitano de Quito (MDMQ) en el ámbito de la seguridad ciudadana.[26] No obstante, si bien se

---

[25] Alejandro Vizuete, exdirector del OMSC, entrevista, Quito, agosto 2013.

[26] OMSC / MDMQ, “17 Informe de Seguridad Ciudadana 2012”, Documento de difusión, (2013).

desarrollaron algunos análisis sobre problemáticas específicas, relacionadas con temas tales como el feminicidio (M. López 2013), la administración y gestión de justicia (Basabe 2013), el microtráfico (D. Pontón y Rivera 2013), entre otras, no necesariamente se llegó a estructurar un sistema de evaluación de las políticas de seguridad en un sentido integral.

En términos de operación, el OMSC mantuvo la metodología de producción de información con la que se venía trabajando desde hace algunos años, esto es, un sistema de minería de datos basado en la construcción de un *data warehouse* (figura 5.2). Sin embargo, con base en la experiencia adquirida en la última década, la metodología evidenció un marcado avance técnico que permitió no solo superar los problemas de fuentes y recolección, sino además incorporar el análisis de otros componentes distintos al estadístico y al espacial (georreferenciación).

Figura 5.2. Metodología de producción de información del OMSC, 2013

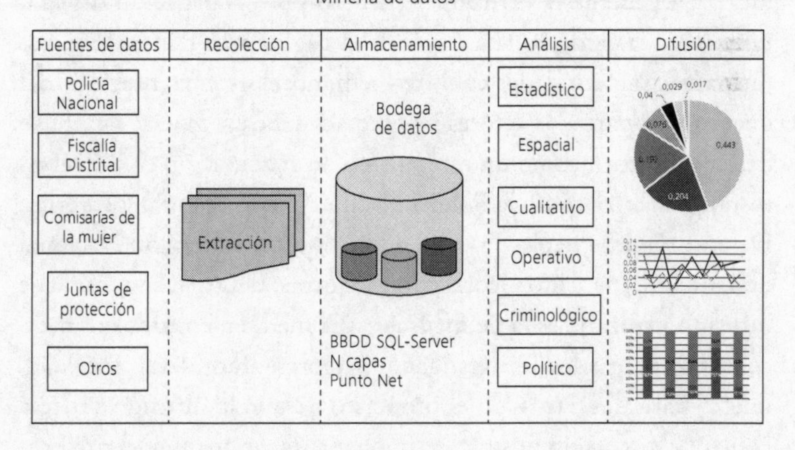

Fuente: Observatorio Metropolitano de Seguridad Ciudadana / MDMQ, (2013).

La recopilación de información se realizó con datos estadísticos oficiales y no oficiales provenientes de distintas fuentes. Como subproducto, estuvo asociada a las funciones de la SSG, la cual actuaba como una instancia nodal, detectando información de los distintos actores involucrados. Se realizó además un seguimiento al tratamiento de los medios sobre la problemática de la seguridad ciudadana, información que fue incorporada como un referente de la opinión pública dentro del sistema de análisis. Así, temáticas como el feminicidio o las muertes por accidentes laborales fueron consideradas de manera referencial, para entender tendencias de determinados fenómenos. Por su parte, la recopilación proveniente de las interacciones del Gobierno con sectores de la ciudadanía, operó en función de la relación del Municipio con ciertos grupos vulnerables como jóvenes y mujeres, a través de proyectos como el de Quito, ciudad segura para las mujeres y las niñas.

En lo relacionado con la difusión de la información, se observan también algunas particularidades de la posición nodal del gobierno local. En general, la difusión se realizó por propagación directa, tanto para la ciudadanía a través de la página web del OMSC, como para varias entidades públicas mediante el sistema integrado del que forman parte los actores involucrados. Se evidencia, así, el uso del instrumento como un mecanismo de articulación con diversas instancias, tales como la Policía Nacional, Ministerio del Interior, Defensoría del Pueblo, Fiscalía de Pichincha, Dirección Nacional de Tránsito, Instituto Geofísico, entre otras. Una distinta forma de difusión utilizada es la de mensajes a la medida, emitidos frente a consultas puntuales de investigadores, representantes de la sociedad, líderes barriales, etc. Con el propósito de que la difusión sufriera la menor distorsión posible, se implementaron mensajes para grupos, abarcando entidades como la Policía Nacional y los medios de comunicación mediante talleres de capacitación del manejo de la información producida por el Observatorio.

Como parte de la incorporación de las nuevas tecnologías de la información y la comunicación en las políticas de seguridad ciudadana, un instrumento de nodalidad implementado fue el sistema de videovigilancia *Ojos de águila* (L. Dávila 2004), introducido en 2002. Más allá del debate sobre la efectividad de la videovigilancia como mecanismo de prevención y de sus efectos negativos en términos de violación de libertades civiles, en Quito se instalaron alrededor de 136 cámaras en sectores con altos índices delincuenciales, a un costo aproximado de 5,6 millones de dólares (Lofberg 2008). Sin embargo, en la administración del alcalde Barrera, pese a que el mecanismo siguió funcionando como recurso de nodalidad, fue descontinuado e incorporado al sistema de videovigilancia del Servicio Integrado de Seguridad ECU 911, implementado por el Gobierno central.

Por otra parte, la detección y difusión de información como instrumento de nodalidad procedimental, en la administración del alcalde Barrera, estuvo direccionada principalmente a generar procesos de formación y capacitación en sectores específicos. Así, desde una perspectiva pedagógica, se implementaron las Escuelas de Seguridad Ciudadana, concebidas como espacios de generación de conocimiento y desarrollo de capacidades ciudadanas alrededor de temáticas tales como seguridad integral, deberes y derechos ciudadanos, prevención barrial, mediación de conflictos, entre otras. En total, se establecieron veinte escuelas, distribuidas en todas las administraciones zonales, que graduaron a 950 líderes participantes.[27]

---

[27] OMSC / MDMQ, "18 Informe de Seguridad Ciudadana 2013", Documento de difusión, (2014).

En el marco del proyecto Mi escuela se prepara, se implementó un componente pedagógico de capacitación a las instituciones educativas, esfuerzo orientado a fortalecer el conocimiento de los estudiantes en ámbitos relacionados con el buen trato, autoprotección, movilidad segura, gestión de riesgos, etc. En el proceso se capacitaron alrededor de 1450 instituciones educativas.

2.2. Instrumentos de autoridad

Según se mencionó, la Constitución de 2008 no solo transformó el sentido y alcance de la concepción de seguridad ciudadana en función de los lineamientos del Buen Vivir, sino que además redefinió el rol de los diferentes actores involucrados en la problemática de la seguridad. En este marco, durante la administración del alcalde Barrera se experimentó un proceso de transición entre las políticas que el gobierno local había desarrollado desde inicios de la primera década de 2000 y un nuevo campo de políticas, delineadas e implementadas desde el Gobierno central. A la luz de este desplazamiento, es posible identificar una serie de artículos en el nuevo texto constitucional que, a manera de instrumentos substantivos, estructuraron en un sentido macro las nuevas políticas distritales de seguridad ciudadana.

De este marco constitucional se derivaron instrumentos de autoridad de carácter nacional que también inciden de manera directa en el nivel local. Es el caso del Plan Nacional para el Buen Vivir, la Ley de Seguridad Pública y del Estado, pero en especial del COOTAD, que, como se observa en la tabla 5.7, contiene artículos directamente relacionados con la instrumentación de las políticas del distrito. Conforme lo señala un asesor de la Asamblea Nacional del Ecuador:

La Asamblea Constituyente y la nueva Constitución hacen un planteamiento sobre autonomía y descentralización que pretende que los territorios, en este caso los gobiernos seccionales, puedan alcanzar la mayor autonomía posible en ejercicio de sus competencias, a través del mecanismo de la descentralización [...] En el ámbito específico de la seguridad ciudadana, considero que se trata de una competencia compleja de definir porque tiene varios ámbitos (integridad de las personas, riesgos antrópicos y naturales, garantía jurídica, etc.). En ese sentido, a cada nivel de gobierno, según sus competencias y responsabilidades, le va a tocar una tarea, una dimensión relacionada con la seguridad [...] De todas formas, el ámbito de la seguridad en el Sistema Nacional de Competencias es una competencia privativa del gobierno central. [Sin embargo] la Constitución y el COOTAD abren la posibilidad para trabajar en lo que se llama coordinación [...] La convivencia ciudadana es algo que le compete al Municipio y también al Gobierno central. Esto en la Constitución y también en el COOTAD se resuelve al establecer el concepto de 'concurrencia competencial'. El COOTAD plantea que en las competencias privativas, cuya titularidad jurídica la tiene el gobierno central, su gestión puede desarrollarse de manera concurrente en diversos niveles de gobierno. De igual forma, en el artículo 280 de la Constitución se señala que el ejercicio de las competencias exclusivas no excluirá el ejercicio recurrente para la gestión y prestación de servicios públicos, la relación de colaboración y complementariedad para los distintos niveles de gobierno.[28]

[28] Fernando Buendía, asesor de la Asamblea Nacional, entrevista, Quito, marzo 2014.

Tabla 5.7. Artículos del COOTAD sobre seguridad ciudadana

Artículo	Contenido
Art. 41	Son funciones del gobierno autónomo descentralizado provincial las siguientes: j) Coordinar con la Policía Nacional, la sociedad y otros organismos lo relacionado con la seguridad ciudadana, en el ámbito de sus competencias
Art. 50	Atribuciones del prefecto o prefecta provincial.- Le corresponde al prefecto o prefecta provincial: n) Coordinar un plan de seguridad ciudadana acorde con la realidad de cada provincia y en armonía con el plan nacional de seguridad ciudadana, articulando para tal efecto el gobierno autónomo provincial, el gobierno central a través del organismo correspondiente, la ciudadanía y la Policía Nacional
Art. 54	Funciones.- Son funciones del gobierno autónomo descentralizado municipal las siguientes: n) Crear y coordinar los consejos de seguridad ciudadana municipal, con la participación de la Policía Nacional, la comunidad y otros organismos relacionados con la materia de seguridad, los cuales formularán y ejecutarán políticas locales, planes y evaluación de resultados sobre prevención, protección, seguridad y convivencia ciudadana; o) Regular y controlar las construcciones en la circunscripción cantonal, con especial atención a las normas de control y prevención de riesgos y desastres
Art. 55	Competencias exclusivas del gobierno autónomo descentralizado municipal.- Los gobiernos autónomos descentralizados municipales tendrán las siguientes competencias exclusivas sin perjuicio de otras que determine la ley: m) Gestionar los servicios de prevención, protección, socorro y extinción de incendios
Art. 60	Atribuciones del alcalde o alcaldesa.- Le corresponde al alcalde o alcaldesa: q) Coordinar con la Policía Nacional, la comunidad y otros organismos relacionados con la materia de seguridad, la formulación y ejecución de políticas locales, planes y evaluación de resultados sobre prevención, protección, seguridad y convivencia ciudadana
Art. 64	Funciones.- Son funciones del gobierno autónomo descentralizado parroquial rural: m) Coordinar con la Policía Nacional, la sociedad y otros organismos lo relacionado con la seguridad ciudadana, en el ámbito de sus competencias
Art. 67	Atribuciones de la junta parroquial rural.- A la junta parroquial rural le corresponde: r) Impulsar la conformación de organizaciones de la población parroquial, tendientes a promover el fomento de la producción, la seguridad ciudadana, el mejoramiento del nivel de vida y el fomento de la cultura y el deporte

Artículo	Contenido
Art. 70	Atribuciones del presidente o presidenta de la junta parroquial rural.- Le corresponde al presidente o presidenta de la junta parroquial rural: n) Coordinar un plan de seguridad ciudadana, acorde con la realidad de cada parroquia rural y en armonía con el plan cantonal y nacional de seguridad ciudadana, articulando, para tal efecto, el gobierno parroquial rural, el gobierno central a través del organismo correspondiente, la ciudadanía y la Policía Nacional
Art. 84	Funciones.- Son funciones del gobierno del distrito autónomo metropolitano: r) Crear y coordinar los consejos de seguridad ciudadana metropolitanos, con la participación de la Policía Nacional, la comunidad y otros organismos relacionados con la materia de seguridad, los cuales formularán y ejecutarán políticas locales, planes y evaluación de resultados sobre prevención, protección, seguridad y convivencia ciudadana
Art. 90	Atribuciones del Alcalde o Alcaldesa Metropolitano.- Le corresponde al alcalde o alcaldesa metropolitano: u) Coordinar con la Policía Nacional, la comunidad y otros organismos relacionados con la materia de seguridad, la formulación y ejecución de políticas locales, planes y evaluación de resultados sobre prevención, protección, seguridad y convivencia ciudadana

Fuente: Ministerio Coordinador de Seguridad, "Seguridad Integral. Plan y agendas 2014-2017. Agenda Sectorial de Seguridad Ciudadana", (2014).

En el ámbito del gobierno local se seleccionó, a manera de instrumentos de autoridad substantivos, una serie de ordenanzas municipales, direccionadas a alterar y controlar varios aspectos del ámbito de la seguridad. Muchos de estos instrumentos fueron el resultado de reformas de ordenanzas promulgadas en la administración anterior, mientras que otros se formularon en el contexto de la agenda del alcalde Barrera. Especial atención en este nivel de instrumentación merece la Ordenanza de Gestión del Riesgo que, junto con el Plan de Riesgos Antisísmicos, contribuyó a institucionalizar las estrategias frente a las amenazas de origen natural y antrópico presentes en el territorio del distrito, consolidándolas como uno de los ejes centrales de las políticas de seguridad ciudadana. Según el entonces director metropolitano de Gestión de Riesgos:

> En la administración anterior [de Moncayo], la Unidad de Riesgos no tenía presupuesto autónomo, dependía de Corposeguridad y carecía de autonomía de decisión [...]. En el programa original del alcalde Barrera no aparecía la Dirección de Gestión de Riesgos como tal. A pesar de las diferentes amenazas a las que se encuentra expuesta la ciudad, la gestión del riesgo estaba marcada por 'la respuesta' y 'los apoyos internacionales', pero no estaba institucionalizada. [...] El cambio se genera a partir de la visita del alcalde a las zonas destruidas por el terremoto de Haití, luego de lo cual solicita a los técnicos de riesgos y a la Secretaría de Seguridad la elaboración del Plan de Riesgos Antisísmicos. [...] Desde el 2010 se cambió el nombre de Unidad a Dirección de Riesgos, se ha institucionalizado el diseño técnico de planes pensando en recursos y especialmente en las herramientas legales para apoyar la gestión. Por ejemplo, se creó el Plan de Preparación y Atención Ante Incendios Forestales (antes Plan Fuego), y el Plan de Prevención y Atención de Inundaciones y Deslizamientos (antes Plan Lluvias).[29]

No obstante, el instrumento de autoridad substantivo que enmarca el conjunto de estrategias y acciones de la política es la Agenda de Seguridad Ciudadana para el DMQ 2010, concebida como una guía para la acción del Consejo Metropolitano de Seguridad Ciudadana. La agenda fue estructurada sobre cinco ejes: i) fortalecimiento institucional; ii) atención a demandas ciudadanas; iii) participación y convivencia ciudadana; iv) prevención de violencia e inseguridad; y v) producción de información para la toma de decisiones. En función de estos ejes, se planteó el desarrollo de un conjunto de temáticas, políticas y planes de acción, tal como se observa en la tabla 5.8.

---

[29] Ricardo Peñaherrera, director de Gestión de Riesgos, entrevista, Quito, marzo 2014.

Tabla 5.8. Agenda de Seguridad Ciudadana para el DMQ 2010

Eje	Temática	Política
Fortalecimiento institucional e inversión en seguridad	Policía distrital especializada	Promover la conformación de la Policía Distrital desconcentrada para Quito. Propiciar una policía ágil, eficiente y oportuna ante las llamadas ciudadanas. Promover la gestión eficiente de la Policía Judicial para la seguridad ciudadana en el DMQ.
	Plan conjunto de inversión para la seguridad	Generar un plan conjunto de inversiones en seguridad ciudadana entre el Ministerio de Gobierno, Policía Nacional y Municipio de Quito. Orientar el plan de inversiones en seguridad ciudadana de acuerdo a la división territorial desconcentrada del DMQ, la geografía del delito y la percepción de la ciudadanía. Promover procesos permanentes de rendición de cuentas y veeduría ciudadana de los organismos nacionales y distritales responsables de la prevención y el control de la violencia en el DMQ.
Atención a demandas ciudadanas	Sistema integral de acceso a la justicia para víctimas de violencia	Desconcentrar y mejorar la calidad del servicio del sistema de administración de justicia en el DMQ. Contrarrestar la impunidad frente a la violencia y el delito en el DMQ. Accionar mecanismos de resolución alternativa de conflictos. Promover la coordinación interinstitucional para la prevención y atención a la violencia intrafamiliar, de género y sexual en el DMQ.
	Sistema de atención de emergencias	Fortalecer la institucionalidad de la Comisión Interinstitucional de la Red de Emergencias Médicas (CIREM). Mejorar la capacidad operativa y recursos para la atención prehospitalaria oportuna y eficiente. Optimizar el acceso de usuarios a la Central Metropolitana de Atención Ciudadana.
Participación y convivencia ciudadana	Participación ciudadana para la seguridad	Propiciar la participación activa de la ciudadanía para la seguridad ciudadana. Garantizar que la ciudadanía sea un elemento proactivo en la gestión de la seguridad en el DMQ a través de programas y capacitación en autoprotección.

(*Continúa*)

Eje	Temática	Política
Prevención de violencia e inseguridad	Prevención situacional	Garantizar espacios públicos seguros del DMQ. Control de sitios de diversión, expendio de alcohol y espectáculos públicos que pueden generar inseguridad.
	Prevención de riesgos naturales y antrópicos	Impulsar y asumir la gestión de riesgos como eje transversal de la planificación y desarrollo territorial del DMQ. Generar una cultura de prevención y preparación de la población frente a riesgos naturales y antrópicos. Proteger a los habitantes y al territorio de los eventos adversos que puedan ocurrir de origen natural, antrópico y tecnológico. Conformar el SMGR con capacidades humanas, técnicas y financieras.
	Prevención de riesgos en la movilidad urbana	Promover desplazamientos de los ciudadanos en modos motorizados y en modos no motorizados en condiciones que preserven su integridad. Incorporar normas técnicas y estándares de seguridad vial en el diseño de vías. Comprometer a las instancias responsables en la construcción de infraestructuras adecuadas para asegurar la integridad de la ciudadanía.
Producción de información para la toma de decisiones	Sistema de indicadores de inseguridad y violencia en el DMQ	Promover la estandarización y homologación de indicadores de violencia y criminalidad en el DMQ con indicadores nacionales e internacionales. Impulsar la construcción, generación e intercambio de indicadores de gestión y operatividad de las instituciones del Sistema de Seguridad Ciudadana del DMQ. Impulsar la generación de conocimiento sobre la problemática de la inseguridad y el impacto de los planes de acción.

Fuente: elaborado a partir de "Agenda de Seguridad Ciudadana para el DMQ", MDMQ, (2010).

La Agenda como instrumento de autoridad recoge algunas de las estrategias que se venían desarrollando desde el año 2000, en términos, por ejemplo, del fortalecimiento institucional, los procesos de participación y prevención y la misma producción de información, complementados con nuevos lineamientos como los sistemas de atención ciudadana y la gestión de riesgos. Sin embargo, no necesariamente evidencia la construcción de una política pública fundamentada sobre un debate político y epistemológico de la noción de seguridad ciudadana, ni metodológicamente articulada alrededor de objetivos concretos. Así,

> con la agenda 2010 se han mejorado los procesos de elaboración de políticas y planes para el año 2011, sin embargo no se han incluido metas cuantificables y medibles, que se deben establecer considerando la problemática que se quiere resolver [disminución de la inseguridad y los riesgos] y no erróneamente, como se lo ha hecho hasta la fecha, cuantificando los medios utilizados para alcanzar dichas metas.[30]

De otra parte, conforme se señala en el documento de la Agenda, su construcción fue el resultado de un trabajo mancomunado de las instituciones que forman parte del Consejo Metropolitano de Seguridad Ciudadana, instancia compuesta en su totalidad por entidades estatales nacionales, provinciales y locales. En cierta forma, esto muestra la incidencia del carácter jerárquico de la gobernanza distrital sobre la instrumentación de las políticas de seguridad, en tanto la formulación de la Agenda se restringió a la institucionalidad estatal, sin incorporar a actores no estatales provenientes de la sociedad y del mercado.

Esta situación se refleja precisamente en la menor cantidad de instrumentos de autoridad procedimentales seleccionados en estas políticas. De esta manera, pese a que uno de los ejes rectores de la

---

[30] Fundación Marcha Blanca, "Informe final. Veeduría Tasa de Seguridad Ciudadana", (2011, 77).

Agenda hace referencia a la participación de la ciudadanía —tanto en las instancias de diagnóstico como en la generación de acciones comunitarias direccionadas a mitigar los riesgos y las problemáticas sociales de sus respectivas localidades[31]— la selección de instrumentos de autoridad que promuevan esta interacción es débil. En esta dimensión procedimental, cabe destacar algunos mecanismos de carácter situacional, enfocados en la prevención de la violencia e inseguridad en ámbitos relacionados con el espacio público y la gestión del riesgo.

Instrumentos de tesoro

La tasa de seguridad constituye seguramente el instrumento de tesoro substantivo de mayor importancia en las políticas de seguridad ciudadana de Quito. Si bien desde el año 2001 el Municipio venía discutiendo sobre la necesidad de contar con un fondo permanente que permitiera financiar las estrategias de seguridad ciudadana, su selección en 2002 respondió principalmente a la demanda ciudadana, organizada alrededor de la movilización Marcha Blanca. Ante la presión social, el entonces alcalde Moncayo creó, mediante la Ordenanza 079, una tasa "para cubrir los servicios de seguridad ciudadana en beneficio de los propietarios y usuarios de los bienes inmuebles situados en el DMQ".

El cobro de la tasa inició en 2003 sobre la base de una categorización de predios destinados a vivienda y actividades comerciales. Su valor, que oscilaba en un rango de 2 a 28 dólares, se cancelaba junto al impuesto predial, generando en promedio unos 5 millones de dólares al año. En la misma ordenanza se creó el Fondo Especial de Prevención de la Violencia e Inseguridad Ciudadana, al cual se des-

---

[31] MDMQ, "Agenda de Seguridad Ciudadana para el DMQ", Documento de difusión, (2010).

tinaron los valores recaudados por concepto de la tasa, para cuya administración se fundó además la corporación público-privada Corposeguridad.

Según el informe de la veeduría sobre la tasa de seguridad, realizado por la Fundación Marcha Blanca,

> el mayor beneficiario de los recursos para seguridad y convivencia ciudadana (según datos de los informes de Corposeguridad) ha sido la Policía Nacional, con el 62,3 % de los recursos distribuidos; le siguen los proyectos de convivencia ciudadana con el 28,8 % y Corposeguridad con un 7,7 %.[32]

Esta distribución de los recursos evidencia la falta de coherencia entre los objetivos de una política de seguridad ciudadana sustentada en nociones de convivencia y prevención, y una inversión en su mayoría direccionada a fortalecer estrategias de control.

Ahora bien, más allá de los datos financieros analizados en el informe de veeduría, una evaluación de la tasa de seguridad como instrumento de tesoro genera cuestionamientos sobre la coherencia de su elección y diseño. El principal está relacionado con la naturaleza misma de la tasa y la falta de definición conceptual y metodológica del servicio de seguridad para cuyo financiamiento fue creada. Estos problemas habrían sido causados por errores cometidos en los estudios previos a la expedición de la ordenanza que crea esa tasa:

> ... En el estudio se establece que por tasa se entiende: 'la prestación pecuniaria exigida compulsivamente por el Estado y relacionada con la prestación efectiva o potencial de una actividad de interés

32 Fundación Marcha Blanca, "Informe final. Veeduría Tasa de Seguridad Ciudadana", (2011, 44).

> público que afecta al obligado'. Lo señalado es contrario por completo a lo que establecen la Constitución y la Ley Orgánica de Régimen Municipal, que señalan con claridad que la tasa es la 'retribución a un servicio público', en otras palabras un pago que hace la ciudadanía por un servicio público que ha recibido. De ningún modo se puede cobrar una tasa por una actividad de interés público y peor aún si es potencial.[33]

Si bien la tasa de seguridad se mantuvo como recurso de gobierno en la administración del alcalde Barrera, se observa una redefinición en lo que respecta al destino de los valores recaudados. En general, la propuesta apuntó a redefinir paulatinamente el presupuesto, dirigiendo, por un lado, una menor cantidad de fondos al área reactiva de la política —concretamente, a apoyo a la actividad policial—, y, por otro, incrementando los recursos para ámbitos de participación y prevención.

A pesar de esto, no se logró establecer una asignación presupuestal coherente con los lineamentos de la nueva política. Esta situación puede ser entendida en términos de un efecto de inercia del instrumento (Lascoumes y Le Galès 2007), en tanto su continuidad no solo evidencia una resistencia a los cambios de la política, sino además una lógica específica orientada por la caracterización de la problemática de la seguridad a través de un sistema de variables de carácter punitivo. Conforme lo señala el exalcalde Barrera,

> la tasa de seguridad es un mecanismo que se mantuvo, es una tasa que se fija por ordenanza y es un recurso sustantivo para inversiones específicas. (...) El criterio que mantuvimos fue de

---

[33] Fundación Marcha Blanca, "Informe final. Veeduría Tasa de Seguridad Ciudadana", (2011, 29).

> información del destino de esos recursos, porque siempre tuvo una serie de cuestionamientos, [por lo que] hicimos un ejercicio de transparentar, constituimos una veeduría con Marcha Blanca sobre el uso de la tasa y fuimos reorientando este planteamiento, es decir, disminuyendo la inversión en los equipamientos. Por la tasa se obtenía entre siete y ocho millones de dólares anuales, lo que no es mucho pero tampoco es poco, pero con eso no se resuelve los temas de Unidades de Policía Comunitaria (UPC) y patrulleros, las demandas son mayores, aunque sí ayuda enormemente a los temas de prevención situacional [...] recuperación de espacios públicos y parques, iluminación, etc. [...] También se usó en los temas de organización ciudadana y sistemas de simulacros; sin embargo, mantuvimos recursos en los equipamientos hasta 2013.[34]

La inversión de los recursos de la tasa de seguridad se direccionó de acuerdo con los rubros señalados en la tabla 5.9.

Un instrumento de organización substantivo importante fue el Consejo Metropolitano de Seguridad Ciudadana, instancia en funciones desde la administración anterior como un espacio de coordinación interinstitucional tanto a nivel local como nacional, con la participación de actores estatales provenientes de ámbitos diversos, como se observa en la figura 5.4. De igual forma, es importante mencionar que, en el contexto de la política de seguridad ciudadana nacional, el gobierno del Distrito Metropolitano de Quito participa en el Sistema de Seguridad Pública y del Estado, en el cual, a modo de instrumento de organización, se articula un conjunto de instituciones nacionales y locales involucradas en la problemática de la seguridad.

[34] Augusto Barrera, exalcalde de Quito entrevista, Quito, febrero 2015.

Tabla 5.9. Inversión realizada con la tasa de seguridad (2009-2014)

Rubro	2009 (Ago-dic)	2010	2011	2012	2013	2014 (Feb)	Total
	En USD						
Apoyo logístico y capacitación Policía Metropolitana	-	176 454	326 413	234 633	573 994	7537	1 319 032
Apoyo logístico y capacitación Policía Nacional	115 533	1 861 408	2 657 611	2 393 497	1 800 404	164 444	8 992 898
Fortalecimiento COE, CMAC, Centros de atención, ECU 911	238 426	2 398 821	2 103 300	2 196 145	864 771	287 372	8 088 835
Espacios públicos seguros	510 538	1 258 970	356 072	811 257	3 967 884	45 958	6 950 679
Infraestructura (UPC, Policía Metropolitana)	584 456	856 514	646 154	867 464	316 137	-	3 270 725
OMSC y estudios para la seguridad	59 349	365 098	257 401	370 721	554 495	12 309	1 619 373
Operación Emseguridad	-	747 808	720 914	1 039 553	1 686 272	139 636	4 334 183

Rubro	2009 (Ago-dic)	2010	2011	2012	2013	2014 (Feb)	Total
	En USD						
Prevención situacional (alarmas, video-vigilancia)	80 000	171 800	-	595 587	2 157 614	5671	3 010 673
Sistema Metropolitano de Seguridad	596 625	208 237	-	375 477	332 295	33 827	1 546 462
Sistema Metropolitano de Seguridad y estudios	-	137 351	23 982	-	-	-	161 333
Vivamos las fiestas en paz y guías cívicos	-	137 351	37 240	76 733	113 670	59 980	322 976
Acciones emergentes de mitigación	-	35 353	-	145 431	59 744	-	205 175
Total	2 184 927	8 217 814	7 129 087	9 106 498	12 427 282	756 736	39 822 344

Fuente: Barrera (2014).

Instrumentos de organización

La readecuación institucional que el alcalde Barrera implementó al inicio de su administración, en el año 2009, se concretó en la creación de doce secretarías, las cuales fueron concebidas como instancias rectoras de las políticas públicas en ámbitos como la comunicación, inclusión social, salud, movilidad, ambiente, entre otros. Como se señaló, la nueva estructura orgánica del Municipio sintetizó una forma centralizada de gobierno local, en el que las secretarías concentraron el proceso de toma de decisiones.

Precisamente, la Secretaría de Seguridad y Gobernabilidad (SSG) se constituyó durante la gestión de Barrera en el instrumento de organización substantivo de mayor relevancia en las políticas de seguridad. Para Lourdes Rodríguez, exsecretaria de Seguridad, dado que en el anterior modelo de gestión las estrategias de seguridad se encontraban dispersas, la política de seguridad ciudadana en la administración del alcalde Barrera fue concebida desde una perspectiva global, esto es, articulando alrededor de un mismo marco organizacional el conjunto de acciones del gobierno local. En tal razón, "al considerar la seguridad desde una perspectiva integral se estructuró de la misma manera la SSG". De ahí que,

> la SSG en su planificación estratégica se planteó gestionar por un lado los temas de violencia delincuencial, y al mismo tiempo, las temáticas de violencia intrafamiliar y de gestión de riesgos, e incluso lo que se denomina como gobernabilidad. Esto desde una concepción integral que asume que la violencia no proviene exclusivamente de la delincuencia, sino que se relaciona también con problemáticas de violencia intrafamiliar, riesgos, seguridad vial, de la forma como se manejan los conflictos.[35]

[35] Lourdes Rodríguez, exsecretaria de Seguridad, entrevista, Quito, abril 2014.

Así, en términos de los recursos de organización substantivos, la instrumentación de las políticas de seguridad ciudadana implicó, de un lado, la implementación de cuatro direcciones metropolitanas y, de otro, la reorganización funcional de un conjunto de entidades adscritas a la SSG, tal como se observa en el organigrama de la figura 5.3.

Figura 5.3. Organigrama estructural de la Secretaría de Seguridad y Gobernabilidad de Quito

Consejo Metropolitano de Seguridad
Secretaría de Seguridad y Gobernabilidad
Policía Metropolitana
Cuerpo de Bomberos
EMSEGURIDAD
Asesoría Jurídica
Administrativa Financiera
Planificación y Proyectos
Unidad de Despacho
Comunicación Social
Dirección de Gestión de la Seguridad Ciudadana
Dirección de Gestión de Servicios de Apoyo a Víctimas
Dirección de Gestión de Riesgos
Dirección de Gestión de Gobernabilidad
Observatorio Metropolitano de Seguridad Ciudadana
Centro de Mediación y Negociación

Fuente: Secretaría de Seguridad y Gobernabilidad, "Organigrama Estructural", Resolución A 010 del 31 de marzo de 2011, (2011).

Otro de los instrumentos de organización relevantes ha sido la Empresa Pública Metropolitana para la Seguridad (Emseguridad), instancia constituida dentro de la Ley de Empresas Públicas, cuyo objetivo, de carácter operativo-logístico, estuvo centrado principalmente en ejecutar los planes y programas de la SSG. Mediante la administración de la tasa de seguridad, la empresa impulsó estrategias concretas relacionadas, por ejemplo, con programas de capacitación a la Policía Nacional sobre temas de convivencia ciudadana, resolución de conflictos, etc. De igual forma, Emseguridad apoyó la descentralización del sistema judicial a través de la construcción de la Casa de la Justicia, adecuación de las instalaciones de Juzgados de Contravenciones, contratación de abogados patrocinadores, pago de las remuneraciones de jueces, etc. En articulación con la comunidad, se desarrollaron además estrategias de prevención, entre las que destacan las alarmas comunitarias y el trabajo de organización barrial. Pese a estos importantes logros, Emseguridad enfrentó problemas relacionados con la falta de coordinación con la Policía Nacional y la excesiva burocracia para implementar convenios interinstitucionales.[36]

Figura 5.4. Consejo Metropolitano de Seguridad Ciudadana

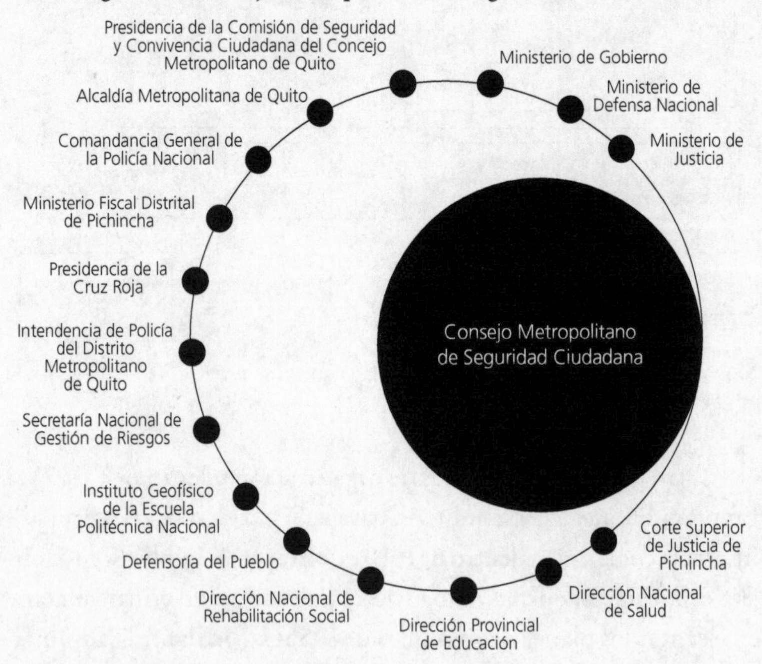

Fuente: MDMQ, "Agenda de Seguridad Ciudadana para el DMQ", (2010).

[36] Guadalupe Estévez, representante de Emseguridad, entrevista, Quito, marzo 2014.

De otra parte, en el período analizado se evidenció un desarrollo de instrumentos de organización procedimentales, direccionados a promover espacios de interacción entre distintos actores. En esa línea, se identificaron los Consejos Zonales de Seguridad, instancias que operaban en cada administración zonal mediante reuniones mensuales, tendientes a articular un conjunto de actores principalmente estatales —Bomberos, Policía Nacional, sectores de educación, entre otros— con la función de formular un Plan Zonal de Seguridad, enfocado en las problemáticas específicas de cada sector.[37]

Igualmente, se impulsaron los Comités de Seguridad, instrumento seleccionado en la administración del alcalde Barrera sobre la base de un proceso de participación ciudadana de la anterior administración. Fueron concebidos como unidades de organización ciudadana a nivel barrial y sectorial, encargados de elaborar planes barriales de seguridad, siguiendo una lógica proactiva de protagonismo ciudadano.[38] Se conformaron un total de 1894 comités, en los cuales participaron de manera activa alrededor de 45 000 personas, incidiendo en ámbitos tales como convivencia, autocuidado y prevención (Barrera 2014). Sin embargo, se identifican algunas limitaciones del instrumento,

> una crítica al Municipio cuando realiza los Comités de Seguridad es que convoca a ciertos sectores como mujeres, sobre todo de la mediana edad, pero no hay jóvenes, roqueros, homosexuales u otros actores sentados en la mesa. Es decir, hay un sesgo de la gente que participa en los Comités y por ende en las propuestas

[37] Nelcy de la Cadena, directora distrital de Participación, entrevista, Quito, marzo 2014.

[38] Blanca Chamorro, directora distrital de Gobernabilidad, entrevista, Quito, marzo 2014.

> que producen. Sin embargo, lo importante es el hecho de que en la convocatoria se fueron conformando unas redes de ciudadanos que no se aprovecharon. Los Comités pudieron ampliarse y fortalecerse, pero se debió evaluar cómo se estaba trabajando y refuncionarlos. Creo que el proceso se perdió, el Ministerio del Interior tenía la intención de hacerse cargo de los Comités de Seguridad, pero bajo una visión más policial.[39]

Otro instrumento significativo seleccionado en la administración del alcalde Barrera fue la Mesa Ciudadana por la Seguridad, espacio de diálogo que convocó a representantes de la sociedad civil y diversas instituciones para generar iniciativas a favor de la seguridad en el distrito. Surgió en 2011 en torno del trabajo de cuatro mesas: Organización Social, Comunicación, Inversión de la Tasa de Seguridad y Temas Legales. Posteriormente, el ejercicio se consolidó en una sola Mesa Ciudadana, con comisiones específicas que trabajaron diferentes temáticas. A partir de 2012, la Mesa contó con la facilitación y apoyo de la Fundación Esquel, lo que permitió estructurar una metodología de trabajo en términos de mecanismos de representatividad para asegurar la inclusión de distintos sectores y diversidades, así como la identificación de los roles de los actores involucrados. Como lo resalta Dolores Padilla:

> Las mesas fueron debilitándose pero lograron los objetivos que coyunturalmente se habían propuesto. Así por ejemplo, la Mesa de Normativa Jurídica definió las diez reformas urgentes que se quería plantear a la Asamblea y presentarlas a la comisión que preparaba el CONIP [...] El momento en que se integraron las reformas planteadas la mesa quedó debilitada frente a su

[39] Alex Tupiza, exfuncionario del OMSC, entrevista, Quito, marzo 2014.

> objetivo. Ante esta situación propusimos que se haga una sola mesa y se continúe trabajando. De esta manera, la mesa se volvió efectiva porque es un espacio en el que participa el Municipio, donde se evidencian las tensiones [...] La Mesa se volvió práctica, efectiva, útil [...] todo lo que hicimos fue de forma articulada a las Jefaturas Zonales de Seguridad, es decir, se comprometió a la institucionalidad [...] Las características de la Mesa fueron la generación de confianza y transparencia, el intercambio de experiencias e información, pero principalmente la búsqueda de legitimidad y representatividad de la toma de decisiones.[40]

En esta instrumentación de recursos de organización procedimentales se desarrollaron además otras instancias, tales como los Centros de Mediación Zonales, los Centros de Equidad y Justicia,[41] el programa Mi escuela se prepara y las Alarmas Comunitarias, direccionadas a promover la organización de la ciudadanía y generar mecanismos de prevención que mejoren la seguridad ciudadana.

En definitiva, como se puede observar en la tabla 5.10, la selección de los diversos instrumentos de las políticas durante la administración del alcalde Barrera se estructuró según las dinámicas de gobernanza inherentes a la interacción de los distintos actores

[40] Dolores Padilla, representante de la Fundación Esquel, entrevista, Quito, marzo 2014.

[41] Sobre los Centros de Equidad y Justicia hay que señalar que anteriormente formaban parte del área social de la administración distrital, pero una vez que fueron incorporados a la Secretaría de Seguridad y Gobernabilidad se configuraron bajo un escenario diferente: "No es solamente un tema de la persona agredida, es un tema de que esta persona no tiene seguridad en su hogar y la Secretaría de Seguridad asume como propia la posibilidad de atender a víctimas desde este escenario, el enfoque no es solo judicial. Está la articulación de justicia pero no es solamente eso, es la capacidad de darle seguridad a estas personas dentro de sus hogares" (Belén Cuesta, directora de *Apoyo a Víctimas*, entrevista, Quito, marzo 2014).

Tabla 5.10. Instrumentos de políticas de seguridad ciudadana en Quito

Dimensión	Recursos del gobierno			
	Nodalidad	Autoridad	Tesoro	Organización
Substantiva	Balances estadísticos sobre muertes por causas externas Encuestas de victimización Evaluación de políticas públicas Informes de seguridad ciudadana Mapas de georreferenciación Atlas de amenazas naturales en el DMQ Investigaciones OMSC Informe tasa de seguridad, Veeduría Fundación Marcha Blanca Sistema de video vigilancia Ojos de águila Central Metropolitana de Atención Ciudadana (CEMAC) Servicio Integrado de Seguridad ECU 911	Constitución Política del Ecuador Plan Nacional para el Buen Vivir Ley de Seguridad Pública y del Estado COOTAD Agenda de Seguridad Ciudadana para el DMQ 2010 Ordenanzas municipales Ordenanza Gestión del Riesgo Ordenanza 0357 (2013) Reformatoria de la Evaluación, Resultados e Impactos de Proyectos de Seguridad Ordenanza 0235 (2012) Erradicación de la violencia basada en género Ordenanza 158 (2011) Tasa de Seguridad Ordenanza 286 (2009) Centros de Equidad y Justicia Ordenanza 0281 (2008) Emseguridad-Q Ordenanza 0201 (2006) Seguridad y Convivencia Ciudadanas Ordenanza 080 (2002) Comisión de Seguridad	Tasa de seguridad ciudadana Presupuesto Secretaría Seguridad Fondo de emergencia para prevención de riesgos Ordenanza 357 Evaluación fondos de seguridad	Sistema de Seguridad Pública y del Estado Consejo Metropolitano de Seguridad Ciudadana SSG Direcciones de la Secretaría Emseguridad Policía Metropolitana OMSC

Dimensión	Recursos del gobierno			
	Nodalidad	Autoridad	Tesoro	Organización
Procedimental	Campañas informativas Proyecto Quito, ciudad segura para las mujeres y las niñas Talleres de capacitación de uso de la información Escuelas de *Seguridad Ciudadana* Capacitación a las Instituciones Educativas (*Mi escuela se prepara*) Capacitación a los *Comités de Seguridad*	Programa *Espacios públicos seguros* Programa *Vivamos las fiestas en paz* Planes de contingencia y c ontención de riesgo Plan Zonal de Seguridad Plan Barrial de Seguridad		Consejos Zonales de Seguridad Comités de Seguridad Mesa Ciudadana por la Seguridad Centros de mediación zonales Centros de Equidad y Justicia Programa Mi Escuela se prepara Alarmas comunitarias UPC

estatales y no estatales involucrados en el proceso. Se identifica en primera instancia un rol protagónico del Gobierno municipal en la instrumentación de las políticas, lo que en cierta forma condujo a una concentración en la selección de recursos organizativos, resultado también del proceso de readecuación institucional impulsado por el alcalde Barrera al inicio de su gestión. De otra parte, la selección de instrumentos evidencia además la interacción entre lo local y lo nacional, no solo en términos de la adscripción al proyecto político de la Revolución Ciudadana, sino sobre todo en razón del nuevo marco institucional de la seguridad ciudadana implementado por el gobierno central.

Conclusiones

Los estilos de implementación de las políticas de seguridad ciudadana que tanto el alcalde Petro en Bogotá como el alcalde Barrera en Quito desarrollaron en sus respectivos períodos administrativos, de alguna manera son tributarios de los procesos de instrumentación que se venían desarrollando en las dos ciudades desde la década de los noventa. La selección de los diferentes instrumentos de políticas responde no solamente a una lógica de adecuación de la instrumentación utilizada en administraciones anteriores, con una dinámica de ajuste o calibración de los instrumentos, sino además a una lógica intrínseca de los distintos instrumentos que genera un efecto de inercia independiente de la política.

En términos generales, se ha observado que en el caso de Bogotá la instrumentación desarrollada por Gustavo Petro se ha estructurado a partir de una noción de seguridad ciudadana fundamentada en la protección de los derechos de los individuos, en especial de los sectores históricamente excluidos, lo que ha llevado a la selección de instrumentos, tanto substantivos como procedimentales, direccionados a incorporar a dichos sectores en el proceso.

En el caso de la selección realizada por el Gobierno distrital de Quito, bajo la administración de Augusto Barrera, el análisis del proceso ha evidenciado algunas contradicciones entre una concepción integral de la seguridad ciudadana que incorporó estrategias de prevención, participación y gestión del riesgo, y una lógica de instrumentación carente de objetivos concretos. Esta situación se deriva en parte de una superposición de estrategias y acciones de la administración local y el gobierno nacional, dentro de una coyuntura política de carácter centralista.

En ambos casos la instrumentación se ha desarrollado en función de lógicas de selección resultantes de las formas de interacción o modos de gobernanza instalados entre los distintos actores involucrados en las políticas. Mientras en la experiencia de Bogotá se identificaron dinámicas de cogobernanza, caracterizadas por una compleja articulación entre el Gobierno distrital y sectores de la sociedad y la economía, en el caso de Quito, por el contrario, el proceso estuvo moldeado por el sentido jerárquico del gobierno local y una relativa participación de actores no estatales.

Capítulo 6
Gobernanza y efectividad de las políticas de seguridad ciudadana en Bogotá y Quito

A partir de la pregunta sobre de qué manera los modos de gobernanza inciden en la efectividad de las políticas públicas, en esta obra se desarrolla como hipótesis que los modos de gobernanza en los que se observan mayores niveles de interdependencia entre los distintos actores sociales, políticos y económicos, inducen el desarrollo de políticas públicas más efectivas. Esto se debe a que las lógicas de interacción horizontal (asociaciones público-privadas, coadministración, redes, regímenes) tienden a generar mayor comunicación y cooperación en los procesos de acción pública, lo que a su vez produce más correspondencia entre los objetivos y los medios de las políticas.

Con el propósito de verificar la hipótesis a nivel empírico, en este capítulo se discute en perspectiva comparada de qué manera los modos de gobernanza, en términos del rol del gobierno local y de las formas de interacción entre los diferentes actores, explican el grado de coherencia de la instrumentación implementada en las políticas de seguridad ciudadana de Bogotá y Quito, así como la consistencia de la combinación de dichos instrumentos.

Actores y modos de gobernanza en Bogotá y Quito

El gobierno local y sus interacciones

Desde sus inicios, la implementación de las políticas de seguridad ciudadana en Bogotá se ha caracterizado por la concurrencia de una serie de actores estatales y no estatales. Más allá del liderazgo y papel central que las distintas administraciones municipales han tenido en las diferentes etapas del proceso, la instrumentación de las políticas de seguridad se ha estructurado en función de una dinámica compleja de carácter intersectorial, en la que actores provenientes tanto de la sociedad como del mercado se han involucrado en el desarrollo de las políticas.

Así, la instrumentalización de la noción seminal de cultura ciudadana, sobre la que se edificó la propuesta del alcalde Mockus en 1995, puede ser entendida a partir del fuerte vínculo desarrollado entre el Gobierno local y la ciudadanía, y la consecuente incorporación de esta última como actor central de las dinámicas de convivencia inherentes al paradigma de seguridad humana. En cierta forma, la propuesta de cambiar el comportamiento mediante un proceso de autorregulación, operado en los ámbitos de lo moral, lo social y lo legal, significó sobre todo un involucramiento y compromiso individual y colectivo de la ciudadanía para revertir las lógicas tradicionales de control y orden público. Estas dinámicas participativas permitieron en su momento ubicar al ser humano en el centro de las políticas de seguridad. En palabras de funcionarios de la Corporación Nuevo Arco Iris (CNAI), la propuesta cultural de Mockus implicó un proceso de articulación entre la Alcaldía y la ciudadanía, mediado por la idea de una sanción social como generadora de sentido de corresponsabilidad entre las dos instancias. Señalan estos funcionarios:

> una de las cosas que planteamos es que no existe la ingeniería cultural. Lo que se promueve desde la Corporación y del ejercicio de la ciudadanía y la cultura ciudadana es una invitación a cambiar comportamientos. [...] Lo que se buscaba era promover la mutua relación entre ciudadanos, promover la autorregulación. [...] Endurecer las penas no siempre se ve reflejado en un temor a la sanción legal, no es disuasorio para los comportamientos delictivos. [...] Entonces, la armonización entre ley, moral y cultura no necesariamente pasa por fortalecer el temor a la cárcel ni fortalecer la ley sino por fortalecer nuestro sistema, lo que mi propia conciencia me dice, lo que creo es valorado socialmente y lo que dice la ley.[1]

Este proceso de internalización de una cultura ciudadana, a pesar de las transformaciones de las políticas observadas en los últimos años, permite caracterizar la experiencia bogotana como un proceso participativo. De ahí que, no obstante las limitaciones de los mecanismos institucionales para incorporar a la ciudadanía en el gobierno de la seguridad, se evidencian ciertas dinámicas para procesar la violencia y el conflicto a partir de una interacción autorregulada desde la propia ciudadanía:

> Hemos visto gente joven que se ha apropiado del concepto de cultura ciudadana. La gente sigue hablando de cultura ciudadana, incluso generaciones que no lo vivieron entienden qué significa, entienden que cada comportamiento que se da en la cotidianidad de la calle tiene algo que ver con cultura ciudadana y saben cuándo eso se rompe y cuándo existe, a pesar de no ser una política fuerte del Gobierno distrital. [En la actualidad]

1 Funcionarios de Corpovisionarios, entrevista, Bogotá, diciembre 2013.

> lo que queremos decir es que el concepto de cultura ciudadana caló mucho y las personas lo recuerdan pese a que no ha tenido continuidad.[2]

El involucramiento de la ciudadanía como actor clave de las dinámicas de convivencia, impulsado en la primera etapa de las políticas de seguridad en Bogotá, se estructuró mediante formas de interacción horizontal entre el Estado (Gobierno local) y la sociedad (ciudadanía), siguiendo lógicas de interdependencia instrumentadas a través de una serie de mecanismos pedagógicos y comunicacionales. De cierta manera, la emergencia de las políticas se enmarcó en un modo de cogobernanza, concretamente en una gobernanza comunicativa que incidió en un entendimiento intersubjetivo de los actores involucrados.

En el caso de Quito, la emergencia de las políticas de seguridad atendió en buena medida a la experiencia que varias ciudades colombianas venían desarrollando desde la década de los noventa, tomando especialmente como referencia el proceso de Bogotá por medio de un asesoramiento político y técnico del Gobierno distrital del entonces alcalde Mockus. Así, siguiendo el modelo bogotano, las metas generales de las políticas se estructuraron según los lineamentos del paradigma de la seguridad humana, en torno a nociones de convivencia y participación. De acuerdo con estos principios, se establecieron objetivos relacionados con el fortalecimiento de la institucionalidad del Gobierno municipal en temas de seguridad y la generación de mecanismos de incorporación de actores no estatales en el proceso.

Sin embargo, la experiencia de Quito en materia de seguridad ciudadana se ha materializado en un proceso fuertemente anclado al rol del Gobierno local, bajo modos de gobernanza jerárquica, esto

---

2 Funcionarios de Corpovisionarios, entrevista, Bogotá, diciembre 2013.

es, siguiendo lógicas de interacción de carácter intervencionista, expresadas en dinámicas de dirección política y control administrativo centrados en la figura del Gobierno distrital. Hay que precisar que la administración del alcalde Paco Moncayo se fundamentó en los principios de la nueva gestión pública, en razón de los cuales se implementaron procesos de planificación estratégica y mecanismos de asociación público-privada, dentro de parámetros empresariales que incorporaban conceptos de calidad y eficiencia en el manejo de lo público. No obstante, en el proceso de consolidación de una nueva forma de gobierno de la ciudad, durante la primera década de los 2000, la administración distrital se caracterizó por ejercer un marcado rol de control y dirección sujeto al liderazgo del alcalde Moncayo.

Así, en el ámbito de la seguridad ciudadana, se impulsaron diversas iniciativas alineadas a esta lógica. Por un lado, alrededor del denominado Pacto por la Seguridad Ciudadana, se estructuró una estrategia direccionada a articular los diversos actores estatales y no estatales involucrados en la problemática de la seguridad. De esta manera, bajo la figura del Sistema Metropolitano de Seguridad Ciudadana, se incorporaron a la planificación actores provenientes de instancias públicas como la Policía Nacional, la Fiscalía, la Corte Superior de Justicia, entre otras, y sectores de la sociedad civil como organizaciones barriales, el movimiento Marcha Blanca y la academia. Por otro lado, la creación de entidades de carácter público-privado, concretamente Corposeguridad, entidad de derecho privado encargada de administrar la tasa de seguridad y ejecutar las políticas, estuvo concebida bajo la idea de mejorar los procesos de gestión y sus resultados.

Sin embargo, a pesar de la apertura del gobierno local hacia esta concepción estratégica de carácter multiactoral, en la práctica, el proceso estuvo marcado por una dinámica jerárquica, por la cual la toma de decisiones se concentró en la figura del Gobierno municipal, con una participación poco efectiva y sin incidencia por parte de los actores no estatales provenientes de la sociedad y del mercado. Como lo señala un exfuncionario de Corposeguridad y analista político, en la construcción de las políticas de seguridad ciudadana de Quito no ha existido una participación efectiva de otros actores, debido no solo a los problemas de organización de la sociedad civil y a la incapacidad de los sectores económicos de dimensionar su rol dentro del proceso, sino también a la propia incorporación marginal de las ONG y de la academia.[3]

Esta dinámica implicó que la toma de decisiones en las políticas siguiera una lógica centralizada, restringida a un reducido grupo, integrado por el alcalde, el Concejo Metropolitano, los técnicos pertenecientes a la burocracia municipal y algunos asesores externos provenientes de la academia y organismos internacionales. Si bien en la experiencia de Quito se evidencian ciertos niveles de interacción entre los actores involucrados, esta participación, especialmente de la sociedad civil, se desarrolló en condiciones de asimetría de poder, a través de mecanismos que, como es el caso de los Cabildos Zonales, no necesariamente fueron implementados de manera efectiva (Rodríguez 2004, 147).

El carácter jerárquico del proceso derivó en el desarrollo de un modelo de gobierno de la seguridad estructurado en torno a lógicas de vigilancia y control. Aunque sin llegar a configurar una propuesta autoritaria, semejante a la instaurada en ciudades como Nueva York en la década de los noventa, este modelo permite ubicar las políticas de Quito dentro de un enfoque de seguridad situacional, poco o nada inclusivo. En cierta forma, el modelo que se implementó en la administración del alcalde Moncayo se puede definir como un

---

[3] Lautaro Ojeda, ex funcionario de CORPOSEGURIDAD, entrevista, Quito, febrero 2012.

intervencionismo estatal situacional, sustentado en un involucramiento comunitario de control y vigilancia. Esta lógica, lejos de generar procesos efectivos de participación, tiende a fomentar estrategias dicotómicas entre víctimas y victimarios (Pacheco 2006, 98).

Volviendo al caso de Bogotá, las relaciones Estado-sociedad fueron redefinidas en función de las facultades incluidas en la Constitución de 1991, a través de las cuales se establecieron mecanismos de participación ciudadana en los asuntos públicos, especialmente a nivel local. Esto implicó desarrollar nuevas modalidades de formulación e implementación de las políticas, en tanto la incorporación de actores no estatales en los procesos de toma de decisiones demandaba una instrumentación apropiada. Ámbitos como el de la seguridad ciudadana, cuyos principios rectores contemplan lógicas de convivencia y prevención sustentadas en la acción de la propia ciudadanía, constituyeron el escenario propicio para impulsar estas nuevas formas de entender y ejecutar las políticas.

Desde esta perspectiva, como lo ha señalado E. Velásquez (s.f., 2008b), la interacción de los distintos actores alrededor de la problemática de seguridad en Bogotá puede entenderse como un proceso de gobernabilidad, caracterizado por lógicas de interdependencia en las que han participado, de un lado, el Estado como facilitador y conductor de procesos colectivos direccionados a establecer normas sociales de convivencia y seguridad ciudadana, y, de otro, una pluralidad de actores no estatales provenientes de la sociedad civil y del sector económico.

> Los éxitos de Bogotá en seguridad ciudadana se deberían menos a los instrumentos convencionales de política pública de seguridad, que a la gobernabilidad de la seguridad ciudadana que ha tenido lugar en la ciudad desde los años 90. [...] Bogotá ha podido desarrollar un dispositivo de negociación y de

> cooperación entre los diferentes actores de la seguridad, locales o nacionales, con influencia en los procesos de decisión. Esto ha tejido un entramado de regulaciones formales y no formales, con respuestas más o menos apropiadas, compartidas y sostenibles ante los desafíos de la seguridad ciudadana (E. Velásquez 2008b, 56).

Sin embargo, en un contexto como el de Colombia, marcado por una violencia de carácter estructural, el involucramiento de actores no estatales y concretamente de la ciudadanía en estrategias y actividades relacionadas con una temática, por definición conflictiva, y cuya responsabilidad por mandato legal reposa en el Estado, no ha estado exenta de contradicciones. Conforme lo señala Hugo Acero,

> [el problema es que] no tenemos un Estado asumiendo la responsabilidad, no tenemos una respuesta a muchos casos y entonces ahora apareció como panacea la participación ciudadana. Es más, durante la década de los ochenta, en el país, como no brindábamos seguridad ni en los campos ni en las ciudades, entonces decidimos que le íbamos a entregar armas a los ciudadanos para que se defendieran. No fue extraño oír a los militares y algunos funcionarios [decir] 'bueno que los ciudadanos en un pueblo se armaran y cuando llegara la guerrilla la gente disparara desde sus casas'. Por eso llegamos a los paramilitares [...]. Como Estado no tuvimos la capacidad de garantizar y entonces esa frase de que todos somos responsables no es tan cierta, la responsabilidad es del Estado.[4]

[4] Hugo Acero, exsubsecretario de Seguridad de Bogotá, entrevista, diciembre 2013.

En todo caso, los modos de gobernanza, entendidos en términos de las lógicas de interacción entre el Estado, la sociedad y el mercado, son parte de una dinámica que se transforma en el tiempo. Precisamente, el giro a la izquierda que experimentó el Gobierno local de Bogotá desde inicios de la primera década de los 2000 constituyó un punto de inflexión en la manera de relacionarse con actores no estatales. En general, la tendencia de los gobiernos de corte progresista ha sido priorizar el rol central del Estado en el manejo de los asuntos públicos, restringiendo la colaboración del sector económico y focalizando sus relaciones con la sociedad civil en sectores específicos, muchas veces bajo lógicas asistencialistas, patrimonialistas o inclusive clientelares. En ese sentido, la figura del alcalde Petro personifica no solo la profundización de una tendencia ideológica de izquierda, vigente en el gobierno local desde 2003, sino sobre todo una ruptura con los poderes fácticos presentes en el contexto político y económico de la ciudad.

Esto ha significado, en última instancia, la estructuración de un campo político en constante disputa, en cuya lógica la interacción entre el gobierno local y los distintos actores no estatales se ha inscrito en modos de gobernanza jerárquica. Estos modos no solamente han reafirmado el rol central del Municipio en el manejo de lo público sino que, además, como lo señala un analista, han gestado procesos de resistencia a las presiones de los grupos de interés y de las estructuras de poder tradicionales.[5]

Así lo evidencia, por ejemplo, el impasse producido entre la Procuraduría General de la República y el alcalde Petro. Por un lado, el juicio disciplinario que el órgano de control emprendió en diciembre de 2012 se fundamentó en la acusación de que el mandatario distrital cometió varias irregularidades relacionadas con la prestación del

[5] Alberto Cienfuegos, analista político, entrevista, Bogotá, diciembre 2013.

servicio de aseo, así como otras de naturaleza contractual y administrativa. En sus reformas administrativas se evidenciaban lógicas de gobernanza jerárquica direccionadas a centralizar la prestación del servicio en el Gobierno distrital, en detrimento del anterior modelo público-privado. De otro lado, el fallo que el procurador Alejandro Ordóñez emitió en diciembre de 2013, mediante el cual destituía e inhabilitaba por 15 años al alcalde Petro, representó no solo la culminación de una abierta disputa ideológico-política entre sectores de izquierda y el uribismo, sino además profundizar una resistencia encarnada en la figura de Petro.

De todas formas, más allá de la coyuntura, la redefinición de las relaciones entre el Estado y la sociedad en el contexto local bogotano evidencia un paulatino debilitamiento de la participación de la ciudadanía en los asuntos públicos, expresado en el grado y calidad de esa intervención. En opinión de una funcionaria de la Veeduría Distrital de Bogotá, las experiencias de participación y movilización ciudadana impulsadas a partir de la Constitución de 1991 no han fracasado, sino que se han agotado, en razón de que las condiciones y necesidades actuales no se corresponden con los marcos institucionales vigentes.

> Lo que está sucediendo es que hay poca gente que participa o que llega a los espacios de participación que se convocan desde la institucionalidad pública y [...] es que hay un profundo sentimiento de frustración de la ciudadanía con la participación. Por otro lado, la gente no sabe cómo participar, tampoco tiene tiempo, y los dispositivos institucionales, desafortunadamente, es muy difícil que se transformen. Las dinámicas de participación se transforman pero las instituciones públicas se mantienen estáticas, no son capaces de reaccionar ni ajustarse a las dinámicas sociales, aun cuando las nuevas tecnologías y redes

> han redefinido la participación y movilización ciudadana. En ese sentido, el desarrollo normativo ha llevado a una proliferación de normas en todos los temas y sectores. Al contrario de incentivar la acción colectiva, lo que ha hecho es atomizar el capital social y la participación ciudadana.[6]

Este debilitamiento de los procesos de participación se ha expresado en la emergencia de lógicas individuales y corporativas de carácter coyuntural, que se han organizado alrededor de necesidades y demandas concretas.

En Quito, la posesión en el año 2009 de Augusto Barrera como alcalde significó no solamente una redefinición ontológica del gobierno de la ciudad, en términos de un nuevo modelo fundamentado en la recuperación del manejo de lo público por parte del Estado, sino sobre todo el restablecimiento de la centralidad burocrática como eje de las políticas públicas. Se trata de un planteamiento alineado política e ideológicamente con el proyecto de la Revolución Ciudadana, abanderado desde mediados de la primera década de los 2000 por el movimiento Alianza País, en el marco del denominado giro a la izquierda experimentado por varios países de la región.

En ese contexto, el desplazamiento del rol del Estado, y de manera concreta del gobierno del DMQ, hacia formas de gestión más centralizadas, condujo a la profundización de modos de gobernanza jerárquicos, es decir, dinámicas de interacción entre actores estatales y no estatales dominadas por lógicas de carácter vertical. En el ámbito específico de la seguridad ciudadana, la instrumentación de las políticas en este período se vio influenciada por dicha redefinición de las relaciones entre el Estado, la sociedad y el mercado.

---

[6] Marta de la Cruz, funcionaria de la Veeduría Distrital, entrevista, Bogotá, diciembre 2013.

En lo que respecta a la interacción entre el Gobierno distrital y la ciudadanía, es importante señalar que, en primera instancia, la participación fue concebida como eje fundamental de las propuestas del alcalde Barrera. Esto no solo en razón de su adscripción ideológica al proyecto de la Revolución Ciudadana, cuyos principios reivindicaban precisamente un derrotero social basado en redefinir las relaciones de poder y la centralidad de la ciudadanía en el manejo de los asuntos públicos, sino sobre todo por la trayectoria política y académica del propio alcalde, asociada con su activismo e interés intelectual en torno a la participación ciudadana.

No obstante, más allá de la dimensión discursiva de esa participación, en la experiencia de Quito no necesariamente se logró estructurar un proceso —orgánico o espontáneo— de incorporación efectiva de actores no estatales en el nuevo modelo de gobierno, con una real capacidad de incidencia en la gestión de lo público. Si bien se establecieron varios mecanismos direccionados a articular las demandas y la acción ciudadana en diversos procesos de gestión, alrededor, por ejemplo, de los Comités de Seguridad y de las Mesas Ciudadanas de Seguridad, la capacidad de constituir dinámicas de convivencia social mediante el involucramiento activo de la ciudadanía ha sido en la práctica más limitada. Esta lógica deriva en parte de una suerte de contradicción, en la que se oponen, de un lado, una construcción idealizada de la ciudadanía, concebida como el actor principal del proceso sociopolítico, y, de otro, una forma de gobierno centralizada y autorreferida que, bajo la lógica de un modo de gobernanza jerárquica, termina excluyendo a los actores no estatales del proceso.

Rol de los actores no estatales

Dado que la problemática de la seguridad se ha constituido en una de las temáticas centrales de la agenda pública no solo de Bogotá sino también de Colombia, se ha consolidado desde el inicio de las políticas un conjunto de ONG dedicadas a actividades relacionadas con varios ámbitos de la seguridad. Estas instancias de organización social, a manera de un tercer sector, han servido de interlocutoras entre el Estado y la sociedad civil. Es el caso, por ejemplo, de la organización Corpovisionarios, autodefinida como un centro de pensamiento y acción que investiga e implementa estrategias de cambio en el ámbito del comportamiento colectivo. En torno al pensamiento de su principal representante, Antanas Mockus, la organización ha desarrollado un enfoque de cultura ciudadana como la base para promover procesos de participación, acciones enfocadas en el cambio de las normas sociales, metodologías de análisis del comportamiento colectivo y la creación de espacios para discutir problemas de acción colectiva.[7]

De igual forma, la Corporación Nuevo Arco Iris (CNAI), surgida a mediados de los años noventa como un centro de pensamiento y acción social, ha desarrollado su actividad respecto de distintas problemáticas relacionadas con el conflicto armado colombiano, entre las que se incluye la seguridad. Desde una perspectiva de equidad social y desarrollo, promueve proyectos de acompañamiento, asesoría e investigación. Si bien la reflexión se enmarca en un enfoque amplio de la seguridad, la CNAI ha realizado aportes concretos en el ámbito de la criminalidad urbana.[8]

En el mismo sentido, aunque bajo una tendencia ideológica diferente, la Friedrich Ebert Stiftung en Colombia (FESCOL) ha trabajado desde 1979 como una instancia de facilitación y acerca-

[7] Corpovisionarios, "Líneas de acción: Cultura ciudadana", acceso el 8 de febrero de 2015, http://corpovisionarios.org.

[8] Corporación Nuevo Arco Iris, "¿Quiénes somos?", acceso el 8 de febrero de 2015, http://www.arcoiris.com.co.

miento entre los actores de la sociedad y el Estado. En sus líneas de trabajo se encuentra una relacionada con paz y seguridad, principalmente enfocada en la problemática del conflicto armado, pero también en la formulación de propuestas frente al fenómeno de la violencia y delincuencia común.[9] Esto según el supuesto de que el problema de la convivencia y la seguridad ciudadana en las urbes colombianas no puede ser entendido por fuera del carácter estructural de la violencia en el país.[10]

Estas ONG, entre las que se incluyen además la Fundación Ideas para la Paz (FIP), el Centro de Recursos para el Análisis de Conflictos (CERAC), la Corporación Excelencia en la Justicia, Bogotá Cómo Vamos, y otras, se han constituido desde diferentes posiciones en actores relevantes dentro del proceso de las políticas de seguridad ciudadana en Bogotá. Precisamente, en el análisis de la instrumentación desarrollado en el capítulo anterior, se resaltó la incidencia que ha ejercido, por ejemplo, la organización Bogotá Cómo Vamos en la construcción de los instrumentos de nodalidad de las políticas de seguridad del distrito.

Sin embargo, como lo afirman algunos funcionarios de dichas organizaciones, aparte de ciertas colaboraciones específicas, no necesariamente se ha logrado una articulación horizontal entre las distintas entidades. Por el contrario, su nodalidad, en calidad de instancias de intermediación entre la ciudadanía y el gobierno local de la ciudad, se ha establecido de manera aislada, principalmente debido a su adscripción política e ideológica.[11]

---

9 FESCOL, "Temas: Paz y Seguridad", acceso el 8 de febrero de 2015, http://www.fes-colombia.org.

10 Saruy Tolosa, funcionario de la FESCOL, entrevista, Bogotá, diciembre 2013.

11 Fernando Hernández, director de la CNAI, entrevista, Bogotá, diciembre 2013; Saluy Tolosa, funcionario FESCOL, entrevista, Bogotá, diciembre 2013.

A diferencia de la diversidad de ONG involucradas y del rol fundamental jugado por ellas en la construcción de las políticas de convivencia y seguridad ciudadana de Bogotá, en la experiencia quiteña solamente se identifica la presencia de la Fundación Marcha Blanca. Creada jurídicamente en 2004, se configura como una organización sin fines de lucro que promueve acciones enfocadas en mejorar la seguridad ciudadana a nivel local y nacional. Su estrategia se expresa, por una parte, en la demanda de cumplimiento de las obligaciones de las autoridades públicas y, por otra, en el desarrollo de acciones dirigidas a promover la participación ciudadana en la problemática.[12]

Marcha Blanca constituyó un actor no estatal importante en el desarrollo de las políticas de seguridad de Quito. Si bien el alcance de su convocatoria estuvo restringido a determinados sectores de la sociedad, la organización fue partícipe de algunos momentos claves del proceso. Así, emergió a raíz de la iniciativa ciudadana concretada en la denominada Marcha Blanca por la Seguridad y la Vida, realizada en diciembre de 2002 en protesta por el incremento de la inseguridad en la ciudad; esta movilización es considerada un hito en la incorporación de la problemática de la seguridad ciudadana en la agenda pública de Quito. La fundación pudo posicionarse como la contraparte de la sociedad civil en la propuesta que impulsó el entonces alcalde Moncayo; no obstante, en la medida que el proceso se estructuró alrededor de una gobernanza jerárquica, la incidencia fue menos evidente.

En la administración del alcalde Barrera, la fundación ha tenido una importante presencia en lo referente a implementar algunos mecanismos de participación, así como veedurías sobre la temática. Entre estas se destaca la evaluación a la tasa de seguridad, a partir

---

12 Fundación Marcha Blanca, "Conózcanos", acceso el 11 de febrero de 2015, http://marchablanca.org.

de la cual se construyeron indicadores para medir la eficiencia de todos los recursos que el municipio utiliza en el manejo de la seguridad. En ese sentido, Marcha Blanca aparece como uno de los pocos actores de la sociedad organizada que se ha involucrado en la problemática de la seguridad. Sin embargo, su interacción con el gobierno local ha sido intermitente. Esto evidencia precisamente el carácter jerárquico de las dinámicas de gobernanza del distrito, en las que la incorporación de actores no estatales responde más a factores de la coyuntura política que a una articulación estructural de las relaciones Estado-sociedad. Como lo señala un funcionario de esa fundación:

> La alcaldía de Barrera nos escuchó mucho más que la de Moncayo. Con Moncayo recibimos ofrecimientos, en cambio que con Barrera hicimos los indicadores y llegamos a sacar una ordenanza. Sin embargo, en materia de políticas, nos hemos quedado en cero. Nuestra propuesta siempre fue crear mecanismos de control y formulación de políticas de seguridad, lo que le pareció bien al alcalde Barrera y convocó a las Mesas de Seguridad. Estas mesas no tuvieron resultado práctico, sin embargo hubo resultado positivo en cuanto a que la gente piense más en el tema seguridad. Creo que el Municipio usó las Mesas previendo la cercanía de las elecciones y no avanzó mucho. Las Mesas permitieron que muchos actores que no nos habíamos conocido viéramos la posibilidad de realizar trabajo conjunto.[13]

En el caso de Bogotá, hay que resaltar que las dinámicas de gobernanza se han estructurado tanto por las relaciones que el

---

[13] Raúl Franco, funcionario de la Fundación Marcha Blanca, entrevista, Quito, marzo 2014.

Gobierno distrital ha establecido con la sociedad civil, como en torno a las interacciones establecidas con diversos actores provenientes del mercado. En palabras de Alberto Cienfuegos, en el país ha existido una importante presencia de los sectores económicos en los asuntos públicos, asociada a una sobrerrepresentación del poder simbólico de la clase media. Esta dinámica ha generado un cierto sesgo en las políticas públicas, en tanto se han orientado a la incidencia de estos grupos de interés.

> En el sistema político local colombiano, las cámaras de comercio, las federaciones de comerciantes y las asociaciones de aseguradoras han incidido fuertemente en la determinación de las políticas públicas de seguridad en los grandes centros urbanos. Eso ha significado para algunos analistas una distorsión del sentido de las políticas de seguridad ciudadana. Las políticas se han orientado a preservar el patrimonio más que a concentrarse en lo que afecta al individuo, al ciudadano. [En Bogotá] La Cámara de Comercio logró imponer la agenda y las estrategias, al punto que se redujo por ejemplo sustancialmente el robo de automotores, se eliminó el nivel de asalto bancario, que en el caso bogotano es atípico comparado con otras capitales. Esto para ilustrar que hay un sesgo en la política pública y que ha tenido consecuencias.[14]

En esta dinámica de interacción entre el Estado y el mercado, se observa un especial protagonismo de la Cámara de Comercio de Bogotá (CCB). Aunque se trata de una entidad de carácter privado, la Cámara presenta una particularidad en tanto ha sido delegada por el Estado colombiano a ejercer una función pública, esto es, el

[14] Alberto Cienfuegos, analista político, entrevista, Bogotá, diciembre 2013.

registro de toda actividad económica y empresarial en las ciudades donde existen cámaras de comercio. En la medida que es una entidad privada que administra recursos públicos, la CCB se ha orientado a generar relaciones de cooperación público-privada, no solo en el ámbito comercial sino también en otros, como el de la seguridad. De esta manera, ha desarrollado, desde la década de los setenta, iniciativas en el campo de la convivencia y seguridad ciudadana, lo que la ha llevado a constituirse en uno de los actores relevantes dentro del proceso bogotano (CCB 1984, 1996, 1997).[15]

Se han configurado, en esa forma, interacciones con diferentes actores estatales y no estatales. A partir de la información que produce el observatorio de seguridad de la CCB, hay un permanente diálogo con el Gobierno local y con la ciudadanía; dicho instrumento le ha permitido a la entidad consolidarse como un actor nodal. La relación público-privada con el Gobierno distrital se ha desarrollado en diferentes escenarios de acuerdo con la coyuntura política y, aunque en la administración del alcalde Petro no existía un convenio de cooperación formal como en anteriores administraciones, la CCB se mantiene como parte del Consejo de Seguridad. De otro lado, se observa además una estrecha colaboración con la Policía Nacional en cuanto a programas de fortalecimiento y cooperación interinstitucional.[16]

En el caso de Quito, por el contrario, históricamente se ha observado un bajo nivel de interacción del Gobierno distrital con actores no estatales provenientes del mercado y de la sociedad en general. Esta situación se profundizó en la administración del alcalde Barrera, en tanto el modelo político apuntó a la recentralización del aparato municipal, dentro de un proyecto más amplio articulado al

---

[15] Jairo García, funcionario CCB, entrevista, Bogotá, diciembre 2013.

[16] Jairo García, funcionario CCB, entrevista, Bogotá, diciembre 2013.

gobierno central, direccionado a recuperar la figura del Estado en el manejo de los asuntos públicos. De ahí que, como lo señala Alex Tupiza, funcionario del Observatorio Metropolitano de Seguridad Ciudadana,

> El Municipio no se articuló con sectores del comercio, no los consideró actores vinculados a la seguridad. A pesar de que no tuvo interlocución con las cámaras, fortaleció su relación con Marcha Blanca aun cuando no era una organización representativa, permitiendo que en varias ocasiones incida en la agenda [de otra parte] hubo una ruptura con los sectores de la academia como la FLACSO y la Universidad Católica. Inclusive una ruptura con la Policía, que se evidencia por ejemplo en la suspensión de las capacitaciones y la decisión de construir las UPC bajo otro criterio [En ese sentido] hay un ensimismamiento de la Secretaría de Seguridad y Gobernabilidad, que se expresa en un discurso de autosuficiencia, dejando de lado a actores que tenían experiencia. [...] Por un lado, la carencia de articulaciones con actores no estatales, y por otro la fuerte presencia del ministerio del Interior en la política local, mermaron los espacios de acción de la Secretaría de Seguridad y Gobernabilidad.[17]

Las interacciones multinivel entre lo local y lo nacional

El cambio del paradigma de seguridad pública hacia el de seguridad humana implicó incorporar nuevos actores en el proceso y redefinir el rol y las responsabilidades de cada uno de ellos frente a la problemática de la seguridad. Así, en la seguridad pública, la responsabilidad estuvo situada históricamente en entidades de control como el

[17] Alex Tupiza, exfuncionario del OMSC, entrevista, Quito, marzo 2014.

Ejército, frente a las amenazas externas, y la Policía, respecto al orden interno. La seguridad ciudadana, por el contrario, plantea revertir las estrategias de control a favor de la prevención, lógica en la cual el rol de los gobiernos locales y la participación de la ciudadanía aparecen como fundamentales para implementar las políticas de seguridad.

Sin embargo, en términos pragmáticos, el desarrollo de las políticas de seguridad se ha caracterizado por la combinación de estrategias y acciones tanto de prevención como de control. Esto ha significado, en última instancia, la necesidad de establecer articulaciones programáticas y operativas entre el gobierno local y la Policía, relación no exenta de disputas y contradicciones en tanto responden a dos lógicas opuestas. De igual forma, en la medida que la Policía adquiere un nuevo rol en la seguridad ciudadana, se ha visto en la necesidad de redefinir su accionar hacia prácticas menos coercitivas y de mayor cercanía a la ciudadanía, a través de la denominada policía comunitaria.

En el caso de Bogotá, desde la propia emergencia de las políticas de seguridad, la relación entre la Alcaldía y la Policía Nacional se ha constituido en una de las interacciones más importantes de la gobernanza del distrito (Arias 1997). La Constitución establece que la Policía Nacional depende del Ministerio de Defensa y debe obediencia a las órdenes que imparten los alcaldes y gobernadores a través de sus comandantes. Esto significa que existe una subordinación de la Policía Nacional al Gobierno local en términos legales y reglamentarios. Sin embargo, más allá de la dimensión formal, en el proceso bogotano la interacción práctica entre las dos entidades se ha construido no solamente en función de la norma, sino también de lógicas cotidianas de subordinación y cooperación. No obstante, con la consolidación de la izquierda en los gobiernos distritales durante la última década, esta interacción se ha deteriorado, afectada por los prejuicios ideológicos relacionados, por ejemplo, con el pasado subversivo de algunos de los personeros de la Alcaldía o las controversias generadas alrededor del sentido punitivo de la acción policial.[18]

Estos conflictos existen, además, en el orden de una superposición de autoridad, en tanto el Gobierno distrital apela a la subordinación establecida constitucionalmente, aun cuando no exista claridad en el alcance de su jurisdicción, mientras la Policía Metropolitana se apega a un esquema estructurado de su jerarquía institucional. Se trata de una situación que puede llegar a generar contracciones respecto al rol y competencias de cada uno de los actores. De hecho, la interacción entre el Gobierno local y la Policía Metropolitana se ha conformado en vista de una dinámica compleja, caracterizada en lo substancial por la autoridad depositada constitucionalmente en la figura del alcalde, pero, a nivel procedimental, marcada por una dinámica de confrontación/cooperación. Según lo afirma el entonces Comandante del área de prevención de la Policía Metropolitana de Bogotá:

> Digamos que, cuando se enfrentan los dos poderes, primero se visualiza el bienestar de la comunidad o la sociedad a la cual representamos. Si la disputa es muy grande se toman algunas acciones desde el nivel central de la Policía Nacional, es decir, ingresa como mediador a verificar qué sucede. Si la decisión es muy difícil —algo que por lo regular no pasa— se tendría que sacar de ese punto al comandante de la unidad. [Cuando] un alcalde que se posesiona con una corriente especial frente al desarrollo normal y doctrinal de la Policía, se lo respeta, ya que fue elegido popularmente, desarrolla las tareas con una investidura especial y obviamente la Policía acata, coordina, organiza o sugiere las diferentes acciones que tengan que ver con la seguridad y convivencia ciudadana. [...] Nosotros

18 Hugo Acero, ex subsecretario de Seguridad de Bogotá, diciembre 2013.

> desarrollamos análisis de los delitos que afectan la seguridad y convivencia ciudadana, lo que nos permite interactuar con fundamentos, bajo un sentido de corresponsabilidad frente a la problemática.[19]

En cierta forma, la construcción de las políticas de seguridad ciudadana en Bogotá —y en la región en general— se ha realizado alrededor de una interacción que opera bajo dos criterios: por un lado, respecto a las propuestas y estrategias que los gobiernos locales han impulsado desde la década de los noventa, y por otro, según el diseño de políticas de seguridad ciudadana que a nivel nacional implementan los gobiernos centrales. Si bien las políticas de los gobiernos nacionales han sido en parte concebidas sobre la base de las experiencias locales de los distintos países, no necesariamente se ha logrado articular una estrategia nacional-local efectiva. En el caso de Bogotá se observan algunas tensiones entre los dos niveles de gobierno:

> Las fricciones se generan por dos visiones opuestas: una propuesta de seguridad democrática por parte del Gobierno nacional, frente a una política de seguridad ciudadana impulsada desde lo local. Para entender cuáles son las implicaciones en el plano político de esta tensión, hay que señalar que se encuentra en vigencia el plan de desarrollo 'Bogotá Humana' [2013-2016], y que de otra parte la ciudad ha estado gobernada en los últimos años por tres gobiernos de izquierda. Esto incrementa la disputa desde el nivel nacional, en razón de que es un Gobierno de centroderecha, lo que genera muchos conflictos con la posición de izquierda del Gobierno de Bogotá. Inclusive, con el actual

---

[19] Jairo Torres, comandante de la Policía Metropolitana, entrevista, Bogotá, diciembre 2013.

> Gobierno del presidente Santos existen ciertas tensiones en las relaciones nacional-local, aunque no con la intensidad que hubo con el presidente Uribe, quien, por ejemplo, realizaba un consejo de seguridad en la localidad de Bosa y el alcalde no se enteraba.[20]

En la misma línea argumentativa, una de las relaciones claves en las dinámicas de gobernanza en Quito durante los últimos años es la establecida entre el Gobierno metropolitano y el Gobierno estatal. Como se dijo anteriormente, la Constitución de 2008 marcó un punto de inflexión no solo en lo que respecta a la conceptualización de la seguridad ciudadana, inscrita en el paradigma de la seguridad humana y el Buen Vivir, sino sobre todo a la delimitación de las competencias de los actores involucrados. En la medida que el nuevo marco constitucional concentró la responsabilidad de las políticas de seguridad en el Estado central, se ha observado durante los últimos años un paulatino debilitamiento de los gobiernos locales en la gestión de la seguridad.

Con la promulgación de la Ley de Seguridad Pública y del Estado (2009) se redefinieron parámetros conceptuales e institucionales, de acuerdo con los cuales se estableció el Sistema de Seguridad Pública y del Estado. Este sistema está encabezado por el Presidente de la República y conformado por un conjunto de entidades públicas liderado por el Ministerio Coordinador de Seguridad, así como por políticas, planes, normas, recursos y procedimientos definidos para cumplir con el objeto de la ley (Ministerio Coordinador de Seguridad 2014).[21] Remitir la seguridad a nivel central significó, por una parte,

---

[20] Funcionarios del CEACSC, entrevista, Bogotá, diciembre 2013.

[21] Ministerio Coordinador de Seguridad, "Seguridad Integral. Plan y agendas 2014-2017. Plan Nacional de Seguridad Integral" (2014).

construir estrategias fundamentadas en la noción de una seguridad integral y, por otra, fortalecer la Policía Nacional como instancia operativa del Ministerio del Interior, mediante la estructuración de un modelo de gestión de desconcentración territorial.[22]

En este nuevo contexto institucional, las competencias de los gobiernos autónomos descentralizados (GAD), definidas en el COOTAD, se limitan principalmente a funciones de coordinación con otras entidades gubernamentales como la Policía Nacional y con la propia ciudadanía. Así, en tanto al Gobierno central, a través del Ministerio del Interior y la Policía Nacional, se le otorgó una cada vez mayor injerencia en la gestión de la seguridad a nivel local, el Municipio de Quito se vio en la necesidad de redefinir las políticas de su jurisdicción. Conforme lo señala la exsecretaria de Seguridad y Gobernabilidad:

> En esta administración municipal se dio un proceso de transición porque el Municipio había venido asumiendo una serie de competencias [pero] desde hace más o menos dos años el Gobierno nacional asume con mayor énfasis la tarea de la seguridad ciudadana [...]. El trabajo que venía realizando el Municipio se traslada al Gobierno nacional [...]. Más allá de ciertos problemas, existe una coordinación para ir entregando estas cuestiones que ya no ejecutamos y que a su vez el Gobierno central tiene que asumirlas. Tenemos claridad respecto a que la Policía Nacional con el Ministerio del Interior son los responsables de dar respuesta a los problemas de delincuencia. La idea es suspender el apoyo logístico a la Policía para que el Gobierno local se enfoque más en los temas de convivencia [...]

[22] Max Campos, funcionario del Ministerio Coordinador de Seguridad, entrevista, Quito, marzo 2014.

> Se redefinió la política porque el presupuesto se enfocaba más en función de convivencia, organización y prevención situacional. Hemos hecho un trabajo intenso en espacios públicos seguros [...] hemos trabajado con la participación de la comunidad.[23]

No obstante, esta redefinición de las competencias del Gobierno local y de su rol en la problemática de la seguridad significó no solo retroceder en el proceso que los gobiernos locales del país —y de manera especial el Municipio de Quito— habían venido construyendo desde la primera década del 2000, sino sobre todo la imposición de un modo de gobernanza jerárquico, concentrador de las competencias y funciones de las jurisdicciones locales en el nivel central. En palabras de un analista y consultor, el nuevo esquema institucional de seguridad, en vez de establecer una lógica de complementariedad entre lo nacional y lo local, tiende a concentrar las políticas en la figura del Estado. De ahí que,

> uno de los principales errores de la Alcaldía de Barrera es que abandonó lo local para comprometerse con lo nacional, adoptando el enfoque de la política de Estado del Ministerio del Interior. Debe haber una política de Estado frente a la inseguridad, pero no puede ser la misma respuesta en las diferentes ciudades ni el mismo 'menú' para todos. [Se impuso] una visión fuerte como la del ministro Serrano enfatizando respuestas punitivas como la de 'los más buscados', por ejemplo [...]. El Municipio apoyó esa política de Estado, lo hicieron al entregar los terrenos para las UPC, comprando insumos para la Policía. [En ese sentido] El Gobierno de Barrera no tuvo su propia política de seguridad [...] El problema de Quito

[23] Lourdes Rodríguez, secretaria de Seguridad DMQ, entrevista, Quito, abril 2014.

> fue haber perdido las políticas locales para entregarse a unas políticas nacionales que pueden ser interesantes, pero lo local nunca puede relegarse a lo nacional.[24]

En este contexto, las relaciones entre el Gobierno local y la Policía Nacional se han visto afectadas, especialmente en cuanto a una superposición de estrategias y acciones que, como se analizará más adelante, ha incidido de manera negativa en la instrumentación de las políticas de seguridad impulsadas tanto por el Municipio como por el Ministerio del Interior. En la anterior administración del alcalde Moncayo, la relación estaba supeditada al apoyo logístico que el Municipio entregaba a la Policía, estrategia bajo la cual se estructuraron dinámicas de cooperación facilitadas por el liderazgo del Gobierno local. No obstante, ante el fortalecimiento que la Policía Nacional ha experimentado en los últimos años, su rol en las políticas de seguridad del distrito ha sido redefinido. Así, según el jefe de operaciones de la Policía Nacional, pese a que históricamente ha existido una relación fluida entre la Policía Nacional y el Gobierno local, en la actualidad esta relación tiene otras connotaciones,

> ... hay malentendidos, la Policía Nacional es una institución de jurisdicción nacional más no local, trabaja con políticas y objetivos macro que están orientados desde el Buen Vivir. En ese sentido, creo que sí existe confrontación porque el gobierno local obedece a intereses que son formulados a ese nivel. Armonizar esto es una tarea compleja. Si bien la Constitución habla de corresponsabilidad y coparticipación en materia de seguridad, sin embargo, al final termina siendo la Policía la

[24] Ricardo Camacho, consultor en temas de seguridad, entrevista, Quito, marzo 2014.

> única institución responsable de rendir cuentas. [De ahí que] Si el gobierno local ve que una estrategia de la Policía es exitosa lo que tiene que hacer es apoyarla [...] y no crear una burocracia [...] para generar una especie de competencia. [En cierta manera] No existe un nivel de interacción entre Policía y gobierno local. Si usted me pregunta cuál ha sido la incidencia del Municipio, no sabría responder [...]. La reducción en la tasa de homicidios la hemos logrado con estrategias internas más que por el apoyo del Gobierno local.[25]

En el mismo sentido, el excomandante de la Policía Nacional para el DMQ analiza las transformaciones en las relaciones interinstitucionales:

> El alcalde Moncayo logró el apoyo en los ministerios para consolidarse en el Gobierno local. En ese momento, el Gobierno local era más fuerte que el Gobierno central, ahora es exactamente al revés [...]. El alcalde Barrera al principio tuvo una actitud de sospecha con mi rol de Comandante de la Policía Nacional para el DMQ. Se generaron las Mesas de Seguridad, hubo enorme convocatoria y no me invitaron en mi calidad de comandante. Yo sabía dónde era el evento, me presenté, saludé con todos y con el señor alcalde y le agradecí por 'invitarme' a construir la seguridad ciudadana del DMQ. [Más adelante] Se pudo establecer una relación respetuosa con el alcalde.[26]

---

[25] Jorge Cevallos, jefe de Operaciones de la Policía Nacional, entrevista, Quito, marzo 2014.

[26] Juan Carlos Rueda, director de Educación de la Policía Nacional, entrevista, Quito, marzo 2014.

Dentro de esta dinámica de gobernanza de carácter jerárquico, se observan algunas desavenencias en la relación de la Alcaldía con el Concejo Metropolitano. En el marco de la reestructuración institucional implementada por el alcalde Barrera al inicio de su administración, se crearon las secretarías como órganos rectores que diseñan y articulan las políticas, dependientes de la administración central. En cierta forma, esto significó un fortalecimiento del rol político del Ejecutivo respecto al Legislativo, lo que redefinió la lógica de toma de decisiones al interior del municipio.

En el Ejecutivo, esta transformación fue concebida como un proceso de fortalecimiento institucional dirigido no solo a establecer una definición más clara de los niveles operativos del aparato municipal, sino sobre todo a generar racionalidad y gestión estratégica. La justificación, como la señaló el exalcalde Barrera, fue que "el territorio obliga a una intervención integral; esa integralidad a veces puede leerse como centralizada, pero tiene que ser integral, y la única manera es coordinando las distintas entidades, lo que implica una fortaleza del Estado".[27]

En el caso concreto de la seguridad ciudadana, esta lógica de centralización implicó la concentración de la toma de decisiones en la SSG y una cada vez menor participación de la Comisión de Seguridad del Concejo Metropolitano. En palabras de la entonces secretaria de Seguridad y Gobernabilidad:

> Antes estaba el concejal Pablo Ponce que era el presidente de la Comisión de Seguridad, era él quien reunía a su comisión y definían sus políticas y lo que se tenía que hacer en cada caso. Eso se transformó totalmente porque quien lo hace ahora es la SSG, la cual les reúne para cuestiones grandes como el traslado

[27] A. Barrera, exalcalde de Quito, entrevista, febrero 2015.

> del aeropuerto, hasta los planes de contingencia [...]. Aquí vamos estructurando los planes y realmente no ha habido presencia de los concejales.[28]

Para un sector del Concejo Metropolitano, la reestructuración orgánica del aparato municipal ha significado una concentración de poder en el Ejecutivo, en detrimento del contrapeso político del Legislativo. Como lo señala Norman Wray:

> La mayoría de iniciativas de seguridad ciudadana venían de la SSG, que marcaba la agenda de la Comisión de Seguridad del Concejo. Tanto es así que en la Ordenanza 042 trabajé directamente desde la Comisión de Equidad y Género, aun cuando la propuesta tenía un enfoque de seguridad.[29]

En la misma línea, pero con una lectura más crítica, otro exconcejal señala:

> Al final del día esto terminó siendo un abuso de poder, tendiente a la concentración de la capacidad de poder del alcalde. La función de los concejales es la intermediación de las necesidades de la ciudadanía y el Municipio [...]. En seguridad, se quitó la capacidad de incidencia de los concejales en este intercambio. [...] Desde la Secretaría se presentaron directamente proyectos en el Concejo, pasando o no por las respectivas comisiones legislativas. Esto es parte del abuso de poder, porque, en última instancia, aunque sea una iniciativa que viene desde la Alcaldía, debería pasar por las comisiones que hacen el papel de asesores

---

28 Lourdes Rodríguez, entrevista, Quito, abril 2014.

29 Norman Wray, exconcejal, entrevista, Quito, marzo 2014.

> para el Concejo. Cuando se desconoce esto se genera la ruptura entre el aparato legislativo y la administración.[30]

En el caso de Bogotá, las dinámicas de interacción entre el Estado y la sociedad se encuentran mediadas además por un conjunto de organismos estatales de control que operan a nivel distrital. Así, se encuentra la Veeduría Distrital de Bogotá, entidad responsable de prevenir la corrupción en la gestión pública del distrito.[31] Organizada en cuatro delegaciones, la Veeduría se encarga del control preventivo, al generar advertencias al Gobierno distrital sobre aspectos irregulares de carácter administrativo. En el ámbito de la seguridad ciudadana, la Veeduría ha tenido un rol y presencia relevantes, no solo a través de la producción de información, sino también por medio de un seguimiento de varios aspectos de la gestión distrital. No obstante, en la medida que las advertencias generadas por la Veeduría no tienen un carácter vinculante para el Gobierno distrital, su control tiende a ser menos efectivo.[32]

Otro organismo de control es la Personería, entidad dirigida a defender los intereses de la ciudad y de la sociedad en general, mediante la vigilancia de la conducta de los servidores públicos de la administración distrital y la verificación de la ejecución de las distintas leyes y acuerdos de las autoridades.[33] Sus funciones se enmarcan en proteger derechos humanos y ejercer un control disciplinario

---

[30] Fabricio Villamar, exconcejal, entrevista, Quito, marzo 2014.

[31] Veeduría Distrital de Bogotá, "Entidad: Estructura orgánica y talento humano", acceso el 11 de febrero de 2015, http://www.veeduriadistrital.gov.co.

[32] Miryan Nope, funcionaria de la Veeduría Distrital, entrevista, Bogotá, diciembre 2013.

[33] Personería de Bogotá, "La entidad: Misión, visión y objetivos", acceso el 8 de febrero de 2015, http://www.personeriabogota.gov.co.

de la administración, mediante una estructura de siete delegados que operan en las veinte localidades del distrito. A diferencia de la Veeduría, las resoluciones de la Personería son vinculantes, lo que ha llevado a ciertos conflictos entre la Alcaldía y el ente de control. Los funcionarios entrevistados señalan:

> nosotros como ente de control damos algún tipo de recomendación, pero [...] sinceramente no ha existido un buen acercamiento, porque el alcalde establece ciertas políticas y determina lo que hay que hacer con sus asesores y sus secretarios [...]. Generalmente, no hay un buen entendimiento entre la administración y los entes de control, y nunca va a existir porque siempre estamos realizando seguimiento a lo que se comprometieron en el plan de desarrollo o la política que establecieron cuando se postularon al gobierno. A los gobiernos distritales [...] no les gusta que como entes de control los critiquemos o les digamos 'miren, esto no lo han hecho bien'. Eso siempre se ha dado en política. Como calificamos la gestión disciplinariamente, hacemos recomendaciones y sugerencias que ellos adoptan o no. En ese orden de ideas, si influenciáramos más el control, estaríamos prejuzgando porque estaríamos haciendo parte de la política. Entonces ahí tenemos un límite en el que nos dividimos y separamos.[34]

El tercer organismo de control es la Contraloría de Bogotá, encargada de vigilar la gestión fiscal de la administración distrital y de los particulares que manejen fondos o bienes públicos. Orgánicamente, se encuentra estructurada en una decena de direcciones y subdirecciones sectoriales encargadas del control en distintos

[34] Funcionarios de la Personería, entrevista, Bogotá, diciembre 2013.

ámbitos.[35] La Contraloría vigila la ejecución de los recursos establecidos en el presupuesto distrital, mediante procesos de auditoría y mecanismos de pronunciamientos y advertencias, con la participación de un contralor en cada una de las localidades. En el tema de la seguridad ciudadana, el presupuesto es administrado por el Fondo de Vigilancia, de tal manera que el control se ejerce directamente sobre este organismo.[36]

En definitiva, la descripción de los modos de gobernanza articulados en torno a la problemática de la seguridad ciudadana en Bogotá merece algunas puntualizaciones importantes. La experiencia bogotana se ha caracterizado desde sus inicios por el fuerte liderazgo del Gobierno distrital sobre las estrategias y acciones de las políticas. En lo referente al desplazamiento del poder del Estado (Pierre y Peters 2000), el caso de Bogotá puede ser entendido en relación con el protagonismo del Gobierno distrital como instancia de coordinación y dirección del proceso político, pero con una importante capacidad de movilización de otros actores no estatales.

Esta dinámica de apertura ha reconfigurado el marco institucional dentro de una lógica de *movimiento hacia fuera*, por el cual las capacidades y competencias del manejo de la seguridad, tradicionalmente ancladas a la figura del Estado, se han trasladado a una serie de actores no estatales, tales como los propios ciudadanos —dentro de la lógica de la cultura ciudadana— las distintas ONG involucradas en la temática o la misma Cámara de Comercio.

---

35 Contraloría de Bogotá, "¿Quiénes somos?", acceso el 8 de febrero de 2015, http://www.contraloriabogota.gov.co.

36 Contraloría de Bogotá s.f., 2012; Ramiro Triviño, funcionario de la Contraloría, entrevista, Bogotá, diciembre 2013; Sara Pineda, funcionaria de la Contraloría, entrevista, Bogotá, diciembre 2013.

De esta manera, el rol del Gobierno distrital de Bogotá, entendido en términos de las formas de regulación que implementa sobre la sociedad y la economía, se ha caracterizado por una lógica de reafirmación del control. Este control ha operado tanto en función de la combinación de mecanismos de deliberación sobre las políticas e instrumentos de regulación, como también a través de lo que Pierre y Peters (2000) denominan interdependencias positivas, esto es, mecanismos de control impulsados desde el Gobierno distrital para coordinar las actividades privadas.

Por el contrario, el análisis empírico del caso de Quito permite señalar que la interacción entre el Gobierno local y el conjunto de actores estatales y no estatales presentes en la acción pública de la seguridad ciudadana, ha estado fuertemente anclada al rol central del Gobierno distrital como instancia rectora de las estrategias. La lógica de esta experiencia se inscribe, así , en un modo de gobernanza jerárquica, en el cual el Gobierno local ha centralizado los distintos mecanismos de acción pública desplegados alrededor de la temática de la seguridad.

De esta manera, y a diferencia de la trayectoria de Bogotá, se observa una escasa incorporación de actores no estatales provenientes de la sociedad civil o del mercado en la formulación e implementación de las políticas. La participación ciudadana ha sido canalizada principalmente a través de mecanismos formales, sin que exista un involucramiento efectivo en cuanto, por ejemplo, a la construcción de dinámicas de convivencia, tal como están previstas en los lineamientos de la concepción de seguridad ciudadana que orienta las políticas del distrito.

De otro lado, el período analizado, correspondiente a la administración del alcalde Barrera, ha estado marcado por una readecuación institucional definida por la Constitución de 2008, lo que ha determinado no solo una redefinición epistemológica de la seguridad, sino además una transformación de las relaciones entre el Gobierno local y el nacional, a partir de una lógica que ha centralizado los procesos de toma de decisiones en la figura del Estado.

Modos de gobernanza y estilos de implementación en Bogotá y Quito

Más allá del nivel de coherencia de cada uno de los instrumentos seleccionados por los Gobiernos distritales de Bogotá y Quito en las políticas de seguridad ciudadana, es importante analizar cuán consistente es la combinación de instrumentos. Se trata de observar en qué grado las relaciones entre los distintos recursos (nodalidad, autoridad, tesoro y organización), utilizados por el gobierno en un determinado estilo de implementación, es consistente respecto a los objetivos que direccionan las políticas. Esto con el propósito de establecer en qué medida el modo de gobernanza determina la efectividad de las políticas.

Relación entre objetivos y medios

En la figura 6.1. se sintetiza la estructura de las políticas de seguridad ciudadana de Bogotá, entendida por sus parámetros epistemológicos y conceptuales, principios orientadores y objetivos.

Como puede observarse, las políticas se fundamentan en primer lugar en el paradigma de la seguridad humana, bajo el supuesto de que el ser humano es el elemento central de la seguridad. De ahí que el derecho a la vida y la dignidad humana constituyan los dos pilares sobre los que se estructura la noción de seguridad ciudadana. Desde esta perspectiva, se han planteado principios orientadores relacionados con la gobernabilidad, prevención, conocimiento, integralidad, cultura democrática, corresponsabilidad y participación, alrededor de los cuales se han definido objetivos generales y específicos.

Figura 6.1. Políticas de seguridad ciudadana de Bogotá

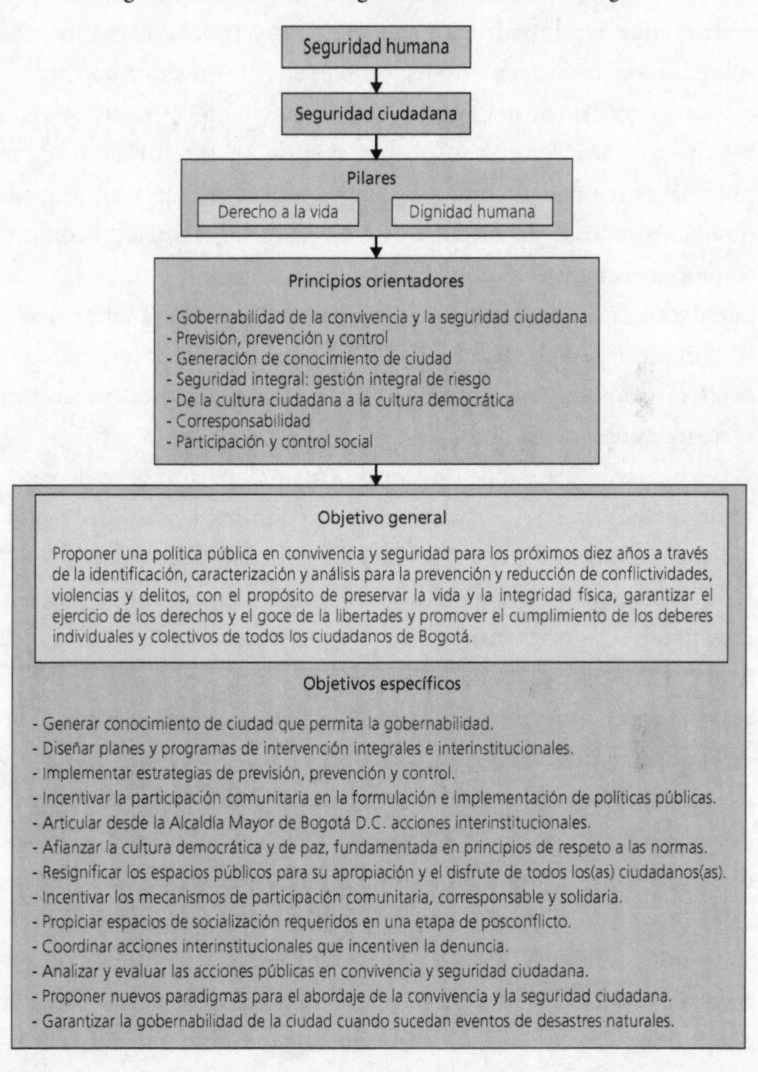

Fuente: Alcaldía Mayor de Bogotá / CEACSC, "Plan Integral de Convivencia y Seguridad Ciudadana", (2014).

Con el propósito de operacionalizar estos objetivos, el Gobierno distrital ha seleccionado e implementado una serie de instrumentos sobre la base de los recursos disponibles en información, autoridad, tesoro y organización. Como se señaló en el análisis individual de los cuatro tipos de recursos, la elección de los instrumentos de la política de seguridad ciudadana en Bogotá responde a un proceso desde mediados de la década de los noventa, en torno a un conjunto de instrumentos substanciales de información y organización heredados de anteriores administraciones. A su vez, la selección de instrumentos en el período 2012-2015 responde a necesidades específicas como la concepción de derechos y de cultura democrática recientemente incorporadas.

En cuanto al caso de Quito, el principal instrumento de autoridad substantivo del Gobierno distrital durante la administración del alcalde Barrera fue la Agenda de Seguridad Ciudadana para el DMQ, implementada en el año 2010. En su postulado general, el instrumento presentó los lineamientos para la política pública distrital de seguridad ciudadana y gestión de riesgos, apostando a convertirla en una guía para el accionar del Consejo Metropolitano de Seguridad del DMQ.

La agenda se estructuró alrededor de cinco líneas temáticas, desagregadas en políticas y planes de acción. En cierta forma, los lineamientos revelan una aproximación integral a la noción de seguridad ciudadana. Si bien se ratificaron algunas estrategias de control inherentes a ámbitos como la Policía o el sistema de justicia, el instrumento incorporó líneas de acción relacionadas con la participación y convivencia ciudadana, así como con la prevención multidimensional, poniendo especial énfasis en la gestión del riesgo, como puede observarse en la figura 6.2.

Figura 6.2. Agenda de Seguridad Ciudadana para el DMQ: líneas temáticas

Fortalecimiento institucional	• Policía distrital especializada • Plan de conjunto de inversión para la seguridad
Atención a demandas ciudadanas	• Sistema integral de acceso a la justicia para víctimas • Sistema de atención de emergencias
Participación y convivencia ciudadana	• Participación ciudadana para la seguridad
Prevención de violencia e inseguridad	• Prevención situacional • Prevención de riesgos naturales y antrópicos • Prevención de riesgos en la movilidad urbana
Producción de información para la toma de decisiones	• Sistema de indicadores de inseguridad y violencia

Fuente: MDMQ, "Agenda de Seguridad Ciudadana para el DMQ", (2010).

Sin embargo, aparte de que la agenda haya sido concebida como un recurso de carácter operativo de las políticas, no existe un antecedente en el propio instrumento, o en otra instancia que desarrolle conceptualmente el sentido integral sobre el que se plantea estructurar las políticas de seguridad ciudadana. No se identificó tampoco una discusión epistemológica en función de la cual se inscribieran las políticas dentro del paradigma de la seguridad humana. En alguna medida, la falta de metas u objetivos generales que guíen las políticas, así como de objetivos específicos que delimiten sus líneas de acción, generó que la instrumentación se haya desarrollado de manera fragmentada, en relación con la dinámica intrínseca de cada uno de los lineamientos de la agenda.

De cierta manera, la trayectoria de las políticas de seguridad ciudadana implementadas en Quito desde finales de los años noventa, se ha caracterizado por la sumatoria de estrategias y acciones desarrolladas de forma aislada respecto de ámbitos específicos. Esto en razón de que el diseño de las políticas se ha focalizado directamente en el nivel de la instrumentación, sin necesariamente estructurar a su alrededor un conjunto de objetivos de nivel macro y meso sobre los cuales poder seleccionar una combinación de instrumentos de manera coherente y alineada. Esto se explica debido a que la elección de los instrumentos, sobre todo en su etapa inicial, respondió a la emulación de experiencias relativamente exitosas como las de Cali y Bogotá, sin una discusión contextual que permitiera evaluar la pertinencia de su adopción.

Así, las dinámicas de instrumentación relacionadas con construir información de carácter epidemiológico mediante los observatorios de seguridad, o la propia estructuración de un marco organizacional de la seguridad alrededor del Gobierno local, evidencian por qué en el caso de Quito la elección de los distintos instrumentos ha antecedido a la concepción más amplia del diseño de las políticas.

Consistencia de la combinación de instrumentos

En cuanto a la adecuación entre objetivos y medios, las políticas de Bogotá muestran una consistente combinación entre los instrumentos existentes y los seleccionados e implementados dentro de los lineamentos del actual PICSC. Así, es importante resaltar la adecuación de los recursos de nodalidad o información producidos por el CEACSC, respecto a los instrumentos de autoridad tanto substantivos como procedimentales que se han incorporado para la atención a grupos vulnerables como niños, jóvenes, mujeres, etc., así como a sectores históricamente excluidos como las minorías sexuales, habitantes de calle o personas con dependencia del alcohol o los estupefacientes. Tanto en términos de la información como recurso de nodalidad, como del propio CEACSC en calidad de instrumento de organización, se observa una redefinición dirigida a superar la visión estrictamente estadística y epidemiológica del delito mediante una concepción integral, que incorpora la problemática social dentro del análisis de la convivencia y la seguridad.

Sin embargo, como se sostiene en el informe sobre las políticas de seguridad ciudadana en Bogotá, elaborado por la Veeduría Distrital en 2013, pese a los importantes avances del CEACSC en términos de información, se presentan algunos problemas como: i) no se maneja ni entrega de forma periódica las cifras de violencia y delincuencia, sobre todo las que recopila la Policía Metropolitana; ii) la coordinación con las instituciones que procesan las fuentes primarias de información no es la más adecuada; y iii) el nivel de autonomía e independencia del centro de investigaciones genera que en muchas ocasiones no responda a los requerimientos de definición de las políticas ni a las autoridades jerárquicamente establecidas. De otra parte, en cuanto a instrumentar la información sobre percepción y victimización, el proceso en Bogotá presenta una importante articulación con la sociedad civil, concretamente a través del Observatorio de Seguridad de la CCB y del programa Bogotá Cómo Vamos, los cuales se han venido legitimando desde hace dos décadas como fuentes creíbles de seguimiento y evaluación de las políticas de seguridad.[37]

En el caso de Quito, según la información producida por el OMSC, puede argumentarse que la selección de este instrumento de nodalidad respondió a la lógica de inercia de la instrumentación adoptada en la anterior administración del alcalde Moncayo. A este respecto, el enfoque epidemiológico con que se han abordado los fenómenos de la violencia y la inseguridad ha conducido a que la construcción y manejo de los recursos de información se ubique en una dimensión operativa, en detrimento de una comprensión más profunda de los factores que inciden sobre estos fenómenos.

---

[37] Veeduría Distrital de Bogotá / Alcaldía Mayor de Bogotá, "Vivir en Bogotá. Condiciones de Seguridad 2012", (2013, 33).

Como se observó anteriormente, el OMSC impulsó la paulatina incorporación de un componente cualitativo en la producción de información, a través de la contextualización analítica de los distintos fenómenos abordados. Diversas investigaciones, realizadas mediante consultorías externas o internamente, se direccionaron a comprender —más allá del dato estadístico— problemáticas relacionadas con la causalidad de los homicidios, perfiles de victimarios, dinámicas espaciales del crimen, conflictividad en el espacio público, microtráfico de drogas, entre otras. No obstante, durante la administración del alcalde Barrera, la información como recurso se mantuvo anclada a un fundamento teórico-metodológico cuantitativo, lo que evidencia el efecto de inercia del instrumento en términos de la vigencia de una perspectiva epidemiológica (Córdova 2013).

Este tipo de lectura reveló una concepción limitada de la problemática de la seguridad ciudadana, bajo la cual no fue posible comprender el sentido integral de la violencia y los factores estructurales que la generan. En cambio, el problema quedó situado dentro de una dimensión ideológica, comprendido como un fenómeno simbólico dependiente de la representación de la realidad (Núñez 2011,15).

De ahí que la información producida por el OMSC no necesariamente fue funcional a los objetivos de una política de seguridad ciudadana de naturaleza multidimensional; por el contrario, el efecto de inercia determinó que el instrumento se institucionalice a causa del carácter técnico implícito en el manejo estadístico de la información. En cierta forma, la falta de consistencia en la combinación de instrumentos se expresó en las limitaciones heurísticas de una información fundamentada sobre una concepción epidemiológica. Esto no permitió que se constituyera en insumo para los procesos de participación desplegados alrededor de los instrumentos de organización procedimentales.

De igual manera, el uso de la información como recurso de nodalidad del Gobierno distrital, evidenció una desarticulación con otros instrumentos en términos de su capacidad de comunicación. En su mayoría, los funcionarios entrevistados, incluido el propio exalcalde Barrera, han coincidido en señalar que una de las fallas de la administración radicó en no contar con mecanismos de comunicación efectivos que permitieran publicitar las estrategias y acciones que el gobierno local venía implementando respecto de una serie de proyectos y programas. Como lo señala la expersonera de la Dirección de Gestión de la Seguridad Ciudadana, "la política comunicacional no fue la adecuada en los cuatro años de gestión y menos aún en la campaña electoral por la reelección del alcalde".[38] Esta situación generó la escasa visibilidad pública de iniciativas sobre participación ciudadana, prevención situacional, gestión del riesgo, lucha contra la violencia intrafamiliar, entre otras que, de manera innovadora, se habían implementado, principalmente a través de instrumentos procedimentales de organización.

En el caso de Bogotá se observa que la combinación de instrumentos es consistente con los principios de participación y corresponsabilidad propuestos en el PICSC. Por un lado, se ha impulsado una instrumentación substantiva y procedimental de recursos de autoridad, alrededor por ejemplo de los acuerdos distritales y los pactos ciudadanos. Por otro, se han fortalecido algunos instrumentos de organización substantivos (Consejos Distritales y Locales, Comisión Intersectorial) y procedimentales (Territorios de Vida y Paz, Gestores de Convivencia) enfocados en incorporar a la ciudadanía como actor clave de las dinámicas de convivencia. Estos instrumentos, junto con otros como los de nodalidad (NUSE 123, campañas informativas,

---

[38] Nelcy de la Cadena, Dirección de Participación DMQ, entrevista, Quito, marzo 2014.

Diálogos de Ciudad), han favorecido un mayor involucramiento y corresponsabilidad de actores no estatales en los procesos de previsión y control social.

En la misma dinámica, los instrumentos de tesoro, concretamente los relacionados con los proyectos de inversión y planes del FVS, han sido seleccionados en cuanto a financiar varias de las iniciativas anteriormente mencionadas, lo que muestra que ha existido consistencia en términos de su articulación con los instrumentos de autoridad y organización.

En el PICSC se contempla que Bogotá aporta anualmente para la convivencia y la seguridad alrededor de 458 millones de pesos, incluyendo los apoyos a la Policía Metropolitana de Bogotá, el Ejército Nacional (Brigada 13), la Fiscalía General de la Nación y el Cuerpo Técnico de Investigación. Sin embargo, no se presenta una desagregación detallada del gasto presupuestal, sino que, como se señala en el documento:

> Los programas y las acciones de este Plan se ejecutarán con recursos de cada una de las entidades responsables de la implementación del mismo; sin embargo [...] la Secretaría Distrital de gobierno adoptará otras alternativas: financiación a través de organismos públicos y privados, nacionales, internacionales o multilaterales.[39]

Esta imprecisión no permite establecer, en un sentido más amplio, el nivel de consistencia de la instrumentación de las políticas respecto a sus recursos de financiamiento. Como se señala en el informe elaborado por la Veeduría Distrital:

---

[39] Alcaldía Mayor de Bogotá / CEACSC, "Plan Integral de Convivencia y Seguridad Ciudadana", (2014).

> Durante el primer año de la administración del alcalde Gustavo Petro hay que reconocer que ha habido liderazgo por parte del alcalde y se han dado buenos resultados como la reducción importante de los homicidios, aunque persiste la descoordinación al interior de su gobierno para atender los temas neurálgicos de la convivencia y seguridad, especialmente dentro de la Secretaría de Gobierno, donde cada programa y proyecto sigue comportándose como islas independientes y al FVS todavía no se le ha logrado encarrilar para que responda a los lineamientos definidos por el Secretario y Subsecretario. Persiste en esta institución la creencia, heredada del gobierno anterior, [de] que es la instancia que dirige y define la política en estas materias, cuando lo que debe ser es la fuente de recursos que debe soportar la política definida por la Secretaría de Gobierno.[40]

Volviendo al caso de Quito, la administración del alcalde Barrera mantuvo vigente la tasa de seguridad como instrumento de tesoro, a pesar de los cuestionamientos que arrastraba desde la administración anterior. La tasa fue establecida de acuerdo con la Ley Orgánica de Régimen Municipal, que le otorgaba al Municipio la facultad para crear tasas retributivas de servicios públicos, siempre que su valor guardara relación con el costo de producción de dichos servicios. Esto generó el debate sobre si la seguridad constituía un servicio público o un derecho ciudadano y si, por lo tanto, era factible imponer a la ciudadanía una retribución por un servicio prestado por el Estado a través del gobierno local, considerando que legalmente no se puede cobrar una tasa por una actividad de interés público.[41]

---

[40] Veeduría Distrital / Alcaldía Mayor de Bogotá, "Vivir en Bogotá. Condiciones de Seguridad 2012", (2013, 29-30).

[41] Fundación Marcha Blanca, "Informe final. Veeduría Tasa de Seguridad Ciudadana" (2011, 29).

Hay que señalar, además, que la tasa de seguridad fue creada en el contexto de una fuerte demanda ciudadana hacia el gobierno local, lo que en cierta forma implicó que,

> la respuesta del Municipio a una ciudadanía enervada por los hechos de violencia que se venían sucediendo fue, al día siguiente, crear la tasa de seguridad, sin que para ello mediaran unos estudios completos y con criterios claros sobre el significado de 'seguridad ciudadana' y peor aún sobre los objetivos, metas y propósitos a lograr mediante la aplicación de los recursos de la tasa. Criterios, objetivos, metas y propósitos que hasta la presente fecha no han sido definidos de manera completa y en función de la situación real de la seguridad en el DMQ.[42]

Ciertamente, como se señala en este informe, se aprovechó la coyuntura de la demanda ciudadana para implementar el instrumento, sin necesariamente definir la noción de seguridad ciudadana en la que se insertarían los planes y programas que iban a ejecutarse con los recursos de la tasa, y sin delimitar el rol del gobierno local en el proceso. Esto condujo a un manejo discrecional de la tasa en cuanto al destino de los recursos. Si bien las políticas de seguridad se plantearon desde una perspectiva de convivencia y prevención, la mayoría del gasto se concentró en dotar de infraestructura y equipamiento a la Policía, con lo que la tasa básicamente se destinó al ámbito de control.

En la administración del alcalde Barrera, la inversión se diversificó, incorporando algunas de las problemáticas delineadas en la agenda de seguridad a través de la creación de rubros concretos sobre

---

[42] Fundación Marcha Blanca, "Informe final. Veeduría Tasa de Seguridad Ciudadana" (2011, 28).

prevención situacional, generación de espacios públicos seguros, acciones de mitigación, procesos de convivencia, entre otros. Sin embargo, el porcentaje de gasto en estos rubros resultó considerablemente inferior al destinado a apoyo logístico y desarrollo de infraestructura para la Policía. Este tema se mantuvo como primera prioridad en la inversión de la tasa. Esto permite no solo constatar el efecto de inercia del instrumento, cuya lógica de acción prevaleció sobre la concepción de una política de seguridad de carácter preventivo, sino sobre todo la falta de consistencia de la combinación de los instrumentos.

Tal situación ha llevado a cuestionar si las acciones desplegadas en el campo de la seguridad, tanto desde la administración distrital como desde el gobierno nacional, efectivamente conforman una política pública. En palabras de Raúl Franco:

> Como Fundación Marcha Blanca, a nuestro criterio, afirmamos que no existen políticas de seguridad ni en el país ni en Quito. [...] En el año 2000 el Municipio empezó a analizar con seriedad el tema de seguridad [...]. Los primeros instrumentos, más que un modelo, son elementos que se implementaron en Quito copiados de la experiencia de Bogotá, como los ojos de águila, las unidades de policía comunitaria, el 911, etc. Fue un buen resultado frente a no tener nada, en tanto constituyeron herramientas para mejorar la seguridad, sin embargo, esto no significa que se haya traído una política de seguridad, que se haya construido una política propia de seguridad. [...] En políticas nos hemos quedado bastante atrasados. Pensamos que no hay políticas porque no se conoce a profundidad el problema, para nosotros conocer a cabalidad el problema y proponer respuestas es hacer política.[43]

[43] Raúl Franco, funcionario Fundación Marcha Blanca, entrevista, marzo 2014.

La experiencia de Quito puede caracterizarse, por lo tanto, como una selección descontextualizada de instrumentos de políticas, resultante del carácter jerárquico de los modos de gobernanza inherentes al proceso sociopolítico de la ciudad. De esta manera, en tanto la toma de decisiones sobre la materia se ha concentrado en el Gobierno distrital, la instrumentación de las políticas se ha concretado en una elección restringida y condicionada por la idiosincrasia del propio Gobierno municipal, sin una incorporación efectiva de demandas y propuestas provenientes de actores no estatales, reduciendo así la posibilidad de estructurar una acción pública concertada e integral.

Precisamente, esta fragmentación de las políticas de seguridad ciudadana fue identificada en el diagnóstico que la administración de Barrera realizó al inicio de su período, tal como se señala en el informe de gestión del exalcalde:

> Cuando iniciamos esta gestión, una serie de acciones para la seguridad estaban dispersas en distintas instancias municipales. Por esta razón, hemos concentrado este aspecto, como concepto integral, bajo una instancia rectora que ejecuta planes y proyectos, a través de las administraciones zonales. En este sentido, hemos propuesto una organización de la seguridad que priorice la participación ciudadana y mantenga una estrecha coordinación con las entidades nacionales (Barrera 2014, 87).

Aparte de plantearse de manera explícita revertir la dispersión de las acciones de seguridad y construir una concepción integral, fundamentada en la participación ciudadana, la instrumentación de las políticas de seguridad ciudadana en la administración del alcalde Barrera mostró algunas inconsistencias en términos del estilo de implementación o combinación de instrumentos, respecto a los objetivos delineados de manera implícita en la agenda. De esta manera, el proceso de instrumentación de las políticas se desarrolló en función de la continuidad de una serie de instrumentos formulados e implementados en la anterior administración, lo que en cierta forma generó un efecto de inercia, esto es, una fuerza de acción propia producida por los instrumentos, independientemente de los objetivos propuestos, en cuya dinámica estos crean resistencia al contexto externo de las políticas (Lascoumes y Le Galès 2007).

Interacciones y efectividad de las políticas

Un instrumento de organización alrededor del cual se han articulado las dinámicas de las políticas de seguridad ciudadana de Bogotá es la Secretaría Distrital de Gobierno. Como se señaló anteriormente, la operatividad de las temáticas relacionadas con la seguridad ha estado históricamente situada en la figura del secretario de Gobierno. No obstante, en los últimos años se ha desarrollado un debate sobre la pertinencia de crear una Secretaría Distrital de Seguridad Ciudadana, con el propósito de dotar de mayor autonomía organizacional al conjunto de entidades encargadas de gestionar este problema.

Inicialmente, esta fue una propuesta de campaña del alcalde Petro, la cual fue posteriormente incorporada como proyecto de acuerdo en 2012. No obstante, tal como se encuentra formulado el proyecto, la creación de un nuevo instrumento de organización implicaría dividir las funciones entre la actual Secretaría de Gobierno y la de Seguridad, lo que podría fracturar el enfoque integral con que se ha abordado la problemática. Además de dispersar el trabajo y nivel de coordinación de las instituciones de seguridad y justicia que intervienen en la materia, este cambio amenazaría con confrontar el liderazgo de ambas secretarías.[44]

---

[44] Veeduría Distrital de Bogotá / Alcaldía Mayor de Bogotá, "Vivir en Bogotá. Condiciones de Seguridad 2012", (2013, 38).

Por un lado, hay un reconocimiento sobre la necesidad de estructurar alrededor de una sola entidad las diversas organizaciones vinculadas al manejo de la seguridad. Esto porque la agenda del secretario de Gobierno es bastante amplia, en términos de sus responsabilidades en la gestión de las relaciones con el Concejo y las diferentes localidades, lo que ocasiona que la seguridad se atienda de manera coyuntural, priorizando una agenda operacional antes que estratégica.45 Además, sobre esto influye la complejidad en cuanto a organización que se observa en las políticas de seguridad ciudadana, causante de problemas de consistencia respecto a la articulación con otros instrumentos. Así lo señala un analista y exfuncionario:

> Creo que [Bogotá], con el tamaño y la problemática que tiene, requiere de una independencia funcional y administrativa de [...] las políticas públicas de seguridad que le den coherencia, especificidad y responsabilidad frente a la ciudadanía y frente al Concejo. Eso es fundamental porque de la seguridad se encargan al menos diez entidades y esa dispersión hace que nadie responda de manera efectiva.[46]

En la misma línea, el informe de la Veeduría Distrital menciona:

> Los niveles de coordinación al interior de la Secretaría de Gobierno todavía no son los óptimos, cada dirección, programa y proyecto siguen trabajando como islas independientes y la situación es más complicada cuando se trata de trabajar con otras instituciones del Distrito para solucionar problemas de

[45] Alberto Cienfuegos, analista político, entrevista, Bogotá, diciembre 2013.

[46] Alfredo Manrique, exveedor distrital, entrevista, Bogotá, diciembre 2013.

convivencia y seguridad, como es el caso de la intervención de seguridad, justicia y desarrollo social en barrios y sectores de alta concentración de violencia y delincuencia.[47]

De otro lado, pese a que la idea de crear una secretaría que se encargue exclusivamente de los asuntos de seguridad ha sido una iniciativa impulsada por el Concejo desde hace varios años,[48] la indefinición sobre la elección de un nuevo instrumento de organización se explica principalmente por las diferencias conceptuales sobre el alcance de esta nueva entidad. La propuesta del Concejo hace referencia a una secretaría enfocada en la temática de la seguridad, mientras que el Gobierno distrital plantea la necesidad de incorporar la dimensión de la convivencia y los derechos, en coherencia con las nuevas directrices de la política (funcionarios del CEACSC, entrevista).

Esta última es precisamente la lógica sobre la que se ha venido estructurando durante las últimas dos décadas un estilo de implementación en el ámbito de la seguridad ciudadana, esto es, una específica combinación de instrumentos que, como se argumentó en acápites anteriores, se ha caracterizado por una importante dinámica de interacción entre los distintos actores estatales y no estatales involucrados, así como por el rol de liderazgo del Gobierno local en el proceso.

En el caso bogotano, desde el inicio del proceso, el liderazgo y dirección de la gestión de la convivencia y la seguridad ciudadana por parte de los diferentes alcaldes distritales ha sido fundamental al momento de estructurar un estilo de implementación consistente y coherente respecto a los instrumentos de políticas seleccionados.

---

47 Veeduría Distrital de Bogotá / Alcaldía Mayor de Bogotá, "Vivir en Bogotá. Condiciones de Seguridad 2012" (2013, 31).

48 Orlando Parada, concejal de Bogotá, entrevista, Bogotá, diciembre 2013.

Este liderazgo ha determinado que el Gobierno distrital se constituya en la instancia de articulación de las estrategias y acciones de los distintos actores estatales y no estatales involucrados en el proceso.

En Bogotá, la interacción se encuentra matizada, además, por la relación entre los Gobiernos distrital y nacional en torno al carácter estructural de la violencia en el país. En general, han existido desavenencias políticas e ideológicas en materia de seguridad entre los Gobiernos nacionales, en especial el presidido por Álvaro Uribe, y los Gobiernos distritales, particularmente los de izquierda. No obstante, en el período analizado,

> a pesar de que las relaciones entre el presidente Juan Manuel Santos y el alcalde Gustavo Petro son cordiales y el trabajo interinstitucional entre el Gobierno Nacional y el Distrital está todavía por construirse, hay divergencias y falta mucho camino para que la ciudad recupere la autonomía en el manejo de la seguridad.[49]

De esta manera, los procesos de interacción entre el Gobierno distrital y el conjunto de actores no estatales se han estructurado en relación con las dinámicas de participación de los ciudadanos y los sectores privados, canalizadas a través de distintos mecanismos. Conforme se señala en el informe de la Veeduría Distrital:

> En Bogotá la participación de los ciudadanos y del sector privado se ha dado de estas tres formas, desde el pago de impuestos, hasta la organización comunitaria y de instituciones para trabajar por la mejoría de la seguridad, como es el caso de los

[49] Veeduría Distrital de Bogotá / Alcaldía Mayor de Bogotá, "Vivir en Bogotá. Condiciones de Seguridad 2012" (2013, 30).

> Frentes Locales de Seguridad, de los Pactos por la Seguridad y de los programas del sector privado, como el Observatorio de Seguridad de la Cámara de Comercio de Bogotá y el Programa Bogotá Cómo Vamos. Grupos privados de presión que contribuyen a pensar las políticas de convivencia y la seguridad, a hacerles seguimiento y sobre todo garantizan la sostenibilidad e institucionalización de las políticas, en la medida en que estos grupos permanecen y trabajan independientemente de los períodos de Gobierno distritales.[50]

En el caso de Quito, el proceso de instrumentación durante la administración del alcalde Barrera se desarrolló en términos de la selección de nuevos instrumentos, formulados alrededor de las temáticas incorporadas en la agenda de seguridad. En cierta forma, los problemas identificados en la combinación realizada estuvieron relacionados no solo con las dificultades de articular la instrumentación heredada con los nuevos elementos, sino sobre todo con la complejidad implícita en lograr la consistencia de una determinada combinación con respecto a los objetivos delineados en la política.

Estas dificultades se intensificaron por la implementación de la política de seguridad ciudadana desarrollada por el gobierno central. Esto debido a que la instrumentación se desarrolló tanto desde el nivel local como del nacional, lo que en algunos casos potencializó sus efectos, pero en otros generó dificultades referentes a la capacidad de interacción entre los dos niveles de gobierno, las cuales afectaron directamente la coherencia de los instrumentos y la consistencia de su combinación.

---

50 Veeduría Distrital / Alcaldía Mayor de Bogotá, "Vivir en Bogotá. Condiciones de Seguridad 2012", (2013, 42).

La adscripción político-ideológica compartida por el Gobierno local y el central durante la coyuntura histórica analizada, ciertamente permitió la articulación de los dos niveles de gobierno dentro de una lógica de complementariedad. En tanto constitucionalmente se definió al Estado central como el ente encargado de la seguridad pública, el Gobierno local tuvo la posibilidad de redefinir su rol, direccionando sus estrategias hacia una prevención sustentada en dinámicas de participación ciudadana. Ello le permitió al Gobierno distrital enfocar sus esfuerzos en una instrumentación procedimental tendiente a fomentar la inclusión de actores no estatales en las políticas. En palabras de la entonces directora distrital de Participación, este fue un proceso coordinado entre el Gobierno local y el nacional, en tanto:

> Una labor importante del alcalde Barrera fue trabajar con el Gobierno central, [...] la relación con el Ministerio del Interior ha sido estratégica y positiva porque la Policía se ha comprometido con la ciudad. [...] Hemos conciliado con la Policía Nacional porque ellos también están en la comunidad con sus propios proyectos. [...] Uno de los logros más importantes es la autonomía con el Gobierno central. El alcalde, aun teniendo la misma tendencia política y partidaria con el Presidente de la República, siempre mantuvo su línea independiente. Entonces, uno de los logros fue consolidar un acuerdo con el Ministerio del Interior para que en el distrito se mantengan los Comités de Seguridad, aun cuando en otras ciudades del país continúan las Brigadas de Seguridad.[51]

---

[51] Nelcy de la Cadena, directora Dirección de Participación DMQ, entrevista, marzo 2014.

No obstante, la interacción local-nacional en las políticas de seguridad fue criticada por varios sectores como una relación de subordinación de la Alcaldía a la Presidencia y como una intromisión del Gobierno central en la agenda pública del distrito. En alguna medida, la presencia del Estado central en el nivel local no solo le restó protagonismo al rol del Municipio dentro de las políticas de seguridad, sino también erosionó el liderazgo de la figura del alcalde que se había construido desde la emergencia del proceso a inicios de los años 2000.

Esta situación redefinió la manera en que el Gobierno distrital se interrelacionó con otros actores tanto estatales como no estatales, lo que en última instancia incidió en la instrumentación de las políticas, en tanto el Municipio cedió espacios de decisión y jerarquía a organismos como la Policía Nacional. Ello generó problemas como la superposición de competencias, duplicación de estrategias, divergencia de enfoques, etc. Estos problemas de coordinación han sido identificados por varios funcionarios de la propia administración municipal:

> La dificultad más grande ha sido la duplicidad de esfuerzos de la Policía Nacional y del Municipio. Por ejemplo, nosotros tenemos Mi Escuela se Prepara y la Policía tiene el Barrio Seguro. El problema surge cuando la gente se pregunta a quién acata [...] ahí debimos concertar. [Sin embargo] No se podía llegar a acuerdos de trabajo compartido.[52]

Estos conflictos fueron identificados también —desde una perspectiva política— por los funcionarios del Ministerio del Interior:

---

[52] Nelcy de la Cadena, directora Dirección de Participación DMQ, entrevista, marzo 2014.

> No sé si el conflicto entre la existencia de los comités de seguridad y de las brigadas barriales existe más allá del nombre [...]. Habrá que ver qué concepción de seguridad tiene cada una de las instancias; quizá obedece más a un tema de cómo organizar a la población, de cómo movilizar a la población, los municipios tienen su lógica y el Ministerio del Interior tiene la suya. Tras todo esto hay una visión política. Al trabajar y construir una visión de seguridad ciudadana no se puede desechar estos problemas y más aún cuando se genera participación. No se trata de que el comité responda solo al Municipio y las brigadas al Ministerio [...]. No se debe convertir a las instancias sociales, por un lado, en una especie de guardia paramilitar, y por otro, en un espacio de botín político.[53]

Estas confrontaciones restaron consistencia a la instrumentación de las políticas de seguridad ciudadana en el distrito, según se señala:

> Uno de los principales problemas que hemos tenido como Gobierno local es la falta de coordinación con los ministerios, especialmente hay trabas con el Ministerio del Interior. Nosotros insistimos desde el Gobierno local con las alarmas comunitarias, por ejemplo, y ellos nos imponen otro sistema; entonces esa falta de coordinación es lo que impide que la gente se apropie de un solo sistema de seguridad. Mientras el Gobierno local implementa un sistema, el Gobierno nacional desarrolla otro mecanismo, por lo que la Policía no sabe a cuál alarma responder, si a la del Municipio o a la del Ministerio del Interior.[54]

---

[53] Javier Ladino, funcionario del ministerio del Interior, entrevista, Quito, marzo 2014.

[54] Yadira Allán, funcionaria de la SSG, entrevista, Quito, marzo 2014.

En un sentido más amplio, estas contradicciones se inscriben en el contexto de las tensiones y conflictos existentes entre el propio Ministerio del Interior y la Policía Nacional generados a raíz del denominado 30-S, revuelta policial de carácter salarial producida el 30 de septiembre de 2010, catalogada por el Gobierno de Rafael Correa como un intento de golpe de Estado.[55] Este episodio no solo mermó la confianza del Ejecutivo en la Policía, sino que sobre todo redefinió su dinámica de interacción:

> Yo no quiero una Policía de la revolución ciudadana, quiero una Policía de la República del Ecuador, una Policía que respete la revolución ciudadana porque la gente ha decidido que ese es el modelo político que quiere. El hecho de que alguien no participe de ese ideario no significa que es enemigo de la Policía del Ecuador, la institución tiene que servir con la misma diligencia a toda la ciudadanía. [...] Yo no comparto mucho la intervención del Ministerio del Interior que confunde el papel operativo con el papel político. Esto es un tema que lo puedo discutir en el ámbito académico, mas no fuera de este.[56]

A partir del análisis comparado de las experiencias de Bogotá y Quito, pueden extraerse algunas puntualizaciones relevantes. En la medida que la instrumentación substantiva y procedimental de las políticas de seguridad ciudadana en Bogotá presenta una importante articulación de actores estatales y no estatales, tanto en los procesos de selección de los instrumentos como de su implementación, se observa un alto nivel de consistencia en la combinación de

[55] Al respecto ver Ospina (2011).

[56] Juan Carlos Rueda, director de Educación de la Policía Nacional del Ecuador, entrevista, Quito, marzo 2014.

estos instrumentos. Esto debido a que se ha generado una lógica de interdependencia entre el Gobierno distrital y determinados sectores de la sociedad civil y del mercado. Gracias a esta, no solo se han incorporado demandas concretas al proceso de las políticas, sino que se han impulsado mecanismos procedimentales que han favorecido el involucramiento de estos actores en la instrumentación.

Por el contrario, en la implementación de las políticas de seguridad en Quito durante el período del alcalde Barrera, se observaron algunas inconsistencias relacionadas con la falta de articulación entre lo instrumentado y los objetivos de las políticas. Esto no solamente en razón de la ausencia de metas generales y objetivos específicos que estructuren las políticas, carencia que terminó por generar una instrumentación fragmentada, sino, sobre todo, debido a la presencia de modos de gobernanza de carácter jerárquico con una fuerte preponderancia del Gobierno local, a causa de los cuales la selección y combinación de los instrumentos de las políticas se desarrolló dentro de una lógica centralizada de toma de decisiones.

En tal sentido, la experiencia de Quito evidencia una contradicción entre un modelo de gobierno ideológica y orgánicamente centralizado y un estilo de implementación direccionado a promover mecanismos de participación y prevención. Si bien se formularon y diseñaron recursos de carácter procedimental, su implementación fue menos efectiva de lo planificado. Así, aun cuando se impulsaron determinados procesos enfocados en sectores específicos, no necesariamente se logró interpelar ni involucrar al conjunto de la ciudadanía en dinámicas de convivencia estructuradas en orden a su propia acción colectiva.

Conclusiones: las políticas públicas como objeto de estudio

El objetivo central de esta obra ha sido explicar las políticas públicas como un problema de gobernanza; entender de qué manera los distintos procesos de acción pública se encuentran condicionados por la dinámica de interacción entre el Estado, la sociedad y el mercado. Estas lógicas de interacción provienen de una realidad sociopolítica contemporánea de naturaleza compleja y diversa, por la cual se han constituido durante las últimas décadas nuevas formas de regulación, las que, a manera de un conjunto de estructuras institucionales, se condensan en modos específicos de gobernanza.

Este argumento se fundamenta en una perspectiva neoinstitucionalista que resalta la importancia intrínseca de las instituciones —tanto formales como informales— en tanto factores organizativos de los procesos sociales y políticos, relevancia que permite concebir a las instituciones como entidades autónomas o variables explicativas del comportamiento de las personas. Precisamente, esta condición heurística de la reflexión neoinstitucionalista permite explicar los efectos de las estructuras institucionales inherentes a los distintos modos de gobernanza sobre la toma de decisiones en los procesos de políticas públicas.

Inscrito en el campo disciplinar del análisis de políticas, en este libro se han definido como objeto de estudio los problemas de ejecución y rendimiento de las políticas públicas. Así, el recurrente incumplimiento de las políticas se ha constituido en una de las preocupaciones centrales no solo del ejercicio analítico de la disciplina, sino también del quehacer de los hacedores de políticas, igual que de las demandas y expectativas de los actores involucrados en las diferentes áreas de acción pública. Un estudio sobre las fallas de ejecución de las políticas puede realizar aportes tanto a las pretensiones científicas de acumular conocimiento, como a la búsqueda de soluciones concretas a los múltiples problemas sociales.

A partir de los debates sobre la implementación que postulan que los procesos de ejecución de las políticas, así como las instancias de decisión, se encuentran condicionados por lógicas de conflicto y lucha de intereses, se ha caracterizado la efectividad como una categoría analítica que permite entender y explicar los mecanismos mediante los cuales los objetivos delineados en el diseño de las políticas se concretan en acciones específicas. La efectividad permite observar en qué medida existe articulación y coherencia entre la formulación e implementación de las políticas públicas.

Sobre el nivel de efectividad de las políticas, se planteó que los modos de gobernanza en los que se observan mayores niveles de interdependencia entre los distintos actores estatales y no estatales inducen el desarrollo de políticas públicas más efectivas. Esto en razón de que las lógicas de interacción horizontal tienden a generar más comunicación y cooperación en los procesos de acción pública, lo que a su vez produce una mayor correspondencia entre los objetivos y la instrumentación de las políticas.

Otro aporte de este libro es haber estructurado un modelo o matriz analítica deductiva en función de una sistemática desagregación de las variables, tanto independiente (modos de gobernanza) como dependiente (efectividad de las políticas), así como del análisis de su relación causal. De esta manera, se ha analizado los instrumentos de políticas; para medir su efectividad se observó el grado de consistencia de la combinación de instrumentos seleccionados.

La dinámica de las políticas de seguridad ciudadana

Las políticas de seguridad ciudadana de Bogotá y Quito presentan diferentes niveles de efectividad. Como antecedente, hay que señalar que desde la década de los noventa los Gobiernos locales de ambas ciudades se han transformado bajo el impulso de procesos de descentralización, inscritos a su vez en las reformas del Estado que —tanto Colombia como Ecuador— han implementado dentro de su institucionalización democrática.

En torno a estas transformaciones políticas y territoriales, las administraciones municipales de Bogotá y Quito han sido replanteadas desde formas burocráticas tradicionales hacia una concepción más amplia de Gobiernos metropolitanos. Esto ha significado no solamente incorporar a nivel local de nuevas competencias (como la seguridad ciudadana, por ejemplo), sino además configurar nuevas formas de gestión, resultantes de las dinámicas de interacción del Gobierno local con otras instancias gubernamentales regionales y nacionales, así como con diversos actores no estatales de la sociedad y el mercado.

En este contexto, la incorporación de la problemática de la inseguridad a la agenda pública local tanto de Bogotá como de Quito responde, por un lado, a un paulatino crecimiento del fenómeno de la violencia urbana, que durante las décadas de los ochenta y noventa condujo a que diversos países de la región, incluido Colombia, se ubicaran entre los más violentos del mundo. También obedece a la redefinición del concepto mismo de seguridad, el cual, tras la terminación de la Guerra Fría, evolucionó desde concepciones estadocéntricas, inherentes a la seguridad nacional, hacia el emergente paradigma de la seguridad humana, centrada en el ser humano como sujeto de derechos.

Una primera particularidad de la emergencia de las políticas de seguridad ciudadana en Bogotá está relacionada con el carácter estructural que, al menos desde los años cincuenta, presenta el fenómeno de la violencia en Colombia. Esto deriva de factores sociales, políticos y económicos, que, tras el denominado período de La Violencia, caracterizado por una larga secuela de asesinatos y desinstitucionalización, decantaría hacia la década de los ochenta en un caso atípico en la región, marcado por fenómenos de guerrilla, narcotráfico y violencia social y política. Esta particularidad ha determinado que las estrategias de seguridad a nivel local en Colombia, y concretamente en Bogotá, se configuren dentro de los condicionamientos de esta lógica estructural de la violencia.

Si bien tal especificidad del caso bogotano pudiera ser entendida como una variable exógena, que distorsiona el análisis comparado, es esta condición la que en cierta forma ha impulsado la estructuración de unas formas específicas de interacción entre actores estatales y no estatales alrededor de dinámicas de interdependencia y colaboración. En efecto, estas lógicas de acción pública se han dirigido a enfrentar un problema estructural de violencia como el que experimenta no solo la ciudad, sino el país, desde un sentido de compromiso de la sociedad en su conjunto, reflejado en modos de cogobernanza más incluyentes y participativos.

Este asociativismo, que la sociedad colombiana ha desarrollado en torno a sus preocupaciones por la violencia y la inseguridad, marca una diferencia con el caso de Quito, donde las dinámicas de interacción se han definido principalmente en función de una lógica unidireccional, fundamentada en las prerrogativas del Estado y concretamente del Gobierno local.

Para estudiar la variable dependiente, en este libro se analizó el cambio o desarrollo de las políticas de seguridad ciudadana en las dos ciudades en relación con sus componentes (objetivos y medios) y en el orden de sus tres niveles (macro, meso y micro).

Acerca de las metas generales, se observó que en ambas ciudades las políticas de seguridad ciudadana se inscriben en los lineamientos multidimensionales e integrales de la seguridad humana, fundamentada en principios de prevención, convivencia y participación ciudadana. Estas nociones y principios, de una u otra manera, se han mantenido vigentes a lo largo de ambas trayectorias, incidiendo en la estructuración de los objetivos de las políticas y su instrumentación, más allá de las diferentes interpretaciones del paradigma y de los matices ideológicos de las distintas administraciones locales. Esto evidencia que los cambios de las políticas en el nivel macro, a raíz de los cuales emergió a mediados de los noventa la noción de seguridad ciudadana, son relevantes para entender la incidencia, según la lógica de lo adecuado, del marco institucional en el proceso de las políticas.

Esta noción de seguridad ciudadana se deriva de una redefinición de las concepciones tradicionales de la seguridad pública. Su incorporación a la agenda pública local ocurrió en el marco de un debate académico regional y bajo el impulso de organismos internacionales como el BID. En referencia al discurso de la nueva gestión pública, dichas instituciones estimulaban a promover y replicar las buenas prácticas y el *good governance*, en boga en la región durante la década de los noventa. Es bajo esta lógica que puede entenderse el caso de Quito, en la medida que la estructuración de las políticas de seguridad se basó en las experiencias de varias ciudades colombianas, principalmente Bogotá. Esto, de alguna manera, implicó que la noción de seguridad ciudadana fuese incorporada en las competencias de los gobiernos locales de forma acrítica y, en muchas ocasiones, sin un apego a la normativa legal que regula el campo. En el caso de

Bogotá, la estructuración del marco formal de las políticas de seguridad ciudadana se estableció sobre interpretaciones de las normas referentes a la seguridad contempladas en la Constitución de 1991. En el caso de Quito, la necesidad de contar con un marco normativo-institucional llevó a la administración del entonces alcalde Moncayo a justificar la injerencia municipal en la materia a partir de algunos artículos de la Ley de Régimen Municipal.

En todo caso, en cuanto a la adecuación entre objetivos y medios en el nivel macro o metas generales de las políticas, se constatan algunos contrastes importantes entre las dos experiencias. En Bogotá se observa coherencia en las estrategias o preferencias de implementación alrededor de nociones de cultura ciudadana y apropiación de espacio público, las cuales fueron sobre todo impulsadas durante las administraciones de los alcaldes Mockus y Peñalosa. La experiencia bogotana no solo estructuró dinámicas de convivencia sostenidas en la propia acción social, sino que también logró consolidarse como un referente de la construcción de políticas de seguridad ciudadana en la región. Más allá de los resultados positivos en la reducción de criminalidad, la preferencia de implementación a nivel macro muestra coherencia con los principios rectores de la noción de seguridad ciudadana.

En el caso de Quito, por el contrario, si bien los objetivos o metas generales fueron concebidos bajo una retórica que redefine la noción de seguridad sobre principios de prevención, convivencia y participación ciudadana, fue menos clara la estructuración e implementación de medios para llevar a la práctica esos principios rectores. En cierta forma, esta falta de adecuación entre objetivos y medios respecto de las metas generales de las políticas de seguridad ciudadana en Quito determinó de los problemas de instrumentación de los otros niveles.

En el nivel meso, inherente a los objetivos específicos de las políticas y su instrumentación, se evidencian las fallas de implementación.

En términos generales, los objetivos de las políticas de seguridad ciudadana tanto en Bogotá como en Quito remiten a tres ámbitos de acción. En primer lugar, un fortalecimiento institucional orientado a generar condiciones legales y organizacionales apropiadas para los Gobiernos locales en materia de seguridad. En ambos casos, este propósito se inscribe en los procesos de reforma política definidos a partir de los marcos constitucionales colombiano (1991) y ecuatoriano (1998 y 2008). De ahí que el fortalecimiento institucional ha estado marcado por una serie de restricciones y atribuciones otorgadas a los Gobiernos distritales en sus respectivos marcos constitucionales. En función de dichos marcos, en ambas ciudades se desarrollaron ciertos instrumentos, principalmente de autoridad y organización. La diferencia ha estado, entonces, marcada fundamentalmente por la naturaleza de la instrumentación. Mientras en Bogotá se observa una combinación de instrumentos substantivos y procedimentales, estos últimos direccionados a fortalecer la institucionalidad operativa mediante la promoción de dinámicas de interacción, en Quito, se han priorizado instrumentos substantivos tendientes a fortalecer la capacidad de control del Gobierno local.

En segundo lugar, la gestión de la información ha sido uno de los objetivos centrales de las políticas en ambas ciudades. De manera general, se observa la prevalencia de una visión epidemiológica del tratamiento de la violencia y la delincuencia, expresada en técnicas estadísticas y de georreferenciación. Así, se han implementado una serie de instrumentos de nodalidad, estructurados especialmente alrededor de la información producida por los observatorios de seguridad. En este objetivo, se evidencian ciertas limitaciones del carácter epidemiológico de la información respecto al sentido integral y multidimensional con el que se concibió en ambas ciudades la seguridad ciudadana. En el caso de Quito, en tanto la información producida por el OMSC se ha mantenido dentro de un sentido epidemiológico de seguimiento del delito, no se ha constituido totalmente en un insumo para la toma de decisiones que dé cuenta de la complejidad de la problemática; tampoco ha permitido que el gobierno local estructure una posición nodal estratégica frente a otros actores. Por el contrario, en Bogotá, la producción y manejo de la información ha experimentado una importante evolución, incorporando a través del CEACSC un componente de investigación cualitativo sobre diversas temáticas. Esto ha permitido no solo complementar la lectura estadística de la violencia y delincuencia, sino sobre todo redefinir el alcance de la instrumentación de las políticas en función del carácter multidimensional de la seguridad ciudadana.

Precisamente, este tipo de ajustes operacionales de la instrumentación ocurre en el nivel micro de las políticas y suele derivarse de requerimientos específicos relacionados tanto con la readecuación de los objetivos como con el propio uso de los instrumentos. En los casos de estudio, estos ajustes han operado además en razón de las redefiniciones ideológicas y administrativas implícitas en el cambio de autoridad de los gobiernos distritales. De esta manera, en el caso bogotano, pese a que en la trayectoria de las políticas de seguridad ciudadana se han sucedido cinco administraciones municipales, cada una de ellas con su propia visión estratégica, los ajustes operacionales se desarrollaron dentro de una lógica de alineamiento a los principios rectores de las políticas, lo que en cierta forma ha otorgado un sentido de continuidad y evolución al proceso. En la experiencia de Quito, por el contrario, el proceso de las políticas de seguridad abarca solo dos períodos administrativos; sin embargo, se observa que, dentro de una especie de lógica de inercia, los ajustes operacionales no necesariamente han sido funcionales a los objetivos generales y específicos de las políticas.

En definitiva, el análisis de los componentes de las políticas de seguridad ciudadana en Quito y Bogotá, en los tres niveles de cambio, ha evidenciado dinámicas distintas en la adecuación entre objetivos y medios, más allá de que ambas experiencias se concibieron con referencia a una similar concepción de seguridad humana. En el caso de Bogotá, el desarrollo de las políticas presenta —en un sentido amplio— una relativa articulación entre las metas generales, los objetivos específicos y los ajustes operacionales, dinámica que en definitiva ha permitido estructurar un proceso sostenido a mediano y largo plazo, independientemente de las preferencias de implementación de los distintos gobiernos distritales. En el caso de Quito, los componentes de las políticas de seguridad se han desarrollado de manera fragmentada en los distintos niveles, sin una articulación clara entre las metas generales, diseñadas sobre los principios de la seguridad humana, y el conjunto de objetivos específicos que han sido instrumentalizados bajo lógicas de control antes que de prevención o convivencia. Esto ha dificultado la posibilidad de estructurar una política coherente con la noción de seguridad ciudadana, incapacidad reflejada en una suerte de desbordamiento del alcance de las estrategias implementadas respecto al sentido multidimensional del concepto rector.

Incidencia de los modos de gobernanza en la efectividad de las políticas

La comprobación de la hipótesis de investigación a nivel empírico ha demandado la validación del modelo de análisis de instrumentos en cuanto a su aplicación en las unidades de estudio seleccionadas. Para este propósito, se delimitó temporalmente el análisis a los períodos de las administraciones distritales más recientes en las dos ciudades elegidas. Esto, con el objetivo de caracterizar un estilo de implementación específico y de explicar de qué manera los modos de gobernanza, en términos del rol del Estado y de las dinámicas de interacción entre actores, han incidido en la consistencia de la combinación de instrumentos.

En primera instancia, ha sido importante observar en las dos experiencias cómo se han estructurado las dinámicas de interacción entre el gobierno local (Estado), la sociedad civil y los actores del mercado.

En el caso de Bogotá, la trayectoria de las políticas de seguridad ciudadana se ha caracterizado desde su inicio por el involucramiento de manera activa de una serie de actores no estatales. Es así que la propia noción de cultura ciudadana impulsada por el alcalde Mockus, sobre la que se estructuraron las estrategias de convivencia a mediados de la década de los noventa, implica en sí misma una importante dinámica de interacción entre el gobierno local y la ciudadanía, operacionalizada mediante una lógica de autorregulación del comportamiento individual y social. Este ha sido quizá el momento de mayor participación en las políticas de seguridad y convivencia de Bogotá; aunque esta intensidad ha disminuido paulatinamente en los últimos años, se ha mantenido vigente el sentido de una cultura ciudadana frente a los problemas de convivencia. Estas dinámicas de participación se insertan además en las prerrogativas establecidas por la Constitución de 1991, por las cuales se implementaron mecanismos orientados a generar un mayor involucramiento de la ciudadanía en las políticas públicas y bajo cuya lógica se han redefinido las relaciones Estado-sociedad, sobre todo a nivel local.

En Quito, por el contrario, el proceso de las políticas de seguridad ciudadana históricamente se ha configurado en torno a la figura del Gobierno distrital, con una presencia menos efectiva de actores no estatales, pese a la retórica y a los esfuerzos impulsados para construir una política de convivencia sustentada en la participación activa de la ciudadanía. Esta dinámica se inscribe en una lógica estructural de naturaleza estadocéntrica, tradicionalmente dominante en el proceso sociopolítico no solo local sino también nacional, consecuencia de formas burocráticas con bajos niveles de institucionalización, cooptadas por lógicas patrimonialistas y clientelares, pero además por las limitaciones de organización de la sociedad civil y la falta de visión de los sectores económicos.

De esta manera, los procesos de emergencia de las políticas de seguridad ciudadana en Bogotá (1995) y Quito (2000), y su posterior desarrollo durante la primera década de los 2000, estuvieron influidos no solo por las formas de interacción de los gobiernos distritales con otros actores, sino además por el propio rol gubernamental en la estructuración de las políticas. Así, en Bogotá, a partir de modos de cogobernanza, el rol del Gobierno distrital estuvo definido principalmente por la combinación de funciones de dirección y de control, operacionalizadas a partir de estrategias participativas y punitivas, respectivamente. Mientras, en Quito, dentro de una lógica de gobernanza jerárquica, marcada por una asimetría de poder en la relación del gobierno local con actores no estatales, el rol de la administración municipal estuvo definido a partir de un intervencionismo estatal situacional, implementado principalmente a través de lógicas de control y vigilancia.

Desde una lectura neoinstitucionalista, la prevalencia de un modo específico de gobernanza puede ser explicada partiendo de la dependencia de sendero que imprimen las estructuras institucionales a través del tiempo, así como también desde una lógica de lo adecuado, según la cual el juego político se define por el sentido vinculante de un determinado conjunto de arreglos institucionales. Las trayectorias en Bogotá y Quito remiten a aspectos relacionados tanto con la determinación histórica como con la adecuación institucional, de tal manera que el proceso social y político contemporáneo tiene que ser entendido como el resultado de una dialéctica definida a partir del rol de las instituciones.

En esta perspectiva, la llegada al poder local de Gustavo Petro en Bogotá (2012) y Augusto Barrera en Quito (2009), alcaldes alineados ideológicamente a la izquierda, si bien marcó una coyuntura crítica dentro de la trayectoria histórica de sus respectivos gobiernos de la ciudad, no obstante, ha sido entendida también en el contexto del reacomodo institucional de sus modelos de gestión.

Así, en lo referente a Bogotá, el arribo de Petro a la Alcaldía no solo significó la consolidación de una tendencia de izquierda impuesta desde 2003, sino además la apertura de un espacio de disputa con los tradicionales poderes políticos y económicos del distrito. Dentro de esta dinámica, durante los últimos años se han redefinido las relaciones entre el Gobierno local y la sociedad, en tanto se ha reivindicado el rol central del Gobierno distrital en las políticas públicas y se han incorporado, desde un criterio de asistencia focalizada, una serie de actores históricamente excluidos, que han transformado el sentido de la participación ciudadana hacia una lógica pasiva antes que activa.

En el caso de Quito, el triunfo de Augusto Barrera, a más de representar una ruptura ideológica con la tradición política del distrito, históricamente adscrita a la socialdemocracia, significó sobre todo la emergencia de una propuesta enfocada en recuperar la figura del Estado (Gobierno local) como actor central de las políticas públicas, en el marco del proyecto político más amplio de la "revolución ciudadana".

De esta manera, tanto en Bogotá como en Quito, la incursión de alcaldes de izquierda supuso la estructuración de modos de gobernanza jerárquica, definidos a partir de una fuerte presencia de los Gobiernos distritales en el diseño de las políticas, así como por dinámicas de interacción con actores no estatales mediadas por un marcado sentido social. No obstante, más allá de la reivindicación de la figura del Estado, implícita en los proyectos ideológico-políticos de los dos alcaldes, los modos de gobernanza en ambos contextos se han organizado en última instancia partiendo de las estructuras institucionales ya existentes en cada uno de los distritos metropolitanos.

En el caso de Bogotá, por ejemplo, es significativa la presencia de organismos no gubernamentales involucrados en distintos ámbitos de la seguridad, los cuales, desde el inicio de las políticas, se han constituido en una instancia de interlocución entre la sociedad y el Gobierno distrital.

De igual forma, en el ámbito económico, ha tenido un especial protagonismo la CCB, cuyas preocupaciones por las problemáticas de la violencia y la inseguridad se manifestaron incluso antes de la conformación de las políticas de seguridad ciudadana. A través del tiempo, estas dinámicas de interacción entre actores estatales y no estatales han sincretizado lógicas de interdependencia en la acción pública. En este caso, se han visto además mediadas por organismos de control que a nivel distrital han impulsado mecanismos de participación ciudadana y rendición de cuentas. Esto permite caracterizar la gobernanza en Bogotá como una dinámica de coordinación y dirección, complementada con una capacidad de movilización de actores provenientes de la sociedad y la economía.

Por el contrario, en Quito, la presencia de un proyecto político explícitamente recentralizador, como el representado por el alcalde Barrera, terminó profundizando la lógica jerárquica de la gobernanza del distrito. La escasa o casi nula presencia de actores no estatales, tanto de la sociedad civil como de sectores económicos —salvo contadas excepciones como la Fundación Marcha Blanca—, evidencia no solamente un proceso sociopolítico limitado a la figura del Estado como ente de control, sino además una suerte de anomia social, en la acepción durkheimiana del término, que explicaría los bajos niveles de organización de la sociedad y la falta de incentivos para involucrarse de manera activa en el manejo de lo público.

De otra parte, en las dos ciudades, la relación del Gobierno distrital con la Policía Nacional ha constituido un elemento relevante dentro del entramado institucional sobre el que se han desarrollado las políticas de seguridad. Sin embargo, la relación es diferente en cada caso. En Bogotá, las interacciones entre estos dos actores estatales se han caracterizado por una dinámica de subordinación y cooperación, estructurada en función de las prerrogativas que la Constitución le otorga al gobierno local. En cambio, en el caso de Quito, esa relación durante la administración del alcalde Barrera estuvo marcada por la redefinición del rol de la Policía Nacional en el contexto de la Ley de Seguridad Pública y del Estado, en la que se reivindican las funciones de control de la institución policial. Esto, en cierta forma, ha llevado a desarticular las responsabilidades que antes compartía con el Municipio en temas como el de prevención.

Esto último remite a una transformación más amplia de las relaciones gubernamentales entre lo nacional y lo local, en la cual el Gobierno distrital de Quito de alguna manera perdió espacio frente al fortalecimiento del Gobierno central, que, en el contexto de las reformas constitucionales de 2008, asumió y centralizó las responsabilidades de las políticas de seguridad ciudadana. Dado que ambas administraciones pertenecían al mismo movimiento político, se estableció una lógica de complementariedad tácita en el ámbito de la seguridad ciudadana, a partir de la cual el Gobierno municipal adoptaba estrategias de prevención y convivencia, mientras que el Gobierno central, a través del Ministerio del Interior y la Policía Nacional, se enfocaba en tareas de control. No obstante, en la práctica, no necesariamente se logró establecer un trabajo coordinado, lo que se evidenció sobre todo en la superposición de funciones y competencias.

Ahora bien, cabe recordar que el objetivo central de este libro radica en explicar de qué manera estos modos de gobernanza han incidido en la efectividad de las políticas de seguridad ciudadana, efectividad entendida a partir del grado de consistencia de la combinación de los instrumentos (substantivos y procedimentales) de nodalidad, autoridad, tesoro y organización, respecto a los objetivos de las políticas.

En el caso de Bogotá, se ha evidenciado una consistente combinación entre los instrumentos existentes, implementados en administraciones anteriores, y los nuevos recursos incorporados en la gestión del alcalde Petro. De esta forma, alrededor de los postulados de derechos y cultura democrática, sobre los que se fundamenta el actual PICSC, se han utilizado de modo articulado una serie de instrumentos de nodalidad, autoridad y organización direccionados a atender grupos vulnerables. Esta ampliación deriva en incorporar al proceso actores no estatales provenientes de sectores históricamente excluidos, lo cual, si bien puede ser entendido dentro de una lógica asistencialista, remite en definitiva a la construcción de nuevas lógicas de interacción del Gobierno local con sectores no tradicionales de la sociedad.

En la misma línea, se ha verificado la consistencia del *mix* de la instrumentación implementada con objetivos relacionados con procesos de participación y corresponsabilidad ciudadana, lo que ha fortalecido los espacios existentes e incorporado sobre todo una serie de instrumentos procedimentales que han coadyuvado al involucramiento de distintos sectores de la sociedad. De igual forma, la efectividad de esta instrumentación se ha derivado de un proceso de interdependencia entre distintos actores estatales y no estatales, el cual se ha consolidado a lo largo de las últimas décadas en la gobernanza del distrito bogotano.

En lo que respecta a Quito, en tanto los modos de gobernanza del distrito se estructuraron alrededor del rol protagónico del Gobierno municipal, dentro de una lógica jerárquica, la selección de instrumentos en la gestión del alcalde Barrera se concentró principalmente en recursos organizativos. Esto se explica, además, debido a que la readecuación político-administrativa impulsada al inicio de su período demandó una reestructuración burocrática en torno a la nueva figura de las secretarías. De otra parte, los objetivos planteados en la agenda de seguridad ciudadana para el DMQ, como instrumento de autoridad, delinearon una política de seguridad concebida desde una perspectiva integral, en la que se ratificaron anteriores estrategias de control y se incorporaron líneas de acción relacionadas con prevención y participación. No obstante, llama la atención la ausencia tanto de parámetros epistemológicos (como el de la seguridad humana, por ejemplo) que, a manera de metas generales, estructuren las políticas, como de objetivos explícitos que delimiten el alcance de las líneas de acción planteadas.

De esta manera, se ha constatado que las políticas de seguridad ciudadana se caracterizaron durante la gestión del alcalde Barrera por un bajo nivel de consistencia en la combinación de instrumentos. En primera instancia, la falta de objetivos concretos generó una instrumentación dispersa y descontextualizada, sin un referente global que articulara la especificidad de los distintos ámbitos delineados en la agenda. En cierta forma, esto respondió a un proceso de decisión centralizado en el Gobierno municipal y concretamente en la SSG, que no logró incorporar de manera efectiva actores de otros sectores.

La estructuración de los estilos de implementación identificados en las unidades de estudio se ha desarrollado en función de un proceso de carácter incremental, sujeto a un determinado patrón institucional que opera a través del tiempo. De ahí que la selección y combinación de instrumentos, tanto en Bogotá como en Quito, pueda entenderse a partir de una lógica de acumulación en la que han convergido estrategias heredadas y nuevos instrumentos, dentro de una dinámica de estratificación, decantada alrededor de un aprendizaje político y de una adecuación de los actores a las estructuras institucionales vigentes.

Desde esta perspectiva, es preciso evaluar estos nuevos arreglos de gobernanza con referencia a los nexos objetivos-medios, así como a la relación con políticas existentes. Según el modelo analítico desarrollado, la evaluación de los nuevos arreglos de gobernanza se encuentra definida en función de la matriz que contrapone los objetivos de las políticas (coherente/incoherente) y la combinación de instrumentos (consistente/inconsistente).

La observación empírica del caso de Bogotá durante el período del alcalde Petro permite caracterizarlo como un proceso con objetivos de políticas coherentes y una consistente combinación de instrumentos, de tal manera que la estructuración de nuevos arreglos de gobernanza —en cuanto a las relaciones entre objetivos y medios— ha sido óptima. A su vez, en términos de vínculo con políticas existentes, el caso bogotano puede ser entendido a partir de una lógica de integración. Por el contrario, en el caso de Quito durante la gestión del alcalde Barrera, se observa incoherencia en los objetivos de la política y una inconsistente combinación de instrumentos. Respecto a las relaciones entre objetivos y medios, los nuevos arreglos de gobernanza aparecen como un proceso fallido, mientras que en referencia a políticas preexistentes la experiencia de Quito se ha definido a partir de una dinámica de superposición.

Observar los procesos de instrumentación, en términos de la selección y combinación de los diversos recursos que posee el gobierno local, ha permitido caracterizar los estilos de implementación de las políticas de seguridad ciudadana de Bogotá y Quito según el nivel de consistencia que presentan cada uno de ellos respecto a los objetivos de las políticas. Como se ha podido evidenciar, la naturaleza de estos estilos de implementación ha sido el resultado de una específica dinámica de gobernanza, sobre la que se ha estructurado no solo el rol de los gobiernos distritales de ambas ciudades, sino sobre todo la lógica de interacción de los diversos actores estatales y no estatales involucrados en la problemática.

El ejercicio analítico desarrollado respecto al grado de consistencia de los procesos de instrumentación ciertamente ha contribuido a explicar los problemas de efectividad de las políticas públicas desde una dimensión empírica observable. Más allá del planteamiento conceptual, el análisis de instrumentos ha permitido no solamente aprehender, a través de la tipología NATO, los distintos recursos de nodalidad, autoridad, tesoro y organización que el gobierno utiliza para operacionalizar unos determinados objetivos, sino que, como marco analítico, también ha posibilitado entender y explicar las lógicas de decisión sobre las que se selecciona y combina el conjunto de instrumentos.

El proceso de decisiones constituye, precisamente, una de las preocupaciones centrales del debate contemporáneo sobre el análisis de políticas y concretamente acerca de los problemas de la implementación. Partiendo de esta reflexión, se ha argumentado que la ejecución de las políticas públicas en última instancia se encuentra definida a partir de un proceso coherente de diseño, direccionado a aplicar de manera concreta los distintos recursos o instrumentos de los que dispone el gobierno. Así, en la medida que el enfoque de instrumentos incorpora en el análisis las implicaciones institucionales sobre las que se regula el proceso, la efectividad de la implementación está relacionada no solamente con la coherencia de los instrumentos, en términos de su estructura y funcionamiento, sino además en cuanto a la justificación de su elección.

La observación empírica de los procesos de las políticas de seguridad ciudadana en Bogotá y Quito ha permitido, desde una perspectiva deductiva, validar el modelo teórico-metodológico de análisis de instrumentos planteado en esta investigación. La sistematización y el análisis de la evidencia empírica de cada una de las unidades de estudio, realizados en función de las variables y categorías observables definidas en el modelo, han hecho posible constatar la teoría causal desarrollada en el presente trabajo. Según esta teoría los modos de gobernanza (variable independiente) inciden en la efectividad de las políticas públicas (variable dependiente), en tanto las estructuras institucionales que regulan las interacciones Estado-sociedad-mercado condicionan el nivel de coherencia de los estilos de implementación de las políticas. Se trata de un argumento inscrito en una postura epistemológica más amplia, que reivindica la importancia de las instituciones en la vida social y política de las sociedades contemporáneas.

Referencias

Abelson, Adam. 2006. "Boletín del Programa de Seguridad y Ciudadanía 32: Seguridad privada en Chile: tema pendiente para el Ministerio de Seguridad Pública". Santiago de Chile: FLACSO Chile.

Abreu, Fabio. 2003. "Sujetos en riesgo: un acercamiento al mundo de la juventud urbana marginada involucrada en problemas delictivos en Santo Domingo". En *Entre el crimen y el castigo. Seguridad ciudadana y control democrático en América Latina y el Caribe*, editado por Lilian Bobea, 345-368. Caracas: Nueva Sociedad.

Acero, Hugo. 2003. "La seguridad ciudadana en entornos urbanos complejos. Bogotá-Colombia, 1995-2002". En *Elementos para una criminología local: Políticas de prevención del crimen y la violencia en ámbitos urbanos,* editado por Mauricio Rubio y María Victoria Llorente, 215-225. Bogotá: Alcaldía Mayor de Bogotá / Ediciones Uniandes.

_____ 2005a. "La seguridad ciudadana una responsabilidad de los gobiernos locales en Colombia". En *Ciudad y seguridad en América Latina*, editado por Lucía Dammert y Gustavo Paulsen, 133-149. Santiago: FLACSO Chile.

_____ 2005b. "Los gobiernos locales y la seguridad ciudadana". En *Seguridad urbana y policía en Colombia,* elaborado por Pablo

Casas, Ángela Rivas, Paola González y Hugo Acero, 167-234. Bogotá: Fundación Seguridad y Democracia.

Acero, Sandra. 2007. "Estado actual de los servicios de vigilancia y seguridad privada que operan en Bogotá". Bogotá: Alcaldía Mayor de Bogotá / SUIVD / OCSC.

Adorno, Sérgio. 2000. "La delincuencia juvenil en San Pablo: mitos, imágenes y hechos". En *Ciudadanías del miedo*, editado por Susana Rotker, 95-109. Caracas: Nueva Sociedad.

Aguilar Villanueva, Luis. 1993. "Estudio introductorio". En *La implementación de las políticas*, editado por Luis Aguilar Villanueva, 15-92. México D. F.: Miguel Ángel Porrúa.

_____ 2009. *Gobernanza y gestión pública*. México D. F.: Fondo de Cultura Económica.

Alcaldía Mayor de Bogotá. 1997. *Seguridad y convivencia*. Bogotá: Alcaldía Mayor de Bogotá.

_____ 2002. *Memorias. Bogotá comparte sus aprendizajes*. Bogotá: Alcaldía Mayor de Bogotá.

_____ 2006. *Experiencias en seguridad y convivencia Bogotá D.C.* Bogotá: Alcaldía Mayor de Bogotá.

_____ 2007. *Bogotá segura y sin indiferencia*. Bogotá: Alcaldía Mayor de Bogotá.

_____ 2008. *Libro Blanco de la Seguridad Ciudadana y la Convivencia de Bogotá. Primeros Resultados*. Bogotá: UN-Hábitat / Alcaldía Mayor de Bogotá / Ajuntament de Barcelona / Corporación Nuevo Arco Iris.

_____ 2010. *Guía del buen gobierno para la seguridad ciudadana: La guía de innovaciones y nueva generación de reformas en seguridad ciudadana en el marco del Programa de Cooperación Técnica de Ciudades para la Paz*. Bogotá: BID / Alcaldía Mayor de Bogotá.

Álvarez, Alejandro y Gloria Manzotti. 2008. "El estado de la seguridad en América Latina". En *Estado, democracia y seguridad* ciudadana, compilado por Alejandro Álvarez, Julián Bertranou y Damián Fernández, 31-60. Buenos Aires: PNUD.

Álvarez, Marc, Gabriel Anitua, Mónica Ocaña y Juan Berasategi. s.f. "Desarrollo/expansión urbana y criminalidad. Barcelona 1990/2002". Documento de trabajo, Observatori del Sistema Penal I Els Drets Humans, Universitat de Barcelona.

Araya, Jorge. 1999. "Experiencias de participación ciudadana en la prevención local del delito. Éxitos y dificultades". En *Cuadernos del Centro de Estudios para el Desarrollo*, vol. 30, editado por Centro de Estudios para el Desarrollo, 39-57. Santiago: Centro de Estudios para el Desarrollo.

Arcos, Carlos, Fernando Carrión y Édison Palomeque. 2003. *Ecuador: Informe de seguridad ciudadana y violencia 1990-1999*. Quito: FLACSO Ecuador.

Ardila, Marta y Juan Andrés Amado. 2010. "Continuidades y cambios en las relaciones de Colombia con sus países vecinos". *Oasis* 14: 55-70.

Argueta, Otto. 2010. "Private Security in Guatemala: The Pathway to Its Proliferation". *GIGA Working Papers* 144. https://www.giga-hamburg.de.

Arias, Herman. 1997. "Seguridad, ciudadana y función policial: La seguridad debe ser un asunto de todos". En *Justicia, Seguridad y Convivencia Ciudadana en Santa Fe de Bogotá,* compilado por Guillermo Segovia, 147-153. Bogotá: Consejería Presidencial para el Desarrollo Territorial y de Santa Fe de Bogotá, D.C.

Arocena, José. 1995. *El desarrollo local: un desafío contemporáneo*. Caracas: Nueva Sociedad.

Arriagada, Irma y Lorena Godoy. 1999. *Seguridad ciudadana y violencia en América Latina*. Serie Políticas Sociales, 32. Santiago: CEPAL.

Ávila, Ariel y Bernardo Pérez. 2011. *Mercados de criminalidad en Bogotá*. Bogotá: Alcaldía Mayor de Bogotá / CEACSC / Corporación Nuevo Arco Iris.

Avilés, Juan. 2002. "Inmigración y seguridad ciudadana en España". *Anales de Historia Contemporánea*, 18: 121-130.

Bagchus, René. 1998. "The trade-off between appropriateness and fit of policy instruments". En *Public Policy Instruments: Evaluating the Tools of Public Administration,* editado por B. Guy Peters, 46-66. Cheltenham / Northampton: Edward Elgar Publishing.

Baires, Sonia, Julio de Freitas e Yves Pedrazzini. 2003. "Violencia, inseguridad y transformación del espacio urbano en el contexto de la globalización". Documento de trabajo, National Centre of Competence in Research North-South.

Balbín, Jesús. 2004. *Violencia y conflictos urbanos: un reto para las políticas públicas*. Medellín: Instituto Popular de Capacitación.

Balbo, Marcello. 2003. "La nueva gestión urbana". En *Gestión urbana para el desarrollo sostenible en América Latina y el Caribe*, compilado por Ricardo Jordán y Daniela Simioni, 71-92. Santiago: CEPAL.

Barberet, Rosemary. 2004. "La seguridad urbana: la experiencia europea y las consecuencias para América Latina". En *El desarrollo local en América Latina. Logros y desafíos para la cooperación europea*, editado por José Luis Rhi-Sausi, 163-176. Caracas: Nueva Sociedad.

Barrera, Augusto. 2004. "Innovación política y participación ciudadana. El sistema de gestión participativa del DMQ". En *El rostro urbano de América Latina*, compilado por Ana Clara Torres, 33-57. Buenos Aires: CLACSO.

_____ 2007. "Agotamiento de la descentralización y oportunidades de cambio en el Ecuador". En *La descentralización en Ecuador: opciones comparadas,* compilado por Fernando Carrión, 175-206. Quito: FLACSO Ecuador / SENPLADES / GTZ / COSUDE / PDDL / PRODESIMI / BTC.

_____ 2014. "Testimonio de un compromiso cumplido. Informe de gestión 2009-2014". Documento de difusión, MDMQ.

Barrón, Martín. 2002. *Una mirada al sistema carcelario mexicano*. México D. F.: Instituto Nacional de Ciencias Penales / Procuraduría General de la República.

Basabe, Santiago. 2013. "Sistema de información, de administración y gestión de justicia para la seguridad ciudadana en el Distrito Metropolitano de Quito". En *Estudios de Seguridad Ciudadana. Compilación 2010-2012*, coordinado por Blanca Armijos, 97-135. Quito: MDMQ / OMSC.

Basombrío, Carlos. 2003. "Perú 2003. Inseguridad ciudadana y delito común. Percepciones y realidades". Proyecto Seguridad Ciudadana y Reforma Policial. Lima: Instituto de Defensa Legal.

Bassedas, Morilla. 2006. "Génesis y evolución de la expresión de la seguridad humana". *Revista CIDOB d'Afers Internacionals*, 76: 47-58.

Bautista, Enrique. 1998. "Mirada sobre un dinosaurio: cultura organizacional y burocracia en las entidades distritales". En *La ciudad observada: Violencia, cultura y política*, compilado por Yezid Campos e Ismael Ortiz, 177-206. Bogotá: Alcaldía Mayor de Bogotá / Tercer Mundo Editores.

Bernales, Enrique. 1999. "Seguridad ciudadana y gobernabilidad en la región andina". En *Seguridad ciudadana y derechos humanos,* editado por la Comisión Andina de Juristas, 99-152. Lima: Comisión Andina de Juristas.

Bernoux, Philippe y Alain Birou. 1972. *Violencia y Sociedad*. Madrid: Editorial Zero.

Bertranou, Julián y Fernando Calderón. 2008. Introducción a *Estado, democracia y seguridad ciudadana*, compilado por Alejandro Álvarez, Julián Bertranou y Damián Fernández, 11-30. Buenos Aires: PNUD.

Bevir, Mark. 2010. *Democratic Governance.* Princeton: Princeton University Press.

Bislev, Sven. 2004. "Globalization, State Transformation, and Public Security". *International Political Science Review* 25 (3): 281-296.

Blanco, Ismael. 2009. "Gobernanza urbana y políticas de regeneración: el caso de Barcelona". *Revista Española de Ciencia Política*, 20: 125-146.

Blanco, Javiera y Jorge Varela. 2011. "Adaptación local de prácticas exitosas de prevención social del delito". En *Experiencias en América Latina: el desafío de evaluar programas de seguridad ciudadana*, editado por Jorge Araya, 15-24. Santiago: Universidad de Chile.

Blanco, Rafael, Hugo Frühling y Eugenio Guzmán. 1995. *Seguridad ciudadana. Políticas públicas.* Santiago: Universidad Nacional Andrés Bello / CED-ILD.

Blom-Hansen, Jens. 1997. "A New Institutional Perspective on Policy Networks". *Public Administration* 75 (4): 669-693.

Bonilla, Adrián. 2006. "U.S. Andean Policy, the Colombian Conflict, and Security in Ecuador". En *Addicted to Failure. U.S. Security Policy in Latin America and the Andean Region,* editado por Brian Loveman, 103-129. Lanham: Rowman & Littlefield Publishers.

Borja, Jordi. 2003. "La seguridad ciudadana: un desafío para las políticas locales". *Revista Gobernabilidad y Seguridad Sostenible* 9: en línea. http://www.iigov.org.

Borja, Jordi y Manuel Castells. 1997. *Local y global. La gestión de las ciudades en la era de la información*. Madrid: Taurus.

Bosh, José Luis, Jaume Farrás, Manuel Martín, Juli Sabaté y Diego Torrente. 2004. "Estado, mercado y seguridad ciudadana. Análisis de la articulación entre la seguridad pública y privada en España". *Revista Internacional de Sociología* 62 (39): 107-137.

Bou i Novensà, Marc. 2006. "Una reflexión sobre los regímenes internacionales". Documento de trabajo. https:// es.scribd.com.

Briceño-León, Roberto. 2007. *Sociología de la violencia en América Latina*. Quito: FLACSO Ecuador / MDMQ.

Briceño-León, Roberto y Rogelio Pérez, comps. 2002. *Morir en Caracas. Violencia y Ciudadanía en Venezuela*. Caracas: Universidad Central de Venezuela / Editorial Melvin.

Bustos, Juan. 1990. "La seguridad ciudadana en Latinoamérica". *Revista del Colegio de Abogados Penalistas del Valle*, 13: 21-22.

Button, Mark. 2002. *Private Policing*. Portsmouth: Willan Publishing / Institute of Criminal Justice Studies of University of Portsmouth.

Buvinic, Mayra, Andrew Morrison y Michael Shifter. 1999. *La violencia en América Latina: un marco de referencia para la acción*. Washington D. C.: BID.

Buzan, Barry, Ole Waever y Jaap de Wilde. 1998. *Security. A New Framework for Analysis*. Londres: Lynne Rienner Publishers.

Caïs, Jordi. 2002. *Metodología del análisis comparativo*. Serie Cuadernos Metodológicos 21. Madrid: Centro de Investigaciones Sociológicas.

Calame, Pierre. 2008. *Hacia una revolución de la gobernanza. Reinventar la democracia*. Quito: Universidad Andina Simón Bolívar Sede Ecuador / Corporación Editora Nacional.

Camacho, Álvaro. 2000. "La Policía colombiana: los recorridos de una reforma". *Análisis Político*, 41: 104-124.

Camacho, Álvaro y Esperanza Camargo. 1998. "La seguridad ciudadana: una aproximación a la situación de Bogotá". En *La ciudad observada: Violencia, cultura y política*, compilado por Yezid Campos e Ismael Ortiz, 341-360. Bogotá: Alcaldía Mayor de Bogotá / Tercer Mundo Editores.

Campo, Teodoro. 1997. "Delincuencia y criminalidad 1992-1997". En *Justicia, Seguridad y Convivencia Ciudadana en Santa Fe de Bogotá*, compilado por Guillermo Segovia, 43-60. Bogotá: Consejería Presidencial para el Desarrollo Territorial y de Santa Fe de Bogotá, D.C.

Campos, Yezid. 1998. "Observatorio de la cultura urbana: una experiencia de observación y de investigación sobre la ciudad". En *La ciudad observada: Violencia, cultura y política*, compilado por Yezid Campos e Ismael Ortiz, 29-72. Bogotá: Alcaldía Mayor de Bogotá / Tercer Mundo Editores.

Caramani, Daniele. 2014. "Introducción". En *Comparative Politics*, editado por Daniele Caramani, 1-17. Oxford: Oxford University Press.

Cardozo, Rodrigo. 2010. *La seguridad ciudadana como tendencia político criminal*. Bogotá: Editorial Leyer.

Carlsnaes, Walter. 2008. "Actors, structures, and foreign policy analysis". En *Foreign Policy, Theories, Actors, Cases*, editado por Steve Smith, Amelia Hadfield y Tim Dunne, 85-100. Nueva York: Oxford University Press.

Carranza, Elías. 2003. *Política criminal y penitenciaria en América Latina*. San José: ILANUD.

Carrión, Fernando. 1994. "Violencias y ciudades". En *Ciudad y violencias en América Latina*, editado por Alberto Concha-Eastman, Fernando Carrión y Germán Cobo, 5-22. Quito: Programa de Gestión Urbana.

_____ 2004. "La inseguridad ciudadana en la comunidad andina". Íconos, 18: 109-119.

_____ 2005. "La inseguridad ciudadana en América Latina". *Quórum*, 12: 29-52.

_____ 2007a. "El desafío político de gobernar la ciudad". *Nueva Sociedad*, 212: 36-52.

_____ 2007b. "Interrogatorio a la descentralización latinoamericana: 25 años después". En *La descentralización en Ecuador: opciones comparadas*, compilado por Fernando Carrión, 31-55. Quito: FLACSO Ecuador / SENPLADES / GTZ / COSUDE / PDDL / PRODESIMI / BTC.

_____ 2008. "Violencia urbana: un asunto de ciudad". *EURE* 34 (103): 111-130.

Carrión, Fernando y Johanna Espín. 2009. "Introducción". En *Un lenguaje colectivo en construcción: el diagnóstico de la violencia*, compilado por Fernando Carrión y Johanna Espín, 9-31. Quito: FLACSO Ecuador / ICLEI / MDMQ.

Carrión, Fernando y Jorge Núñez. 2006. "La inseguridad en la ciudad: hacia una comprensión de la producción social del miedo". *EURE* 32 (97): 7-16.

Carrión, Fernando, Jenny Pontón y Blanca Armijos. 2009. *120 estrategias y 36 experiencias de seguridad ciudadana*. Quito: FLACSO Ecuador / MDMQ.

Carrión, Fernando y René Vallejo. 1994. "La planificación de Quito: del plan director a la ciudad democrática". En *Quito. Transformaciones urbanas y arquitectónicas (09),* coordinado por Manuel Ramos Guerra, 15-50. Quito: Dirección de Planificación / I. Municipio de Quito / Consejería de Obras Públicas y Transportes / Junta de Andalucía.

Casas, Pablo. 1997. "Percepción ciudadana sobre la inseguridad y la delincuencia". En *Justicia, Seguridad y Convivencia Ciudadana en Santa Fe de Bogotá,* compilado por Guillermo Segovia, 71-78. Bogotá: Consejería Presidencial para el Desarrollo Territorial y de Santa Fe de Bogotá, D.C.

_____ 2005. "Reformas y contrarreformas en la policía colombiana". En *Seguridad urbana y policía en Colombia,* elaborado por Pablo Casas, Ángela Rivas, Paola González y Hugo Acero, 1-80. Bogotá: Fundación Seguridad y Democracia.

Casas, Pablo y Paola González. 2005. "Políticas de seguridad y reducción del homicidio en Bogotá: mito y realidad". En *Seguridad urbana y policía en Colombia,* elaborado por Pablo Casas, Ángela Rivas, Paola González y Hugo Acero, 81-166. Bogotá: Fundación Seguridad y Democracia.

Castañeda, Jorge. 1998. *Violencia y América Latina*. Santiago: La Época.

Castro, Jaime. 2010. "Descentralización en Colombia y la transformación de Bogotá". En *La alternativa local. Descentralización y desarrollo económico*, editado por Rafael de la Cruz, Carlos Pineda y Carolina Pöschl, 309-314. Washington D. C.: BID.

Castro, José. 2004. "Responsabilidad social en la seguridad ciudadana". En *Política Pública de Seguridad Ciudadana*, compilado por Oswaldo Jarrín, 69-73. Quito: FLACSO Ecuador / Fundación Esquel.

CCB (Cámara de Comercio de Bogotá). 1984. "Ineficacia en inspecciones de Policía en Bogotá". Bogotá: Cámara de Comercio de Bogotá / Instituto SER de investigación.

_____ 1996. "Estudio prospectivo de seguridad". Bogotá: Cámara de Comercio de Bogotá / Corporación Misión Siglo XXI.

_____ 1997. "Plan de acción de seguridad ciudadana: Un nuevo sistema de seguridad urbana para Bogotá". Bogotá: Cámara de Comercio de Bogotá.

Centelles, Josep. 2006. *El buen gobierno de la ciudad. Estrategias urbanas y política relacional*. Madrid: INAP.

Cerrillo, Agustí. 2005. "La gobernanza hoy: introducción". En *La gobernanza hoy: 10 textos de referencia*, coordinado por Agustí Cerrillo, 11-35. Madrid: INAP.

Chinchilla, Laura. 2001. "Estabilidad social y seguridad ciudadana en Centroamérica". *Espacios: Revista centroamericana de cultura política*, 13: 32-41.

CLAD (Consejo Latinoamericano de Administración para el Desarrollo). 1998. "Una nueva gestión pública para América Latina". Documento doctrinario.

Clarke, Ronald. 1983. "Situational Crime Prevention: Its Theoretical Basis and Practical Scope". *Crime and Justice*, 4: 225-256.

Clayton, Lawrence. 1998. *Estados Unidos y el Perú: 1800-1995*. Lima: CEPEI.

Cohen, Stanley. 1994. "Escepticismo intelectual y compromiso político: la criminología radical". *Delito y Sociedad* 1 (4-5): 3-31.

CONAM (Consejo Nacional de Modernización). 2006. *Síntesis del Diagnóstico de la Descentralización en Ecuador al 2006 y Propuesta de Políticas para la Descentralización Fiscal*. Quito: ILPES / GTZ.

Concha-Eastman, Alberto. 2000. "Violencia urbana en América Latina y el Caribe: dimensiones, explicaciones, acciones". En *Ciudadanías del miedo*, editado por Susana Rotker, 39-53. Caracas: Nueva Sociedad.

Concha-Eastman, Alberto, Rodrigo Guerrero, Adolfo Álvarez, Germán Cobo, Gustavo de Roux y Alberto Alzate. 1994. "Estrategias de la alcaldía de Cali para enfrentar la inseguridad y la violencia". En *Ciudad y violencias en América Latina,* editado por Alberto Concha-Eastman, Fernando Carrión y Germán Cobo, 121-153. Quito: Programa de Gestión Urbana.

Contraloría de Bogotá. 2012. "Control y cuidado de los recursos públicos con los ciudadanos". Cartilla informativa. Bogotá: Contraloría de Bogotá.

_____ s.f. "La seguridad en el Distrito Capital: Situación, costos, gestión pública y privada". Bogotá: Contraloría de Bogotá.

Coraggio, José Luis. 2006. "Las política públicas participativas: ¿obstáculo o requisito para el desarrollo local?". En *Desarrollo local. Una revisión crítica del debate*, compilado por Adriana Rofman y Alejandro Villar, 23-36. Buenos Aires: Espacio Editorial.

Córdova, Marco. 2008. "Percepción de inseguridad: una aproximación transversal". En *Seguridad ciudadana: escenarios y efectos*, compilado por Jenny Pontón y Alfredo Santillán, 145-161. Quito: FLACSO Ecuador.

_____ 2011. "Quito: Gobernanza metropolitana e innovación territorial en el nuevo milenio". En *Quito: un escenario de innovación,* coordinado por Fernando Carrión y Manuel Dammert, 133-167. Quito: MDMQ / OLACCHI.

Córdova, Marco. 2012. "Descentralización e institucionalización del sistema de partidos en contextos locales. Bogotá y Quito en perspectiva comparada". Documento de trabajo, FLACSO Ecuador.

_____ 2013. "La incidencia de los instrumentos de nodalidad en las políticas públicas de seguridad ciudadana. El caso del Observatorio Metropolitano de Seguridad Ciudadana de Quito (2009-2013)". Ponencia presentada en el VII Congreso Latinoamericano de Ciencia Política, Bogotá, 25-27 de septiembre de 2013.

Costa, Gino. 2004. "Nuevo enfoque para la seguridad ciudadana post Fujimori: desafío, realizaciones y tareas pendientes". En *Seguridad Ciudadana: experiencias y desafíos*, editado por Lucía Dammert, 283-309. Valparaíso: Red 14 Seguridad Ciudadana en la Ciudad / Programa URB-AL / Municipalidad de Valparaíso.

_____ 2007. *La Ventana Rota y otras formas de luchar contra el crimen*. Lima: IDL.

_____ 2012. "La situación de la Seguridad Ciudadana en América Latina". Documento de trabajo, Inter-American Dialogue.

Costa, Gino y Carlos Romero. 2010. *Inseguridad ciudadana en Lima. ¿Qué hacer?* Lima: Ciudad Nuestra.

Crawford, Adam. 1998. *Crime Prevention and Community Safety: Politics, Policies and Practices*. Londres: Longman.

_____ ed. 2009. *Crime Prevention Policies in Comparative Perspective*. Londres: Routledge.

Cruz, José. 2000. "Violencia, democracia y cultura política". *Nueva Sociedad*, 167: 132-146.

Cuevas, Marcos. 2007. *Violencia en América Latina y el Caribe: contextos y orígenes culturales*. México D. F.: UNAM.

Curbet, Jaume. 2009. *El rey desnudo. La gobernabilidad de la seguridad ciudadana*. Barcelona: UOC.

Dammert, Lucía. 2004a. "Participación comunitaria en prevención del delito en América Latina. ¿De qué participación hablamos?". En *Seguridad Ciudadana: experiencias y desafíos*, editado por Lucía Dammert, 157-170. Valparaíso: Red 14 Seguridad Ciudadana en la Ciudad / Programa URB-AL / Municipalidad de Valparaíso.

_____ 2004b. "El gobierno de seguridad en Chile 1973-2003". En *Seguridad Ciudadana: experiencias y desafíos*, editado por Lucía Dammert, 259-282. Valparaíso: Red 14 Seguridad Ciudadana en la Ciudad / Programa URB-AL / Municipalidad de Valparaíso.

_____ 2007. "Seguridad pública en América Latina: ¿qué pueden hacer los gobiernos locales?". *Nueva Sociedad*, 212: 67-81.

Dammert, Lucía y Patricia Arias. 2007. "El desafío de la delincuencia en América Latina: diagnóstico y respuesta de política". En *Seguridad Ciudadana: desafíos para la ciudadanía*, editado por Lucía Dammert y Liza Zúñiga, 21-66. Santiago: FLACSO Chile.

Dammert, Lucía y Felipe Salazar. 2009. *¿Duros con el delito? Populismo e inseguridad en América Latina*. Santiago: FLACSO Chile.

Dangond, Claudia y Sergio Londoño. 2011. "Participación, seguridad humana y contextos urbanos". En *Cuaderno de análisis: Ciudades y problemas urbanos en Colombia: La seguridad humana como eje transversal*, editado por Constanza Ramírez Molano, 72-83. Bogotá: Fundación Konrad Adenauer.

Dávila, Luis. 2004. "Puntos críticos de la aplicación de las nuevas tecnologías de información y comunicación (TIC) en la seguridad ciudadana: aproximación o control". Tesis de maestría, FLACSO Ecuador.

Dávila, Mireya. 2000. *Seguridad Ciudadana: actores y discusión*. Santiago: FLACSO Chile.

De Bruijin, Hans A. y Hans A.M. Hufen. 1998. "The Traditional Approach to Policy Instruments". En *Public Policy Instruments: Evaluating the Tools of Public Administration*, editado por B. Guy

Peters, Maurice Falk y F. K. M. Van Nispen, 11-32. Cheltenham: Edward Elgar Publishing.

Donoso, Rosa. 2009. "El modelo de gestión del Municipio Metropolitano de Quito: la gestión desconcentrada". En *Quito, desarrollo para la gente. Tomo I. Región, Gestión, Ambiente, Economía, Participación*, editado por Cristina Jarrín Morán, 25-65. Quito: Corporación Instituto de la Ciudad de Quito.

Dror, Yehezkel. 1992. "Prolegómenos para las ciencias de las políticas". En *El estudio de las políticas públicas*, editado por Luis Aguilar Villanueva, 119-147. México D. F.: Miguel Ángel Porrúa.

Durston, Anne. 2009. "Cultura, delito y conflicto: antídotos artísticos para la violencia en Río de Janeiro". *Urvio*, 6: 99-112.

Echandía, Camilo, Eduardo Bechara e Irene Cabrera. 2010. "Colombia: Estado del conflicto armado al final de la administración de Álvaro Uribe". En *Anuario 2010 de la seguridad regional en América Latina y El Caribe*, editado por Hans Mathieu y Catalina Niño, 136-172. Bogotá: FESCOL.

Edwards, Adam y Gordon Hughes. 2009. "Comparando el gobierno de la seguridad en Europa: un enfoque geohistórico". *Urvio*, 6: 25-40.

Engle, Sally. 2001. "Governmentality and the New Urban Social Order: Controlling Gender Violence". *American Anthropologist* 103 (1): 16-29.

Escobar, Santiago y Ricardo Solari. 1996. "El municipio y la democracia moderna". *Nueva Sociedad*, 142: 108-115.

Eslava, Adolfo. 2007 "Análisis neoinstitucional de políticas públicas". En *Enfoques para el análisis de políticas públicas*, editado por André-Noël Roth, 97-124. Bogotá: Universidad Nacional de Colombia.

Espín, Johanna. 2010. *La Seguridad Ciudadana y los procesos de gobernabilidad y convivencia democrática en los países de la Región Andina*. San José: FLACSO Secretaría General.

Espinel, Manuel. 1998. "¿Y la cultura ciudadana qué?". En *La ciudad observada: Violencia, cultura y política*, compilado por Yezid Campos e Ismael Ortiz, 155-176. Bogotá: Alcaldía Mayor de Bogotá / Tercer Mundo Editores.

Estévez, Jorge. 2011. "Acercamientos entre la Escuela de París de Seguridad y los Estudios Feministas de Seguridad". Ponencia presentada en el X Congreso Español de Ciencia Política y de la Administración, Sevilla, 18-20 de septiembre de 2011.

Farinós, Joaquín. 2005. "Nuevas formas de gobernanza para el desarrollo sostenible del espacio relacional". *Ería*, 67: 219-235.

Fernández, Juan Pablo. 2009. "El carácter multidimensional de la seguridad humana". *Revista de la Integración*, 3: 43-53.

Finot, Iván. 2001. *Descentralización en América Latina: teoría y práctica*. Serie Gestión Pública, 12. Santiago: ILPES / CEPAL.

Fontaine, Guillaume. 2010. *Petropolítica. Una teoría de la gobernanza energética*. Quito: FLACSO Ecuador / Abya-Yala / Instituto de Estudios Peruanos.

_____ 2012. "El análisis de políticas en la sociología de la acción pública". Documento de trabajo, FLACSO Ecuador.

_____ 2015. *El análisis de políticas públicas. Conceptos, teorías y métodos*. Barcelona: Anthropos / FLACSO Ecuador.

Fournier, Marco. 2000. "Violencia y juventud en América Latina". *Nueva Sociedad*, 167: 147-156.

Frühling, Hugo. 2001. *La reforma policial y el proceso de democratización en América Latina*. Santiago: CED.

_____ s.f. *La violencia delictual en América Latina y El Caribe: Diagnóstico, propuestas y recomendaciones*. Nueva York: PNUD.

Fuentes, Claudia. 2012. "Seguridad humana: referencias conceptuales y enfoque práctico para América Latina". En *Seguridad humana: nuevos enfoques*, editado por Francisco Rojas, 33-54. San José: FLACSO Secretaría General / CAF.

Fuentes, Claudia y Francisco Rojas. 2005. *Promover la seguridad humana: marcos éticos, normativos y educacionales en América Latina y el Caribe*. San José: FLACSO Secretaría General.

Gabaldón, Luis. 2007. "Territorialidad, legitimidad y empoderamiento en la seguridad ciudadana y el control del delito en América Latina". *Espacio Abierto* 16 (1): 119-134.

_____ 2008. *Seguridad ciudadana y políticas públicas en Venezuela*. Caracas: ILDIS.

Gangotena, Raúl. 1995. "El proceso de descentralización en Ecuador". En *¿Descentralizar en América Latina? Gestión Urbana 3*, editado por Jorg-Werner Hass y Alex Rosenfeld, 131-193. Quito: GTZ / PGU.

García, Paco. 2009. "Registro de datos en temas de seguridad ciudadana, el caso de OMSC". En *Un lenguaje colectivo en construcción: el diagnóstico de la violencia*, compilado por Fernando Carrión y Johanna Espín, 49-70. Quito: FLACSO Ecuador / ICLEI / MDMQ.

García, Sergio y Leticia Vargas. 2001. *Las reformas penales de los últimos años en México (1995-2000)*. México D. F.: UNAM.

Garland, David. 2005. *La cultura del control. Crimen y orden social en la sociedad contemporánea*. Barcelona: Gedisa Editorial.

Garotinho, Anthony. 1998. *Violência e criminalidade no Estado do Rio de Janeiro: diagnóstico e propostas para uma política democrática de segurança pública*. Rio de Janeiro: Editora Hama.

Garson, David. 1992. "De la ciencia de políticas al análisis de políticas: Veinticinco años de progreso". En *El estudio de las políticas públicas*, editado por Luis Aguilar Villanueva, 149-179. México D. F.: Miguel Ángel Porrúa.

Geisse, Guillermo y José Luis Coraggio. 1970. "Áreas metropolitanas y desarrollo nacional". *EURE* 1(1): 51-62.

Gilibert, Luis. 1997. "Causas de la delincuencia y estrategias para enfrentarla". En *Justicia, Seguridad y Convivencia Ciudadana en Santa Fe de Bogotá,* compilado por Guillermo Segovia, 137-146.

Bogotá: Consejería Presidencial para el Desarrollo Territorial y de Santa Fe de Bogotá, D.C.

Goldmann, Kjell. 2005. "Appropriateness and Consequences: The Logic of Neo-Institutionalism". *Governance: An International Journal of Policy, Administration, and Institutions* 18 (1): 35-52.

Gómez, Claudia. 2008. "Elementos para la construcción de políticas públicas de seguridad ciudadana". En *Seguridad multidimensional en América Latina*, editado por Fredy Rivera, 369-394. Quito: FLACSO Ecuador / Ministerio de Cultura.

Gómez, Elio. 1997. *Las cárceles de Venezuela*. Caracas: Editorial Fuentes.

Gómez, Hernando. s.f. "Seguridad ciudadana en Bogotá: El éxito y el desafío". En *La seguridad: un desafío permanente para Bogotá*, editado por PNUD, 11-18. Bogotá: PNUD.

González, Camilo. s.f. *Seguridad ciudadana: El modelo de Bogotá*. Bogotá: Alcaldía Mayor de Bogotá / CEASCS.

Goubaud, Emilio. 2008. "Maras y pandillas en Centroamérica". *Urvio*, 4: 35-46.

Grasa, Rafael. 2006. "Vínculos entre seguridad, paz y desarrollo: evolución de la seguridad humana". *Revista CIDOB d'Afers Internacionals*, 76: 9-46.

Gutiérrez, Lirio del Carmen. 2011. "Security Policies from a Spatial Perspective: the case of Honduras". *Iberoamericana* 11 (41): 143-155.

Guzmán, Álvaro. 1999. "Violencia urbana: teoría y políticas de seguridad ciudadana". En *Armar la paz es desarmar la guerra: herramientas para lograr la paz*, compilado por Álvaro Camacho y Francisco Leal, 200-225. Bogotá: FESCOL / IEPRI / CEREC.

Guzmán, Fernando. 1994. "Observaciones sobre violencia urbana y seguridad ciudadana". En *Ciudad y violencias en América Latina*, editado por Alberto Concha-Eastman, Fernando Carrión y Germán Cobo, 167-182. Quito: Programa de Gestión Urbana.

Hall, Peter. 2009. "Historical Institutionalism in Rationalist and Sociological Perspectives". En *Explaining Institutional Change: Ambiguity, Agency and Power*, editado por James Mahoney y Kathleen Thelen, 204-223. Cambridge: Cambridge University Press.

Hall, Peter y Rosemary Taylor. 1996. "Political Science and the Three New Institutionalisms". *Political Studies* 44 (5): 936-957.

Haro, Patricio. 2010. "La Ley de Seguridad Nacional, útil herramienta política. Desde el retorno a la democracia 1979, hasta la publicación de las políticas de defensa 2003". Tesis de maestría, FLACSO Ecuador.

Hood, Christopher. 1986. *The Tools of Government*. Chatham: Chatam House.

_____ 2007. "Intellectual Obsolescence and Intellectual Makeovers: Reflections on the Tools of Government after Two Decades". *Governance: An International Journal of Policy, Administration, and Institutions* 20 (1): 127-144.

Hood, Christopher y Helen Margetts. 2007. *The Tools of Government in the Digital Age*. Nueva York: Palgrave MacMillan.

Hope, Tim. 1995. "Community Crime Prevention". *Crime and Justice*, 19: 21-89.

Howlett, Michael. 1991. "Policy Instruments, Policy Styles and Policy Implementation: National Approaches to Theories of Instrument Choice". *Policy Studies Journal* 19 (2): 1-21.

_____ 2005. "What is a Policy Instrument? Tools, Mixes, and Implementation Styles". En *Designing Government. From Instruments to Governance*, editado por Pearl Eliadis, Margaret M. Hill y Michael Howlett, 31-50. Montreal: McGill-Queen's University Press.

_____ 2009. "Governance modes, policy regimes and operational plans: A multi-level nested model of policy instrument choice and policy design". *Policy Sci* 42 (1): 73-89.

Howlett, Michael. 2011. *Designing Public Policies. Principles and Instruments*. Londres: Routledge.

Howlett, Michael y Benjamin Cashore. 2009. "The dependent variable problem in the study of policy change: understanding policy change as a methodological problem". *Journal of Comparative Policy Analysis* 11 (1): 33-46.

Howlett, Michael y Sarah Giest. 2013. "The policy-making process". En *Routledge Handbook of Public Policy*, editado por Eduardo Araral, Scott Fritzen, Michael Howlett, M Ramesh y Xun Wu, 17-28. Londres: Routledge / Taylor & Francis.

Howlett, Michael, Jonathan Kim y Paul Weaver. 2006. "Assessing Instrument Mixes through Program and Agency-Level Data: Methodological Issues in Contemporary Implementation Research". *Review of Policy Research* 23 (1): 129-151.

Howlett, Michael, Ishani Mukherjee y Jun Jie Woo. 2014. "From tools to toolkits in policy design studies: the new design orientation towards policy formulation research". *Policy & Politics* 43 (2): 291-311.

Howlett, Michael, M. Ramesh y Anthony Perl. 2009. *Studying Public Policy. Policy Cycles & Policy Subsystems*. Ontario: Oxford University Press.

Howlett, Michael y Jeremy Rayner. 2007. "Design Principles for Policy Mixes: Cohesion and Coherence in New Governance Arrangements". *Policy and Society* 26 (4): 1-14.

Huggins, Martha. 2000. "Urban Violence and Police Privatization in Brazil: Blended Invisibility". *Social Justice* 27 (2): 113-134.

Hylton, Forrest. 2003. "La hora crítica. Perspectiva histórica de la Colombia de Uribe". *New Left Review*, 23: 47-90.

Iadicola, Peter. 1986. "Community Crime Control Strategies". *Crime and Social Justice*, 25: 140-165.

Immergut, Ellen. 2006. "Institutional Constraints on Policy". En *The Oxford Handbook of Public Policy*, editado por Michael Moran, Martin Rein y Robert Goodin, 557-571. Nueva York: Oxford University Press.

In't Veld, Roeland. 1998. "The Dynamics of Policy Instruments". En *Public Policy Instruments: Evaluating the Tools of Public Administration,* editado por B. Guy Peters, 153-161. Cheltenham: Edward Elgar Publishing.

Izard, Miguel. 1990. *América Latina, Siglo XIX: Violencia, subdesarrollo y dependencia*. Madrid: Síntesis.

Izu, Miguel José. 1988. "Los conceptos de orden público y seguridad ciudadana tras la Constitución de 1978". *Revista Española de Derecho Administrativo*, 58: 1-20.

Janowitz, Morris. 1995. "Teoría social y control social". *Delito y Sociedad* 1 (6-7): 5-31.

Jarrín, Oswaldo, coord. 2005. *Políticas Públicas de Seguridad Ciudadana. Proyectos de Ley de Seguridad y Convivencia Ciudadana*. Quito: FLACSO Ecuador / Fundación Esquel / FES-ILDIS.

Jenkins-Smith, Hank y Paul Sabatier, eds. 1993. *Policy Change and Learning: An Advocacy Coalition Approach*. Boulder: Westview Press.

Jones, Charles O. 1970. *An introduction to the Study of Public Policy.* Belmont: Wadsworth.

Jordan, Andrew, Rudiger Wurzel y Anthony Zito. 2005. "The Rise of New Policy Instruments in Comparative Perspective: Has Governance Eclipsed Government?". *Political Studies* 53 (3): 477-496.

Keman, Hans. 2014. "Comparative Research Methods". En *Comparative Politics,* editado por Daniele Caramani, 47-59. Oxford: Oxford University Press.

Kessler, Gabriel. 2009. *El sentimiento de inseguridad. Sociología del temor al delito*. Buenos Aires: Siglo Veintiuno Editores.

King, Gary, Robert Keohane y Sidney Verba. 2000. *El diseño de la investigación social: La inferencia científica en los estudios cualitativos.* Madrid: Alianza Editorial.

Kooiman, Jan. 2003. *Governing as Governance.* Londres: Sage Publications.

_____ 2005. "Gobernar en Gobernanza". En *La gobernanza hoy: 10 textos de referencia*, coordinado por Agustí Cerrillo, 57-81. Madrid: INAP.

Kraft, Michael y Scott Furlong. 2010. *Public Policy. Politics, Analysis, and Alternatives.* Washington D. C.: CQ Press.

Lagrange, Hugues y Renée Zauberman. 1991. "Introduction: du débat sur le crime et l'insécurité aux politiques locales". *Déviance et Société* 15 (3): 233-255.

Lascoumes Pierre y Patrick Le Galès. 2007. "Introduction: Understanding Public Policy through Its Instruments: From the Nature of Instruments to the Sociology of Public Policy Instrumentation". *Governance: An International Journal of Policy, Administration, and Institutions* 20 (1): 1-21.

Lasswell, Harold. 1951 (1992). "La orientación hacia las políticas". En *El estudio de las políticas públicas,* editado por Luis Aguilar Villanueva, 79-103. México D. F.: Miguel Ángel Porrúa.

Lea, Jhon. 1996. "El análisis del delito". *Delito y Sociedad* 1 (8): 25-50.

Lea, John, Roger Matthews y Jock Young. 1992. "La intervención multiagencial frente al delito y la constatación del apoyo público. El 'Hammersmith and Fultham Survey'". *Delito y Sociedad* 1 (2): 3-18.

Leal Buitrago, Francisco. 2002. *La seguridad nacional a la deriva.* Bogotá: Alfaomega.

Lefebvre, Henri. 1973. *El derecho a la ciudad*. Barcelona: Edicions 62.

Liebel, Manfred. 2002. "Pandillas juveniles en Centroamérica o la difícil búsqueda de justicia en una sociedad violenta". *Desacatos,* 14: 85-104.

Lijphart, Arendt. 1971. "Comparative Politics and the Comparative Method". *The American Political Science Review* 65 (3): 682-693.

Linder H. Stephen y B. Guy Peters. 1989. "Instruments of Government: Perceptions and Contexts". *Journal of Public Policy* 9 (1): 35-58.

_____ 1998. "The Study of Policy Instruments: Four Schools of Thought". En *Public Policy Instruments: Evaluating the Tools of Public Administration,* editado por B. Guy Peters, Maurice Falk y F. K. M. Van Nispen, 33-45. Cheltenham: Edward Elgar Publishing.

Llorente, María Victoria y Ángela Rivas. 2004. "La caída del crimen en Bogotá: una década de políticas de seguridad ciudadana". En *Seguridad Ciudadana: experiencias y desafíos*, editado por Lucía Dammert, 311-341. Valparaíso: Red 14 Seguridad Ciudadana en la Ciudad / Programa URB-AL / Municipalidad de Valparaíso.

Loader, Ian. 2006. "Policing, Recognition, and Belonging". *Annals of the American Academy of Political and Social Science* 605 (1): 202-221.

Lofberg, Sara. 2008. "Ojos de águila: una primera aproximación al sistema de video vigilancia en Quito". En *Nuevas problemáticas en seguridad ciudadana*, compilado por Jenny Pontón y Alfredo Santillán, 389-406. Quito: FLACSO Ecuador.

Londoño, Juan Luis, Alejandro Gaviria y Rodrigo Guerrero, comps. 2000. *Asalto al desarrollo. Violencia en América Latina*. Washington D. C.: BID.

López, Eduardo. 2000. *Reflexiones acerca de la seguridad ciudadana en Chile: visiones y propuestas para el diseño de una política*. Serie Políticas Sociales, 44. Santiago: CEPAL.

López, Mercy. 2013. "Metodología para la recolección continua de datos de feminicidios en el Distrito Metropolitano de Quito". En *Estudios de Seguridad Ciudadana. Compilación 2010-2012*, coordinado por Blanca Armijos, 160-196. Quito: MDMQ / OMSC.

Lowi, Theodore. 1964. "American Business, Public Policy, Case Studies and Political Theory". *World Politics* 16 (4): 677-715.

Lowi, Theodore. 1972. "Four Systems of Policy, Politics and Choice". *Public Administration Review* 32 (4): 298-310.

Lulle, Thierry. 2010. "La planeación y la gestión urbana a prueba de la movilidad espacial. Bogotá en los años 1990 y 2000". En *Bogotá en el cambio de siglo: promesas y realidades*, editado por Samuel Jaramillo, 117-161. Quito: OLACCHI.

Lungo, Mario y Sonia Baires. 1994. "La delincuencia en San Salvador después de la guerra: ¿cuáles causas?, ¿cuáles planes para su control?". En *Ciudad y violencias en América Latina*, editado por Alberto Concha-Eastman, Fernando Carrión y Germán Cobo, 267-273. Quito: Programa de Gestión Urbana.

Lungo, Mario y Roxana Martel. 2004. "Ciudadanía social y violencia en las ciudades centroamericanas". En *Seguridad Ciudadana: experiencias y desafíos*, editado por Lucía Dammert, 237-258. Valparaíso: Red 14 Seguridad Ciudadana en la Ciudad / Programa URB-AL / Municipalidad de Valparaíso.

Mac Gregor, Felipe, ed. 1993. *Violencia en la Región Andina*. Lima: APEP.

Maldonado, Alberto. 2010. "Descentralización territorial en Bogotá. El espíritu centralista de las autoridades descentralizadas". En *Bogotá en el cambio de siglo: promesas y realidades*, editado por Samuel Jaramillo, 167-194. Quito: OLACCHI.

Manero, Fernando. 2010. "La cultura territorial metropolitana: de las relaciones de conflicto a la gobernanza supramunicipal. Una aproximación a la experiencia española". Ponencia presentada en el XI Coloquio Internacional de Geocrítica. Buenos Aires, 2-7 de mayo de 2010.

March, James G. y Johan P. Olsen. 1993. "El nuevo institucionalismo: factores organizativos de la vida política". *Zona Abierta*, 63-64: 1-43.

_____ 1995. *Democratic Governance*. Nueva York: Free Press.

March, James G. y Johan P. Olsen. 2006. "The logic of appropriateness". En *Public Policy,* editado por Michael Moran, Martin Rein y Robert Goodin, 689-708. Nueva York: Oxford University Press.

Marchán, Cornelio. 2004. "La Seguridad Ciudadana a partir de la justicia social". En *Política Pública de Seguridad Ciudadana*, compilado por Oswaldo Jarrín, 65-67. Quito: FLACSO Ecuador / Fundación Esquel.

Marsh, David y Paul Furlong. 2002. "A Skin, not a Sweater: Ontology and Epistemology in Political Science". En *Theory and Methods in Political Science,* editado por David Marsh y Gerry Stoker, 17-41. Basingstoke: Palgrave Macmillan.

Martí, Rubén. 1994. "La participación y la seguridad ciudadana". En *Ciudad y violencias en América Latina*, editado por Alberto Concha-Eastman, Fernando Carrión y Germán Cobo, 111-115. Quito: Programa de Gestión Urbana.

Martin, Gerard y Miguel Ceballos. 2004. *Bogotá: anatomía de una transformación. Políticas de seguridad ciudadana 1995-2003.* Bogotá: Pontificia Universidad Javeriana.

Mastro, Marco del y Abelardo Sánchez. 1994. "La violencia urbana en Lima". En *Ciudad y violencias en América Latina*, editado por Alberto Concha-Eastman, Fernando Carrión y Germán Cobo, 201-218. Quito: Programa de Gestión Urbana.

Matthews, Roger y Jock Young. 1993. "Reflexiones sobre el realismo criminológico". *Delito y Sociedad* 2 (3): 13-38.

Matul, Daniel y Geannina Dinarte. 2005. *Enfoques políticos vigentes sobre seguridad ciudadana en Costa Rica*. San José: FES.

Mayntz, Renate. 1983. "The Conditions of Effective Public: a New Challenge for Policy Analysis". *Policy and Politics* 11 (2): 123-143.

_____ 2005. "Nuevos desafíos de la teoría de la gobernanza". En *La gobernanza hoy: 10 textos de referencia*, coordinado por Agustí Cerrillo, 83-98. Madrid: INAP.

McGahey, Richard. 1986. "Economic Conditions, Neighborhood Organization, and Urban Crime". *Crime and Justice*, 8: 231-270.

Medellín, Pedro. 2004. *La política de las políticas públicas: propuesta teórica y metodológica para el estudio de las políticas públicas en países de frágil institucionalidad*. Serie Políticas Sociales, 93. Santiago: CEPAL.

Méndez, José Luis. 2010. "La política pública como variable dependiente: hacia un análisis integral de las políticas públicas". En *Política Pública*, compilado por Luis Aguilar Villanueva, 115-150. México D. F.: Siglo Veintiuno Editores.

Meny, Ives y Jean-Claude Thoenig. 1992. *Las políticas públicas*. Barcelona: Editorial Ariel.

Mesa, Manuela y Emmy Moorhouse. 2009. *Claves para entender la violencia transnacional en Centroamérica*. Madrid: CEIPAZ / Icaria.

Mesquita, Paulo de. 2004. "Os municipios e a seguranca pública". En *Avanços nas prefeituras: novos caminhos da democracia, Cadernos Adenauer 1*, editado por la Fundación Konrad Adenauer, 51-68. São Paulo: Fundación Konrad Adenauer.

_____ 2006. *Políticas municipais de segurança cidada: problemas e soluçoes*. São Paulo: NEV-USP.

Mill, John Stuart. 1843. *A System of Logic, Ratiocinative and Inductive: Being a Connected View of the Principles of Evidence and the Methods of Scientific Investigation*. Londres: John W. Parker.

Mockus, Antanas. 1998. "Cultura, ciudad y política". En *La ciudad observada: Violencia, cultura y política*, compilado por Yezid Campos e Ismael Ortiz, 15-28. Bogotá: Alcaldía Mayor de Bogotá / Tercer Mundo Editores.

Mockus, Antanas y Hugo Acero. 2004. "Criminalidad y violencia en América Latina: logros esperanzadores en Bogotá". Documento de trabajo, Alcaldía Mayor de Bogotá.

Moller, Bjorn. 1996. "Conceptos sobre seguridad: nuevos riesgos y desafíos". *Desarrollo Económico* 36 (143): 769-792.

_____ 2000. "The Concept of Security: the Pros and Cons of Expansion and Contraction". Ponencia presentada en la 18va. Conferencia General de la International Peace Research Association, Tampere, Finlandia, 5-9 de agosto de 2000.

Monteoliva, Alejandra y Ángela Escobar. 2011. "Seguridad humana y gobernabilidad urbana". En *Cuaderno de análisis: Ciudades y problemas urbanos en Colombia: La seguridad humana como eje transversal,* editado por Constanza Ramírez Molano, 40-71. Bogotá: Fundación Konrad Adenauer.

Morlino, Leonardo. 1999. "Problemas y opciones en la comparación". En *La comparación en las Ciencias Sociales*, compilado por Giovanni Sartori y Leonardo Morlino, 13-28. Madrid: Alianza Editorial.

Mosconi, Giuseppe. 2005. "La prevención de la desviación. Hipótesis teóricas y cuestiones de métodos". *Delito y Sociedad* 14 (21): 21-41.

Muller, Pierre. 2006. *Las políticas públicas*. Bogotá: Universidad Externado de Colombia.

Munizaga, Ana María. 2010. "Aspectos claves acerca del rol de los gobiernos locales en seguridad ciudadana y prevención del delito". *Conceptos*, 15: 1-15.

Muñoz, Alejandra. 2009. "Seguridad ciudadana y su presupuesto en el Perú". En *Economía política de la seguridad ciudadana*, compilado por Fernando Carrión y Manuel Dammert, 81-109. Quito: FLACSO Ecuador / MDMQ.

Musumeci, Leonarda. 1998. *Serviços privados de vigilância e guarda no Brasil: um estudo a partir de informaçoes da PNAD 1985/1995*. Rio de Janeiro: IPEA.

Navarro, Clemente. 2004. "Sociedades políticas locales: Democracia local y gobernanza multinivel". Working Papers Online Series,

Universidad Autónoma de Madrid. www.uam.es/centros/derecho/cpolitica/papers.html.

Neild, Rachel. 2003. "El sostenimiento de las reformas de la policía en Centroamérica: un análisis comparativo de los desafíos". En *Entre el crimen y el castigo. Seguridad ciudadana y control democrático en América Latina y el Caribe*, editado por Lilian Bobea, 239-281. Caracas: Nueva Sociedad.

North, Douglass C. 1993. *Instituciones, cambio institucional y desempeño económico*. México D. F.: Fondo de Cultura Económica.

Nuissl, Henning y Dirk Heinrichs. 2013. "Paradigm or hot air? What spatial planning can gain from the governance discourse". Working Paper. Helmholtz Centre for Environmental Research / UFZ.

Núñez, Gilda. 2006. "Políticas de seguridad ciudadana en Venezuela. Especial referencia al desarrollo jurídico penal". *Capítulo Criminológico* 34 (3): 339-361.

Núñez, Jorge. 2011. *Crítica a la ideología de la seguridad ciudadana en Ecuador. 91 estrategias contra la violencia*. Quito: FLACSO Ecuador / MDMQ.

Ojeda, Lautaro. 2006. *Seguridad ciudadana, sociedad y Estado. Ecuador en el año 2005*. Quito: MDMQ.

_____ 2008. *La seguridad ciudadana en el DMQ en el contexto nacional 2007*. Quito: MDMQ.

Olivares, Félix. 2003. "Marcos jurídicos e instituciones de la seguridad ciudadana en la República Dominicana". En *Entre el crimen y el castigo. Seguridad ciudadana y control democrático en América Latina y el Caribe*, editado por Lilian Bobea, 283-301. Caracas: Nueva Sociedad.

Olmo, Rosa del. 2000. "Ciudades duras y violencia urbana". *Nueva Sociedad*, 167: 74-86.

O'Malley, Pat. 2004. "Riesgo, poder y prevención del delito". *Delito y Sociedad* 13 (20): 79-102.

ONU-Hábitat. 2010. "Mesa jóvenes en riesgo". Libro Blanco de la Seguridad Ciudadana y la Convivencia de Bogotá. Segunda Fase. Bogotá: ONU-Hábitat / Ajuntament de Barcelona / Alcaldía Mayor de Bogotá.

Orozco, Gabriel. 2006a. "El aporte de la Escuela de Copenhague a los estudios de seguridad". *Revista Fuerzas Armadas y Seguridad* 20 (1): 141-162.

_____ 2006b. "El concepto de seguridad en la Teoría de las Relaciones Internacionales". *Revista CIDOB d'Afers Internacionals*, 72: 161-180.

Ortiz, Ismael. 1998. "Relato empírico-descriptivo y cronológico de la vida del observatorio". En *La ciudad observada: Violencia, cultura y política*, compilado por Yezid Campos e Ismael Ortiz, 113-128. Bogotá: Alcaldía Mayor de Bogotá / Tercer Mundo Editores.

Ospina, Pablo. 2011. "¿Ecuador: intento de golpe o motín policial?". *Nueva Sociedad*, 231: 14-27.

Ostrom, Elinor. 2005. *Understanding Institutional Diversity*. Princeton: Princeton University Press.

_____ 2011. "Background on the Institutional Analysis and Development Framework". *The Policy Studies Journal* 39 (1): 7-27.

Oviedo, Enrique. 1994. "Percepción de inseguridad en la ciudad. Entre lo imaginario y lo real. El caso del Gran Santiago". En *Ciudad y violencias en América Latina*, editado por Alberto Concha-Eastman, Fernando Carrión y Germán Cobo, 277-312. Quito: Programa de Gestión Urbana.

_____ 2001. "Democracia y seguridad ciudadana en Chile". En *Violencia, sociedad y justicia en América Latina*, editado por Roberto Briceño-León, 313-338. Buenos Aires: CLACSO.

Pacheco, Juan Carlos. 2006. "Delincuencia callejera y políticas de seguridad ciudadana en Quito (2002-2005)". Tesis de maestría, FLACSO Ecuador.

Páez, Alexei. 2004. "Hacia una propuesta de política pública de Seguridad Ciudadana". En *Política Pública de Seguridad Ciudadana*, compilado por Oswaldo Jarrín, 129-135. Quito: FLACSO Ecuador / Fundación Esquel.

Parada, Orlando. 2010. "La seguridad ciudadana en Bogotá. Variaciones ideológicas sobre una continuidad política". Tesis de maestría, Pontificia Universidad Javeriana.

Pásara, Luis. 2010. "El impacto de la reforma procesal penal en la seguridad ciudadana". *Revista de la Facultad de Derecho PUCP*, 65: 55-67.

Paulsen, Gustavo. 2005. "Claves para el buen gobierno de la seguridad. ¿Qué nos enseñan los casos exitosos en seguridad ciudadana a nivel local?". En *Ciudad y seguridad en América Latina*, editado por Lucía Dammert y Gustavo Paulsen, 189-198. Santiago: FLACSO Chile.

Pavarini, Massimo. 2006. *Un arte abyecto: ensayo sobre el gobierno de la penalidad*. Buenos Aires: Ad-Hoc.

Pegoraro, Juan. 1997. "Las relaciones Sociedad-Estado y el paradigma de la seguridad". *Delito y Sociedad* 1 (9-10): 51-64.

_____ 2002. "Las políticas de seguridad y la participación comunitaria en el marco de la violencia social". En *Violencia, Sociedad y Justicia en América Latina*, editado por Roberto Briceño-León, 29-53. Buenos Aires: CLACSO.

Peña, Luis. 2010. "Bogotá: La construcción del discurso sobre la seguridad ciudadana. Un estado del arte". En *Ensayos sobre seguridad urbana y seguridad residencial*, editado por Luis Peña, 19-158. Bogotá: Universidad Externado de Colombia.

Percy, Stephen. 1987. "Citizen Involvement in Coproducing Safety and Security in the Community". *Public Productivity Review* 10 (4): 83-93.

Pérez de Armiño, Karlos. 2006. "El concepto y el uso de la seguridad humana: análisis crítico de sus potencialidades y riesgos". *Revista CIDOB d'Afers Internacionals*, 76: 59-77.

Peters, B. Guy. 2007. "Globalización, gobernanza y Estado: algunas proposiciones acerca del proceso de gobernar". *Revista del CLAD Reforma y Democracia* 39: 33-50.

_____ 2013. *Strategies for Comparative Research in Political Science.* Londres: Palgrave Macmillan.

_____ 2014. "Approaches in comparative politics". En *Comparative Politics*, editado por Daniele Caramani, 34-46. Oxford: Oxford University Press.

Pierre, Jon. 2005. "Comparative Urban Governance. Uncovering Complex Causalities". *Urban Affairs Review* 40 (4): 446-462.

Pierre, Jon y Guy B. Peters. 2000. *Governance, Politics and the State.* Londres: Macmillan Press.

Pierson, Paul. 2000. "Increasing Returns, Path Dependence, and the Study of Politics". *The American Political Science Review* 94 (2): 251-267.

Pierson, Paul y Theda Skocpol. 2008. "Institucionalismo histórico en la ciencia política contemporánea". *Revista Uruguaya de Ciencia Política* 17 (1): 7-38.

Pineda, Saúl. 2007. "Gobernanza territorial e integración regional en Colombia: la experiencia de Bogotá-Cundinamarca". En *Los gobiernos locales en la construcción del futuro de los países: Gobernanza urbana y desarrollo regional*, coordinado por Josep M. Pascual Esteve, Amelia Fernández Paricio y Júlia Pascual Guiteras, 101-125. Sevilla: Dirección General de Administración Local.

Pinto, Juan Carlos y Leticia Lorenzo. 2004. *Las cárceles en Bolivia: abandono estatal, legislación y organización democrática*. La Paz: Ediciones Pastoral Penitenciaria Católica de Bolivia.

Pitch, Thamar. 1996. "¿Qué es el control social?". *Delito y Sociedad* 1 (8): 51-72.

Pizarro, Eduardo. 2004. *Una democracia asediada: balance y perspectivas del conflicto armado en Colombia*. Bogotá: Editorial Norma.

PNUD (Programa de las Naciones Unidas para el Desarrollo). 2013. *Seguridad Ciudadana con rostro humano: diagnóstico y propuestas para América Latina*. Nueva York: PNUD.

Pontón, Daniel. 2004. "Políticas públicas de Seguridad Ciudadana: el caso de Quito". En *Seguridad Ciudadana: experiencias y desafíos*, editado por Lucía Dammert, 353-373. Valparaíso: Red 14 Seguridad Ciudadana en la Ciudad / Programa URB-AL / Municipalidad de Valparaíso.

_____ 2009. *Policía comunitaria y cambio institucional en el Ecuador*. Quito: Abya-Yala.

Pontón, Daniel y Fredy Rivera. 2013. *Microtráfico y criminalidad en Quito*. Quito: MDMQ / OMSC.

Pontón, Jenny. 2013. "Populismo punitivo en Guayaquil: agenda local de alcance nacional". Documento de trabajo, FLACSO Ecuador.

Poulin, K. C. y Charles P. Nemeth. 2004. *Private Security and Public Safety: A Community-Based Approach*. Upper Saddle River: Prentice Hall.

Prates, Luciano. 1998. "Descentralización, intersectorialidad y red en la gestión de la ciudad". *Revista del CLAD Reforma y Democracia*, 12. http://old.clad.org.

Pressman, Jeffrey y Aaron Wildavsky. 1998. *Implementación. Cómo grandes expectativas concebidas en Washington se frustran en Oakland*. México D. F.: Colegio Nacional de Ciencias Políticas y Administración Pública / Fondo de Cultura Económica.

Przeworski, Adam y Henry Teune. 1970. *The Logic of Comparative Social Inquiry*. Malabar: Robert E. Krieger Publishing.

Puente, Patricio de la y Emilio Torres. 2000. "Seguridad ciudadana y prevención del delito. Un análisis crítico de los modelos y estrategias contra la criminalidad". *Revista de Estudios Criminológicos y Penitenciarios*, 1: 21-73.

Puente, Patricio de la y Emilio Torres. 2001. "Modelos internacionales y políticas públicas de seguridad ciudadana en Chile". *Revista Mad*, 4. http://www.revistamad.uchile.cl.

Ramírez, Socorro, Carlos Romero y Ana María Sanjuán. 2005. "Estados Unidos- Colombia-Venezuela: ¿Una relación Triangular?". En *Venezuela y Colombia. Debates de la historia y retos del presente*, coordinado por Socorro Ramírez y José María Cárdenas, 144-208. Caracas: UCV / IEPRI.

Recasens, Amadeu. 2007. *La seguridad y sus políticas*. Barcelona: Ariel.

Reguillo, Rossana. 2000. "La construcción social del miedo. Narrativas y prácticas urbanas". En *Ciudadanías del miedo*, editado por Susana Rotker, 185-201. Caracas: Nueva Sociedad.

Rey, Germán. 2005. *El cuerpo del delito*. Bogotá: FESCOL / Centro de Competencia en Comunicación para América Latina.

Rhodes, R. A. W. 2005. "La nueva gobernanza: gobernar sin gobierno". En *La gobernanza hoy: 10 textos de referencia*, coordinado por Agustí Cerrillo, 99-122. Madrid: INAP.

Ribeiro, Ludmila y Luciane Patrício. 2011. "Gobiernos locales y seguridad ciudadana en Brasil: el papel de las consultorías técnicas en el desarrollo de planes municipales de prevención de la violencia". *Urvio*, 9: 21-35.

Rico, José María y Laura Chinchilla. 2002. *Seguridad Ciudadana en América Latina. Hacia una política integral*. México D. F.: Siglo Veintiuno Editores.

Riego, Cristián y Juan Enrique Vargas. 2005. *Reformas procesales penales en América Latina: Resultados del proyecto de seguimiento*. Santiago: Centro de Estudios de Justicia de las Américas.

Rivas, Ángela. 2004. "Una mirada etnográfica sobre prácticas de gobierno y tecnologías de seguridad en Bogotá". *Universitas Humanística*, 57: 61-69.

Rivas, Ángela. 2005. "Una década de políticas de seguridad ciudadana en Colombia". En *Seguridad urbana y policía: Seguridad y Convivencia Ciudadana en Colombia,* elaborado por Pablo Casas, Ángela Rivas, Paola González y Hugo Acero, 81-166. Bogotá: Fundación Seguridad y Democracia.

Rivera, Fredy. 2004. "Estrategia nacional de Seguridad Ciudadana: lo local y lo nacional". En *Política Pública de Seguridad Ciudadana*, compilado por Oswaldo Jarrín, 151-155. Quito: FLACSO Ecuador / Fundación Esquel.

_____ 2005. *Política pública de Seguridad Ciudadana en Ecuador: los municipios. Informe de consultoría*. Quito: FLACSO Ecuador / FES-ILDIS.

Rocabado, Mary y Rolando Caballero. 2005. *Delincuencia y seguridad ciudadana en Bolivia*. La Paz: Fondo Editorial de los Diputados.

Rodríguez, Alfredo y Enrique Oviedo. 2001. *Gestión urbana y gobierno de áreas metropolitanas*. Serie Medio Ambiente y Desarrollo, 34. Santiago: CEPAL.

Rodríguez, Vanesa. 2004. "El proceso de toma de decisiones en el Municipio de Quito: el caso de la seguridad ciudadana desde el año 2000". Tesis de maestría, FLACSO Ecuador.

Rofman, Alejandro. 2006. "El enfoque del desarrollo local: conflictos y limitaciones". En *Desarrollo local. Una revisión crítica del debate*, compilado por Adriana Rofman y Alejandro Villar, 37-58. Buenos Aires: Espacio Editorial.

Rojas, Eduardo. 2005. "Las regiones metropolitanas de América Latina. Problemas de gobierno y desarrollo". En *Gobernar las metrópolis*, editado por Eduardo Rojas, Juan R. Cuadrado-Roura y José Miguel Fernández Güell, 35-59. Washington D. C.: BID / Universidad de Alcalá de Henares.

Rojas, Francisco y Andrea Álvarez. 2012. "Seguridad Humana. Un estado del arte". En *Seguridad Humana: nuevos enfoques*, editado por Francisco Rojas, 9-32. San José: FLACSO Secretaría General / CAF.

Roldán, Mary. 2002. *A sangre y fuego. La violencia en Antioquia, Colombia 1946-1953*. Bogotá: Instituto Colombiano de Antropología e Historia / Fundación para la Promoción de la Ciencia y la Tecnología.

Romero, Alexis y Ana Parra. 2008. "La Vacuna. Legitimación de las organizaciones ilegales de protección". En *Peor el remedio... El impacto de las respuestas de la población a la violencia delincuencial en la convivencia ciudadana*, dirigido por Alexis Romero, 71-110. Buenos Aires: El Aleph.

Romero, Alexis, Raima Rujano y José del Nogal. 2008. "La patrulla vecinal: todos bajo sospecha". En *Peor el remedio... El impacto de las respuestas de la población a la violencia delincuencial en la convivencia ciudadana*, dirigido por Alexis Romero, 111-140. Buenos Aires: El Aleph.

Romero, Lemaire. 2007. "Hacia un paradigma bolivariano de la política exterior de Venezuela". *Boletín Electrónico ISRI* 17. http://www.isri.cu.

Rosales, Elsie. 2010. "Sistema penal, seguridad ciudadana y policía en las metrópolis (Venezuela y el contexto regional)". *Espacio Abierto Cuaderno Venezolano de Sociología* 19 (2): 273-295.

Roth, André-Noël. 2009. *Políticas públicas. Formulación, implementación y evaluación*. 7.ª edición. Bogotá: Ediciones Aurora.

_____ 2014. *Políticas públicas. Formulación, implementación y evaluación*. 10.ª Edición. Bogotá: Ediciones Aurora.

Rotker, Susana. 2000. "Ciudades escritas por la violencia (A modo de introducción)". En *Ciudadanías del miedo*, editado por Susana Rotker, 7-22. Caracas: Nueva Sociedad.

Roux, Gustavo I. de. 1994. "Ciudad y violencia en América latina". En *Ciudad y violencias en América Latina*, editado por Alberto

Concha-Eastman, Fernando Carrión y Germán Cobo, 27-46. Quito: Programa de Gestión Urbana.

Ruiz, Juan. 2011. "La película de la seguridad: lecciones internacionales". *Papel Político* 16 (2): 637-649.

Russel, Roberto y Juan Tokatlian. 2009. "Modelos de política exterior y opciones estratégicas: El caso de América Latina frente a Estados Unidos". *Revista CIDOB d'Áfers Internacionals*, 85-86: 211-249.

Sabatier, Paul. 1986. "Top-Down and Bottom-Up Approaches to Implementation Research: a Critical Analysis and Suggested Synthesis". *Journal of Public Policy* 6 (1): 21-48.

Sabatier, Paul y Daniel Mazmanian. 1979. "The Conditions of Effective Implementation: A Guide to Accomplishing Policy Objectives". *Policy Analysis* 5 (4): 481-504.

Saín, Marcelo. 2008. "Situación de la seguridad pública en la Argentina. Análisis de coyuntura y prospectiva". En *Estado, democracia y seguridad ciudadana,* compilado por Alejandro Álvarez, Julián Bertranou y Damián Fernández, 61-106. Buenos Aires: PNUD.

_____ 2010. *La reforma policial en América Latina, una mirada crítica desde el progresismo.* Buenos Aires: Prometeo.

Salamon, Lester M. 2000. "The New Governance and the Tools of Public Action: An Introduction". *Fordham Urban Law Journal* 28 (5): 1611-1674.

Salomón, Leticia y Julieta Castellanos. 1996. *La seguridad ciudadana y la reforma policial.* Tegucigalpa: FES.

Sampson, Robert. 2004. "Neighbourhood and community. Collective efficacy and community safety". *New Economy* 11 (2): 106-113.

Sánchez, Gonzalo y Dony Meertens. 1983. *Bandoleros, Gamonales y Campesinos: el caso de la violencia en Colombia.* Bogotá: Ancora Editores.

Sánchez, Juan Jesús. 2001. *Seguridad privada: apuntes y reflexiones.* Madrid: Dilex.

Sánchez, Magaly. 2006. "Insecurity and Violence as a New Power Relation in Latin America". *Annals of the American Academy of Political and Social Science*, 606: 178-195.

Sartori, Giovanni. 1999. "Comparación y método comparativo". En *La comparación en las Ciencias Sociales*, compilado por Giovanni Sartori y Leonardo Morlino, 29-49. Madrid: Alianza Editorial.

_____ 2011. *Cómo hacer ciencia política: lógica, método y lenguaje en las ciencias sociales*. Madrid: Taurus.

Selmini, Rosella. 2009. "La prevención: estrategias, modelos y definiciones en el contexto europeo". *Urvio*, 6: 41-57.

Sepúlveda, Juan. 2008. *Convivencia y seguridad en Iberoamérica: nuevas visiones*. Barcelona: Fundación Casa América Catalunya.

Silva, Alicia. 1997. "Seguridad, justicia local y autorregulación ciudadana (1995-1997)". En *Justicia, Seguridad y Convivencia Ciudadana en Santa Fe de Bogotá,* compilado por Guillermo Segovia, 99-109. Bogotá: Consejería Presidencial para el Desarrollo Territorial y de Santa Fe de Bogotá, D.C.

Silva, Iván. 2000. *Costo económico de los delitos, niveles de vigilancia y políticas de seguridad ciudadana en las comunas del Gran Santiago.* Santiago: CEPAL.

Silveira, Patricia y Rute Imanishi. 2009. "Favelas, pobreza e sociabilidade violenta no Rio de Janeiro: uma análise espacial". Ponencia presentada en el XXIX Congreso Internacional de LASA, Rio de Janeiro, 11-14 de junio de 2009.

Simon, Jonhatan. 2006. "Gobernando a través del delito". *Delito y Sociedad* 15 (22): 75-91.

Skogan, Wersley. 1986. "Fear of Crime and Neighborhood Change". *Crime and Justice*, 8: 203-229.

Smulovitz, Catalina. 2003. "Policiamiento comunitario en Argentina, Brasil y Chile: lecciones de una experiencia incipiente". En *Entre el crimen y el castigo. Seguridad ciudadana y control democrático en América Latina y el Caribe*, editado por Lilian Bobea, 87-117. Caracas: Nueva Sociedad.

Soares, Luis Eduardo. 2005. "Segurança municipal no Brasil: sugestões para uma agenda mínima". En *Prevenção da violência: o papel das cidades,* coordinado por João Trajano Sento-Sé, 15-44. Rio de Janeiro: Civilização Brasileira.

Sojo, Carlos. 2001. "Contexto y condicionantes sociales de la seguridad ciudadana en Centroamérica". *Espacios: Revista Centroamericana de Cultura Política*, 13: 42-46.

Sotomayor, Arturo. 2007. "La Seguridad Internacional: vino viejo en botellas nuevas". *Revista de Ciencia Política* 27 (2): 67-88.

Sozzo, Máximo, comp. 1999. *Seguridad urbana. Nuevos problemas, nuevas perspectivas.* Santa Fe: Universidad Nacional del Litoral.

_____ 2007. "¿Metamorfosis de la prisión? Proyecto normalizador, populismo punitivo y prisión depósito en Argentina". *Urvio,* 1: 88-116.

_____ 2008. *Inseguridad, prevención y policía*. Quito: FLACSO Ecuador / MDMQ.

Subirats, Joan. 1995. "Los instrumentos de las políticas, el debate público y el proceso de evaluación". *Gestión y Política Pública* 4 (1): 5-23.

Subirats, Joan, Peter Knoepfel, Corinne Larrue y Frédéric Varone. 2012. *Análisis y gestión de políticas públicas.* Barcelona: Ariel.

Suing, José. 2010. *Gobiernos autónomos descentralizados.* Loja: Editorial UTPL.

Summer, Colin. 1996. "La decadencia del control social". *Delito y Sociedad* 1 (8): 9-23.

Surel, Yves. 2000. "The Role of Cognitive and Normative Frames in Policy-Making". *Journal of European Public Policy* 47 (2): 147-172.

Tello, Susana. 2011. "Revisando la securitización de la agenda internacional: la normalización de las políticas del pánico". *Relaciones Internacionales,* 18: 189-200.

Tickner, Arlene B. 2007. "Intervención por invitación. Claves de la política exterior colombiana y de sus debilidades principales". *Colombia Internacional*, 65: 90-111.

Tocornal, Ximena. 2011. "¿Buenas prácticas o intervenciones basadas en evidencia?". En *Experiencias en América Latina: el desafío de evaluar programas de seguridad ciudadana*, editado por Jorge Araya, 9-13. Santiago: Universidad de Chile.

Torres, Andreina. 2011. "La política pública de seguridad ciudadana en Quito: un esfuerzo municipal". *Urvio*, 9: 70-88.

Treviño, Jesús. 2008. "Gobernanza metropolitana. Enfoques y marco conceptual". Ponencia presentada en el XIII Congreso Iberoamericano de Urbanismo, Monterrey, 15-18 de octubre de 2008.

Tudela, Patricio. 2001. "Seguridad y políticas públicas". *Revista Política y Estrategia de la Academia Nacional de Estudios Políticos y Estratégicos*, 83: 51-64.

UNDP (United Nations Development Programme). 1997. *Governance for Sustainable Human Development*. Nueva York: UNDP.

Ungar, Mark. 2007. "The Privatization of Citizen Security in Latin America: From Elite Guards to Neighborhood Vigilantes". *Social Justice* 34 (3-4): 20-37.

UN-Hábitat. 2009. "Crimen y violencia urbanos: respuestas de política". En *Hábitat y seguridad urbana: Tendencias, prevención y gobernanza de la seguridad*, editado por Elkin Velásquez y Fabio Giraldo, 131-194. Bogotá: UN-Hábitat / Alcaldía Mayor de Bogotá.

Vallejo, René. 2009. "Quito, de municipio a gobierno local: Innovación institucional en la conformación y gobierno del Distrito Metropolitano de Quito. 1990-2007". Tesis de maestría, FLACSO Ecuador.

Vanderschueren, Franz. 1994. "La violencia urbana, los pobres de la ciudad y la justicia". En *Ciudad y violencias en América Latina*, editado por Alberto Concha-Eastman, Fernando Carrión y Germán Cobo, 63-73. Quito: Programa de Gestión Urbana.

Van Leeuwen, Anouk. 2007. "Inseguridad ciudadana en la ciudad de Quito desde 2000". Tesis de maestría, Universidad de Leiden.

Van Nispen, Frans y Arthur Ringeling. 1998. "On instrument and instrumentality: a critical assessment". En *Public Policy Instruments: Evaluating the Tools of Public Administration,* editado por B. Guy Peters, Maurice Falk y F. K. M. Van Nispen, 204-217. Cheltenham: Edward Elgar Publishing.

Van Swaaningen, René. 2007. "Barriendo las calles: sociedad civil y seguridad ciudadana en Rótterdam". *Revista Española de Investigación Criminológica*, 5: 1-21.

Vargas, Alejo y Viviana Pinzón. 2008a. "Seguridad ciudadana y gasto público: reflexiones sobre el caso colombiano". *América Latina Hoy*, 50: 37-51.

_____ 2008b. "Violencia urbana, seguridad ciudadana y políticas públicas: la reducción de la violencia en las ciudades de Bogotá y Medellín (Colombia) 1991-2007". En *(In)Seguridad y violencia en América Latina: un reto para la democracia*, coordinado por Francisco Rojas y Manuela Mesa, 249-270. Madrid: AECID / Fundación Carolina.

Vargas, Rau y Paulina Castillo. 2008. "Prevención de la violencia y el delito mediante diseño ambiental en Latinoamérica y El Caribe: estrategias urbanas de cohesión social e integración ciudadana". *Revista Invi* 23 (64): 169-189.

Velásquez, César. 2010. "Una aproximación al concepto de crimen organizado y a sus manifestaciones en vecindarios bogotanos. Algunas reflexiones para el debate sobre seguridad urbana". En *Ensayos sobre seguridad urbana y seguridad residencial,* editado por Luis Peña, 201-223. Bogotá: Universidad Externado de Colombia.

Velásquez, Elkin. 2008a. "El aporte del Libro Blanco de la seguridad ciudadana y la convivencia de Bogotá a la gobernabilidad de la seguridad ciudadana". En *Seguridad multidimensional en América*

Latina, editado por Fredy Rivera, 413-431. Quito: FLACSO Ecuador / Ministerio de Cultura.

Velásquez, Elkin. 2008b. *Gobernanza de la seguridad urbana*. Bogotá: ILAE.

_____ 2009. "Por qué funcionan las políticas de seguridad urbana". En *Hábitat y seguridad urbana: Tendencias, prevención y gobernanza de la seguridad*, editado por Elkin Velásquez y Fabio Giraldo, 237-260. Bogotá: UN-Hábitat / Alcaldía Mayor de Bogotá.

_____ s.f. "Gobernabilidad y nuevos desafíos de la seguridad ciudadana en Bogotá". En *La seguridad: un desafío permanente para Bogotá*, editado por PNUD, 19-41. Bogotá: PNUD.

Velásquez, Elkin, Isaac León y Alejandro Ramírez. 2010. "Vulnerabilidades urbanas y crimen organizado: Una entrada a través del análisis de la gobernanza urbana". En *Ensayos sobre seguridad urbana y seguridad residencial*, editado por Luis Peña, 225-240. Bogotá: Universidad Externado de Colombia.

Velásquez, Fabio. 1995. "La descentralización en Colombia: antecedentes, desarrollos y perspectivas". En *¿Descentralizar en América Latina? Gestión Urbana 3*, editado por Jorg-Werner Hass y Alex Rosenfeld, 237-311. Quito: GTZ / PGU.

_____ 2003. "La descentralización en Colombia: en busca del bienestar y la convivencia democrática". En *Procesos de descentralización en la Comunidad Andina*, editado por Fernando Carrión, 127-175. Quito: FLACSO Ecuador / OEA / Parlamento Andino.

_____ 2007. "Dilemas e incertidumbres de la descentralización en Colombia". En *La descentralización en Ecuador: opciones comparadas*, compilado por Fernando Carrión, 143-171. Quito: FLACSO Ecuador / SENPLADES / GTZ / COSUDE / PDDL / PRODESIMI / BTC.

Verdes-Montenegro Escánez, Francisco J. 2015. "Securitización: agendas de investigación abiertas para el estudio de la seguridad". *Relaciones Internacionales* 29 (junio-septiembre): 111-131.

Vigil, Diego. 2003. "Urban Violence and Street Gangs". *Annual Review of Anthropology*, 32: 225-242.

Villavicencio, Gaitán. 1994. "Guayaquil: pobreza, delincuencia organizada y crisis social". En *Ciudad y violencias en América Latina*, editado por Alberto Concha-Eastman, Fernando Carrión y Germán Cobo, 185-198. Quito: Programa de Gestión Urbana.

Walklate, Sandra. 1998. "Crime and Community: Fear or Trust?". *British Journal of Sociology* 49 (4): 550-569.

Wikström, Per-Olof. 1995. "Preventing City-Center Street Crimes". *Crime and Justice*, 9: 429-468.

Woodside, Kenneth. 1986. "Policy Instruments and the Study of Public Policy". *Canadian Journal of Political Science* 19 (4): 775-793.

_____ 1998. "The Acceptability and Visibility of Policy Instruments". En *Public Policy Instruments: Evaluating the Tools of Public Administration*, editado por B. Guy Peters, Maurice Falk y F. K. M. Van Nispen, 162-184. Cheltenham: Edward Elgar Publishing.

World Bank. 1992. *Governance and Development*. Washington D. C.: World Bank.

_____ 2006. "Crime, Violence and Economic Development in Brazil: Elements for Effective Public Policy". Reporte 365252-BR. Washington D. C.: World Bank.

Yanow, Dvora. 1987. "Toward a Policy Culture Approach to Implementation". *Policy Studies Review* 7 (1): 103-115.

Zaitch, Damián y Ramiro Sagarduy. 1992. "La criminología crítica y la construcción del delito. Entre la dispersión epistemológica y los compromisos políticos". *Delito y Sociedad* 3 (4-5): 31-52.

Zuleta, Estanislao. 1991. *Colombia: violencia, democracia y derechos humanos*. Bogotá: Ediciones Altamir.

Zúñiga, Lisa. 2010. "Conjugando estrategia nacional y política local en seguridad: el caso de Chile". Documentos Electrónicos del Programa Seguridad y Ciudadanía 2. Santiago: FLACSO Chile.

Entrevistas

Alberto Cienfuegos, analista político Bogotá.
Alejandro Vizuete, exdirector del OMSC.
Alex Tupiza, exfuncionario del OMSC.
Alfredo Manrique, exveedor distrital de Bogotá.
Antanas Mockus, exalcalde de Bogotá.
Augusto Barrera, exalcalde de Quito.
Belén Cuesta, directora Dirección de Apoyo a Víctimas DMQ.
Blanca Chamorro, directora Dirección de Gobernabilidad DMQ.
CEACSC, investigadores.
Corpovisionarios, funcionarios.
Daniel Pontón, exdirector del OMSC.
Dolores Padilla, Fundación ESQUEL.
Fabricio Villamar, concejal de Quito.
Fernando Buendía, asesor Asamblea Nacional Ecuador.
Fernando Hernández, director CNAI.
Guadalupe Estévez, Emseguridad DMQ.
Héctor Morales, funcionario Consejo de Justicia Bogotá.
Hugo Acero, exsubsecretario de Seguridad de Bogotá.
Jairo García, funcionario CCB.
Jairo Ricaurte, funcionario CEACSC.
Jairo Torres, comandante Policía Metropolitana de Bogotá.
Javier Ladino, funcionario Ministerio del Interior.
Jorge Cevallos, jefe de Operaciones de la Policía Nacional Quito.

Juan Camilo Dávila, funcionario Fondo Vigilancia Seguridad (Bogotá).
Juan Carlos Rueda, director de Educación de la Policía Nacional Ecuador.
Kristell Quiroga, funcionaria de la Secretaría de Gobierno de Bogotá.
Lautaro Ojeda, exfuncionario de Corposeguridad.
Lorena Vinueza, ex directora Dirección de Seguridad DMQ.
Lourdes Rodríguez, secretaria de Seguridad DMQ.
Marta de la Cruz, funcionaria de la Veeduría Distrital de Bogotá.
Max Campos, funcionario Ministerio Coordinador de Seguridad.
Miryan Nope, funcionaria de la Veeduría Distrital de Bogotá.
Nelcy de la Cadena, directora Dirección de Participación DMQ.
Norman Wray, exconcejal de Quito.
Omar Oróstegui, coordinador técnico Bogotá Cómo Vamos.
Orlando Parada, concejal de Bogotá.
Paco Moncayo, exalcalde de Quito.
Personería de Bogotá, funcionarios.
Ramiro Triviño, funcionario Contraloría de Bogotá.
Raúl Franco, funcionario Fundación Marcha Blanca.
Ricardo Camacho, consultor en temas de seguridad Quito.
Ricardo Peñaherrera, director Dirección de Riesgos DMQ.
Sara Pineda, funcionaria Contraloría de Bogotá.
Saruy Tolosa, funcionario FESCOL.
William Núñez, Dirección de Seguridad y Convivencia (Bogotá).
Yadira Allán, funcionaria Secretaría Seguridad DMQ.

Este libro fue compuesto en caracteres Garamond Premier
Pro 11,5 puntos, en octubre de 2018,
Bogotá, D. C., Colombia. Quito, Ecuador
Impreso en Xpress Estudio Gráfico y Digital S. A. S.